Virgile

L'Enéide

Première partie

Chants I à VI

VIRGILE

L'Enéide

Première partie
Chants I à VI

EDITION BILINGUE
TRADUCTION ET NOTES
DE RICHARD WOJNAROWSKI

Ouvrage du même traducteur :

Quelques commentaires au De Rerum Natura de Lucrèce
Editions BoD, 2020, ISBN 9782322208425

AVERTISSEMENT

« Je déclare qu'une traduction en vers de n'importe qui, par n'importe qui, me semble chose absurde, impossible et chimérique. »

Victor Hugo

La présente traduction, sans être en vers, se veut néanmoins au plus près du texte latin, qui est reproduit en vis-à-vis.

Elle est pratiquement vers pour vers, sans pour autant tomber dans le mot à mot.

Si ce parti pris nuit parfois à la compréhension en première lecture, il permet d'éviter de trop grandes approximations sous couvert de fluidité.

Les abondantes notes, au risque d'alourdir la lecture, sont destinées à éclairer les multiples allusions mythologiques, que le lecteur moderne, fût-il le plus cultivé, n'a pas forcément gardé en mémoire depuis ses humanités.

A la Pax Universalis, hier comme aujourd'hui tellement malmenée

CHANT I

CHANT I

Les combats et un héros je chante, le premier qui des rives troyennes
Par le destin exilé, en Italie est venu, jusqu'aux laviniens[1]
Rivages, malmené sur terre et sur mer
Par la force des dieux, du fait de la tenace colère de la cruelle Junon ;

Il a enduré maintes souffrances et la guerre, avant de fonder sa ville
Et transporter ses dieux jusqu'au Latium, d'où la race latine,
Et les pères Albains[2], ainsi que les remparts de la grande Rome.
Muse, rappelle-moi pourquoi, par quelle offense à sa divine majesté,
Ou par quel chagrin, la reine des dieux, à traverser tant de calamités,

Entreprendre tant d'efforts, un homme reconnu pour sa piété
Aura poussé. Une telle colère se peut-elle dans les esprits célestes ?
Il fut une cité antique, occupée par des colons de Tyr[3],
Carthage, en face de l'Italie, et éloignée (des bouches) du Tibre,
Riche en ressources et des plus belliqueuse ;

Cité, dit-on, que Junon[4], plus qu'aucune autre terre,
Honora, même plus que Samos[5] ; là se trouvaient ses armes,
Son char ; à faire régner cette cité sur les nations, la déesse
A l'époque déjà aspire et pousse, si le destin toutefois le permet.
Cependant, d'un sang troyen issue, une lignée devait venir

NB : les parties entre parenthèses ont été le plus souvent déplacées de vers voisins pour permettre une meilleure compréhension.

─────────────

[1] Lavinium est une cité du Latium.
[2] Romulus et Rémus, les fondateurs de Rome, sont issus de la dynastie royale d'Albe, autre cité du Latium.
[3] Cité de l'antique Phénicie.
[4] Junon est identifiée à l'Astarté phénicienne, vénérée à Carthage.
[5] Héra, la Junon grecque, était particulièrement honorée sur l'île de Samos, où elle possédait un temple célèbre, l'Héraion, ainsi qu'un autel monumental.

LIBER I

Arma uirumque cano, Troiae qui primus ab oris
Italiam, fato profugus, Lauiniaque uenit
litora, multum ille et terris iactatus et alto
ui superum saeuae memorem Iunonis ob iram;

multa quoque et bello passus, dum conderet urbem,   5
inferretque deos Latio, genus unde Latinum,
Albanique patres, atque altae moenia Romae.
Musa, mihi causas memora, quo numine laeso,
quidue dolens, regina deum tot uoluere casus

insignem pietate uirum, tot adire labores   10
impulerit. Tantaene animis caelestibus irae?
Urbs antiqua fuit, Tyrii tenuere coloni,
Karthago, Italiam contra Tiberinaque longe
ostia, diues opum studiisque asperrima belli;

quam Iuno fertur terris magis omnibus unam   15
posthabita coluisse Samo; hic illius arma,
hic currus fuit; hoc regnum dea gentibus esse,
si qua fata sinant, iam tum tenditque fouetque.
Progeniem sed enim Troiano a sanguine duci

Qui un jour renverserait les citadelles tyriennes, avait-elle entendu ;
De là un peuple de grands dominateurs et fiers guerriers
Viendrait, fatal à la Libye[6] : ainsi l'avaient filé les Parques[7].
Craignant cela, la Saturnienne[8] se rappelait la précédente guerre
Qu'elle avait d'abord menée devant Troie pour ses chers Argiens[9] —

Les causes de sa colère et les cruelles douleurs n'avaient pas encore
Quitté son esprit : y restent profondément ancrés
Le jugement de Pâris[10] et les offenses à sa beauté méprisée,
Une race haïe[11], et les honneurs rendus à Ganymède enlevé[12].
Rendue furibonde par ces faits, par la plaine marine ballottés,

Les Troyens ayant échappé aux Danaéens[13] et au féroce Achille,
Elle les maintenait loin du Latium, pendant de nombreuses années
Errant, circulant sur toutes les mers, guidés par le destin.
Si pénible était la fondation de la race Romaine !
A peine hors de vue des terres siciliennes vers la haute mer

Ils hissaient les voiles, joyeux, et se lançaient sur la mer écumeuse,
Quand Junon, ayant toujours sur le cœur son éternelle blessure,
Se dit : « Puis-je renoncer, défaite, à ce qui est en cours,
D'Italie le roi des Teucriens[14] ne peut-il être détourné ?
Certes le destin me l'interdit. Mais Pallas brûler la flotte

---

[6] Ainsi appelait-on l'Afrique.
[7] Les Parques filaient les destinées sur leurs quenouilles.
[8] Junon est la fille de Saturne-Cronos.
[9] Peuple grec occupant l'Argolide, partie du Péloponnèse, propriété d'Héra. Les Argiens avaient participé à la guerre de Troie sous la conduite d'Agamemnon.
[10] Le troyen Pâris avait dû arbitrer un concours de beauté entre Héra, Athéna et Aphrodite, et s'était prononcé en faveur d'Aphrodite qui lui avait promis l'amour de la plus belle femme du monde : Hélène…
[11] Les Troyens se disaient descendants de Dardanos, fils de Zeus et de la Pléiade Electre, d'où la haine de Héra pour le peuple issu de ce fils illégitime.
[12] Ganymède, fils d'un prince troyen, a été enlevé par Zeus, qui en est tombé amoureux et l'a installé dans l'Olympe pour servir d'échanson aux dieux, en remplacement de Hébé, la fille de Héra-Junon.
[13] Descendants de Danaos, légendaire refondateur d'Argos.
[14] Descendants de Teucros, premier roi mythique de la Troade.

audierat, Tyrias olim quae uerteret arces; 20
hinc populum late regem belloque superbum
uenturum excidio Libyae: sic uoluere Parcas.
Id metuens, ueterisque memor Saturnia belli,
prima quod ad Troiam pro caris gesserat Argis –

necdum etiam causae irarum saeuique dolores 25
exciderant animo: manet alta mente repostum
iudicium Paridis spretaeque iniuria formae,
et genus inuisum, et rapti Ganymedis honores.
His accensa super, iactatos aequore toto

Troas, reliquias Danaum atque immitis Achilli, 30
arcebat longe Latio, multosque per annos
errabant, acti fatis, maria omnia circum.
Tantae molis erat Romanam condere gentem!
Vix e conspectu Siculae telluris in altum

uela dabant laeti, et spumas salis aere ruebant, 35
cum Iuno, aeternum seruans sub pectore uolnus,
haec secum: 'Mene incepto desistere uictam,
nec posse Italia Teucrorum auertere regem?
Quippe uetor fatis. Pallasne exurere classem

Des Argiens, ainsi que noyer ceux-ci dans la mer, n'a-t-elle pu,
A cause du crime et de la fureur du seul Ajax[15], le fils d'Oïlée ?
Elle-même, ayant fait jaillir le rapide éclair des nuages de Jupiter,
Disloqua les navires et fit déchaîner la plaine marine par les vents,
Et lui, expirant des flammes de sa poitrine transpercée,

Elle l'emporta dans un tourbillon et le rejeta sur une falaise abrupte.
Et moi, qui suis la reine des dieux, de Jupiter à la fois
La sœur et l'épouse, contre une seule race tant d'années
Je passe à guerroyer ! Et qui alors la majesté de Junon pourrait adorer
Après cela, ou, suppliant, mettrait une offrande sur mes autels ? »

Ruminant de telles choses en son cœur enflammé, la déesse
Dans le pays des tempêtes, lieux que remplit l'Auster[16] furieux,
Les Eoliennes, se rendit. Là le roi Eole dans une vaste caverne
Les vents rageurs et les tempêtes bruyantes
Maintient sous son autorité, les enchaînant et emprisonnant.

Avec fureur et fracas, par de montagneuses
Barrières entourés, ils grondent ; Eole siège dans sa haute citadelle,
Tenant son sceptre, calmant leurs esprits et tempérant leurs colères.
S'il ne le faisait pas, les terres, les mers et les cieux élevés
A coup sûr ils les emporteraient vite fait, les balayant dans le vide.

Mais le père tout puissant les a cachés dans de noires cavernes,
Craignant cela, et un tas de hautes montagnes par-dessus
Il posa, et leur donna un roi qui, par un loyal engagement,
Saurait les maîtriser et, sur ordre, les débrider.
A ce dernier, Junon, suppliante, adressa alors ces paroles :

---

[15] Ajax « le petit » fut puni par Pallas-Athéna pour avoir sorti Cassandre de son temple et l'avoir violée pendant le sac de Troie. Lors du retour des Grecs chez eux, ses vaisseaux font naufrage mais Ajax se réfugie sur un rocher, sauvé par Poséidon. Malheureusement, il est pris de fureur et maudit les dieux. Poséidon fend alors le rocher et engloutit le blasphémateur. Pallas n'y est pour rien !
[16] Vent du sud.

Argiuom atque ipsos potuit submergere ponto,   40
unius ob noxam et furias Aiacis Oilei?
Ipsa, Iouis rapidum iaculata e nubibus ignem,
disiecitque rates euertitque aequora uentis,
illum expirantem transfixo pectore flammas

turbine corripuit scopuloque infixit acuto.   45
Ast ego, quae diuom incedo regina, Iouisque
et soror et coniunx, una cum gente tot annos
bella gero! Et quisquam numen Iunonis adoret
praeterea, aut supplex aris imponet honorem?'

Talia flammato secum dea corde uolutans   50
nimborum in patriam, loca feta furentibus austris,
Aeoliam uenit. Hic uasto rex Aeolus antro
luctantes uentos tempestatesque sonoras
imperio premit ac uinclis et carcere frenat.

Illi indignantes magno cum murmure montis   55
circum claustra fremunt; celsa sedet Aeolus arce
sceptra tenens, mollitque animos et temperat iras.
Ni faciat, maria ac terras caelumque profundum
quippe ferant rapidi secum uerrantque per auras.

Sed pater omnipotens speluncis abdidit atris,   60
hoc metuens, molemque et montis insuper altos
imposuit, regemque dedit, qui foedere certo
et premere et laxas sciret dare iussus habenas.
Ad quem tum Iuno supplex his uocibus usa est:

« O Eole, puisqu'à toi le père des dieux et le roi des hommes
A donné à la fois de calmer et soulever les flots par les vents,
Une race qui m'est hostile navigue sur la mer Tyrrhénienne,
Important en Italie Ilion[17] et ses Pénates[18] vaincus :
Insuffle la force dans les vents, submerge et coule ses navires,

Ou éparpille et disloque leurs corps dans la mer.
Je possède deux fois sept nymphes au corps superbe,
Dont la plus belle de forme est Déiopée,
Je l'unirai à toi par un mariage immuable et la dirai tienne,
Afin que, pour tes grands services, avec toi pendant des années

Elle vive, et te donne une belle descendance. »
Eole lui répond : « Ce que tu désires, ô reine, c'est ton
Affaire de le rechercher ; c'est pour moi un devoir d'exécuter tes ordres.
Toi, ce pauvre royaume qui est le mien, le sceptre et de Jupiter
Les faveurs, tu me les octroies, ainsi que de partager les festins divins,

Et me donnes le pouvoir sur les nuages et les tempêtes. »
Ayant dit cela, avec son sceptre retourné, de la montagne creuse
Il pique les flancs : et les vents, comme rangés en ordre de bataille,
Par le passage qui leur est donné se ruent et tournoient par les terres.
Ils tombèrent sur la mer, et toutes choses, des plus grandes profondeurs,

Ensemble l'Eurus[19], le Notus[20] soulèvent, ainsi que, gros de tempêtes,
L'Africus[21], et roulent d'énormes vagues jusqu'au littoral.
Il s'ensuit et une clameur des hommes et un craquement des cordages.
Soudain les nuages ravissent à la fois le ciel et le jour
De la vue des Teucriens ; la nuit noire s'installe sur la mer.

---

[17] Autre nom de la cité de Troie.
[18] Dieux tutélaires.
[19] Le vent d'est.
[20] Le vent d'ouest.
[21] Le vent du sud-ouest.

'Aeole, namque tibi diuom pater atque hominum rex   65
et mulcere dedit fluctus et tollere uento,
gens inimica mihi Tyrrhenum nauigat aequor,
Ilium in Italiam portans uictosque Penates:
incute uim uentis submersasque obrue puppes,

aut age diuersos et disiice corpora ponto.   70
Sunt mihi bis septem praestanti corpore nymphae,
quarum quae forma pulcherrima Deiopea,
conubio iungam stabili propriamque dicabo,
omnis ut tecum meritis pro talibus annos

exigat, et pulchra faciat te prole parentem.'   75
Aeolus haec contra: 'Tuus, O regina, quid optes
explorare labor; mihi iussa capessere fas est.
Tu mihi, quodcumque hoc regni, tu sceptra Iouemque
concilias, tu das epulis accumbere diuom,

nimborumque facis tempestatumque potentem.'   80
Haec ubi dicta, cauum conuersa cuspide montem
impulit in latus: ac uenti, uelut agmine facto,
qua data porta, ruunt et terras turbine perflant.
Incubuere mari, totumque a sedibus imis

una Eurusque Notusque ruunt creberque procellis   85
Africus, et uastos uoluunt ad litora fluctus.
Insequitur clamorque uirum stridorque rudentum.
Eripiunt subito nubes caelumque diemque
Teucrorum ex oculis; ponto nox incubat atra.

Le tonnerre fit résonner les cieux, et l'éther flamboie de denses éclairs,
Tout indique une mort imminente pour les hommes.
Immédiatement, les membres d'Enée se glacent :
Il gémit, et tendant les deux mains vers les étoiles,
Profère ces paroles : « O trois et quatre fois bienheureux

Ceux à qui devant la face de leurs pères sous les hauts remparts de Troie
Il a été donné de périr ! O de la race des Danaéens toi le plus brave,
Fils de Tydée[22] ! Dans la plaine d'Ilion succomber
N'ai-je pu, et par ta dextre rendre cette âme,
Là où le farouche Hector par la lance de l'Eacide[23] est mort, l'énorme

Sarpédon[24] aussi, là où le Simoïs[25], sous ses eaux emportés, tant de
Boucliers de soldats et de casques, et de robustes corps roule ? »
A celui qui profère ces paroles, une tempête rugissante venant du nord
Frappe les voiles de plein fouet, et porte les flots jusqu'aux étoiles.
Les rames sont brisées ; puis la proue des navires dévie, et aux lames

Prête le flanc ; en résulte une muraille d'eau, abrupte, massive.
Certains sont accrochés en haut des vagues ; à d'autres l'onde béante
Entrouvre la terre entre ses vagues ; les flots mêlés de sable font rage.
Le Notus tord contre des rochers dissimulés trois navires emportés —
Les Italiens appellent autels ces rochers au milieu des flots —

Monstrueuses crêtes au ras des eaux ; l'Eurus trois navires du large
Vers les basses eaux des Syrtes[26] pousse, lamentable spectacle,
Les enlise et les enferme dans un amas de sable.
L'un d'eux, qui transportait des Lyciens et le loyal Oronte,
Par une vague énorme, devant ses propres yeux, à la verticale

---

[22] Diomède, roi d'Argos.
[23] Achille, fils de Pélée.
[24] Sarpédon est tué, lui, par la lance de Patrocle, l'ami intime d'Achille.
[25] Rivière de la plaine de Troie, affluent du Scamandre.
[26] Bancs de sable au large des côtes africaines.

Intonuere poli, et crebris micat ignibus aether,   90
praesentemque uiris intentant omnia mortem.
Extemplo Aeneae soluuntur frigore membra:
ingemit, et duplicis tendens ad sidera palmas
talia uoce refert: 'O terque quaterque beati,

quis ante ora patrum Troiae sub moenibus altis   95
contigit oppetere! O Danaum fortissime gentis
Tydide! Mene Iliacis occumbere campis
non potuisse, tuaque animam hanc effundere dextra,
saeuus ubi Aeacidae telo iacet Hector, ubi ingens

Sarpedon, ubi tot Simois correpta sub undis   100
scuta uirum galeasque et fortia corpora uoluit?'
Talia iactanti stridens Aquilone procella
uelum aduersa ferit, fluctusque ad sidera tollit.
Franguntur remi; tum prora auertit, et undis

dat latus; insequitur cumulo praeruptus aquae mons.   105
Hi summo in fluctu pendent; his unda dehiscens
terram inter fluctus aperit; furit aestus harenis.
Tris Notus abreptas in saxa latentia torquet --
saxa uocant Itali mediis quae in fluctibus aras –

dorsum immane mari summo; tris Eurus ab alto   110
in breuia et Syrtis urget, miserabile uisu,
inliditque uadis atque aggere cingit harenae.
Unam, quae Lycios fidumque uehebat Oronten,
ipsius ante oculos ingens a uertice pontus

Est frappé sur l'arrière : le pilote est renversé et tête la première
Est roulé vers l'avant ; mais les flots par trois fois le navire
Font tourner sur place, et les remous rapidement l'engloutissent.
Apparaissent dans le vaste tourbillon quelques nageurs dispersés,
Des armes de soldats, des planches, et à travers les flots le trésor de Troie.

Déjà le robuste navire d'Ilionée, déjà celui du vaillant Achate,
Et ceux qui emmènent Abas et Alétès le vieux,
Ont été vaincus par la tempête ; les flancs désarticulés, tous
Prennent l'eau, et s'ouvrent en craquant.
Entretemps, par un grand fracas la mer troublée,

Et la tempête déchaînée sont ressenties par Neptune, ainsi que du fond
De la lagune les eaux répandues, ce qui gravement l'alarme ; et là-haut
Jetant un regard, il sort sa tête paisible du sommet des flots.
Il voit la flotte d'Enée disloquée à travers toute la plaine marine,
Les Troyens accablés par les vagues et le déluge céleste,

Et ne lui échappèrent ni la fourberie ni la colère de sa sœur Junon.
Il appelle l'Eurus et le Zéphyr[27], et leur dit ce qui suit :
« Si grande est la confiance que vous avez en votre engeance ?
Maintenant le ciel et la terre sans mon assentiment divin, ô vents,
Vous osez troubler, et de si grandes masses soulever ?

Je vais vous… — mais il est préférable de calmer les flots.
Une autre fois, vous me paierez vos méfaits par une autre peine que cela.
Sauvez-vous vite, et dites cela à votre roi :
Ce n'est pas à lui que le pouvoir sur la mer et le redoutable trident
Ont été attribués par le sort, mais à moi. Lui possède d'immenses rochers,

Vos demeures, Eurus ; que dans ce palais fanfaronne
Eole, et règne sur son impénétrable prison des vents. »
Ainsi parla-t-il, et d'un mot très vite apaise les flots furieux,
Fait fuir les nuages accumulés et fait revenir le soleil.
Cymothoé assistée de Triton[28] s'emploient d'un abrupt

---

[27] Le vent d'ouest.
[28] Cymothoé la Néréide et Triton fils de Neptune sont des divinités marines.

in puppim ferit: excutitur pronusque magister 115
uoluitur in caput; ast illam ter fluctus ibidem
torquet agens circum, et rapidus uorat aequore uortex.
Adparent rari nantes in gurgite uasto,
arma uirum, tabulaeque, et Troia gaza per undas.

Iam ualidam Ilionei nauem, iam fortis Achati, 120
et qua uectus Abas, et qua grandaeuus Aletes,
uicit hiems; laxis laterum compagibus omnes
accipiunt inimicum imbrem, rimisque fatiscunt.
Interea magno misceri murmure pontum,

emissamque hiemem sensit Neptunus, et imis 125
stagna refusa uadis, grauiter commotus; et alto
prospiciens, summa placidum caput extulit unda.
Disiectam Aeneae, toto uidet aequore classem,
fluctibus oppressos Troas caelique ruina,

nec latuere doli fratrem Iunonis et irae. 130
Eurum ad se Zephyrumque uocat, dehinc talia fatur:
'Tantane uos generis tenuit fiducia uestri?
Iam caelum terramque meo sine numine, uenti,
miscere, et tantas audetis tollere moles?

Quos ego -- sed motos praestat componere fluctus. 135
Post mihi non simili poena commissa luetis.
Maturate fugam, regique haec dicite uestro:
non illi imperium pelagi saeuumque tridentem,
sed mihi sorte datum. Tenet ille immania saxa,

uestras, Eure, domos; illa se iactet in aula 140
Aeolus, et clauso uentorum carcere regnet.'
Sic ait, et dicto citius tumida aequora placat,
collectasque fugat nubes, solemque reducit.
Cymothoe simul et Triton adnixus acuto

Rocher à dégager les navires ; lui-même les soulève de son trident ;
Ouvre les vastes bancs de sable et tranquillise la plaine marine,
Et sur des roues lisses glisse sur le sommet des vagues.
Et comme souvent lorsqu'au sein d'une grande foule a éclaté
Une émeute, et que les esprits de la racaille se déchaînent,

Que déjà brandons et pierres volent — la rage se trouve des armes —
Alors, si par hasard quelque homme chargé de piété et de mérite
Ils ont reconnu, ils se taisent, et s'arrêtent en prêtant l'oreille ;
Lui redresse les esprits par ses paroles, et calme les cœurs, —
Ainsi s'apaisa tout le fracas de la mer, et sur la plaine marine

Promenant son regard, s'élevant dans le ciel dégagé, le père créateur
Dévie ses chevaux, et laisse voler son équipage docile.
Les compagnons d'Enée, épuisés, les rivages les plus proches se hâtent
De rechercher, et se tournent vers les côtes libyennes.
Il est un lieu très retiré : une île un mouillage

Abrite derrière la barrière de ses flancs, sur lesquels depuis le large toute
Vague se brise et se fragmente en ondelettes.
Çà et là de grandes falaises, menaçantes, avec leurs doubles
Pics se dressent dans le ciel, à l'aplomb desquelles s'étalent
Les eaux abritées et silencieuses ; et sur un fond de mouvante végétation,

De là-haut domine un bois obscur, à l'ombre effrayante.
En face, sous des rochers en surplomb, il y a une caverne,
A l'intérieur, de l'eau douce et des sièges en pierre brute,
La demeure des nymphes : ici, des navires éreintés, par des amarres
Ne sont pas retenus, ni attachés par une ancre au dard recourbé.

Là Enée, avec les sept navires récupérés de toute
Sa flotte, s'engage ; et avec un grand appétit de terres
Etant partis, les Troyens prennent possession de ces plages convoitées,
Et posent sur le littoral leurs membres ruisselants d'eau de mer.
Tout d'abord Achate d'un silex fit jaillir une étincelle,

detrudunt nauis scopulo; leuat ipse tridenti; 145
et uastas aperit syrtis, et temperat aequor,
atque rotis summas leuibus perlabitur undas.
Ac ueluti magno in populo cum saepe coorta est
seditio, saeuitque animis ignobile uolgus,

iamque faces et saxa uolant -- furor arma ministrat; 150
tum, pietate grauem ac meritis si forte uirum quem
conspexere, silent, arrectisque auribus adstant;
ille regit dictis animos, et pectora mulcet, --
sic cunctus pelagi cecidit fragor, aequora postquam

prospiciens genitor caeloque inuectus aperto 155
flectit equos, curruque uolans dat lora secundo.
Defessi Aeneadae, quae proxima litora, cursu
contendunt petere, et Libyae uertuntur ad oras.
Est in secessu longo locus: insula portum

efficit obiectu laterum, quibus omnis ab alto 160
frangitur inque sinus scindit sese unda reductos.
Hinc atque hinc uastae rupes geminique minantur
in caelum scopuli, quorum sub uertice late
aequora tuta silent; tum siluis scaena coruscis

desuper horrentique atrum nemus imminet umbra. 165
Fronte sub aduersa scopulis pendentibus antrum,
intus aquae dulces uiuoque sedilia saxo,
nympharum domus: hic fessas non uincula nauis
ulla tenent, unco non alligat ancora morsu.

Huc septem Aeneas collectis nauibus omni 170
ex numero subit; ac magno telluris amore
egressi optata potiuntur Troes harena,
et sale tabentis artus in litore ponunt.
Ac primum silici scintillam excudit Achates,

Enflamma des feuilles, et tout autour de sèches
Matières combustibles plaça, arrachant une flamme au petit bois.
Puis des dons de Cérès[29] corrompus par l'eau et des ustensiles à farine
Ils préparent, fatigués par les évènements, et le grain récupéré,
Ils s'apprêtent à le sécher à la flamme et l'écraser à la meule.

Entretemps Enée escalade un rocher, et toute
La vue sur la mer étendue embrasse, au cas où quelque signe d'Anthée
Rejeté par le vent il verrait, avec ses birèmes[30] phrygiennes,
Ou peut-être de Capys, ou des soldats de Caïcus dans leurs fiers navires.
Aucun navire en vue, mais trois cerfs

Il aperçoit en train d'errer ; tout un troupeau avance
Derrière eux, paissant en une longue file dans la vallée.
Il s'arrêta, son arc à la main et ses flèches véloces
Saisit, armes que portait son fidèle Achate ;
Et d'abord les chefs de la harde eux-mêmes, portant la tête haute

Avec leurs bois, il les abat, puis le troupeau, et toute
La bande il trouble, la poussant de ses flèches dans les bois feuillus ;
Et ne s'arrête pas avant que, victorieux, sept énormes
Corps il ait étendu sur le sol, autant que de navires.
Puis il rejoint le mouillage, et fait le partage entre tous ses compagnons.

Ensuite, le vin que le noble Aceste[31] avait chargé dans des tonneaux
Sur les rivages de Trinacrie[32], et que ce héros avait donné aux partants,
Il le partage, et réconforte les cœurs affligés par ces paroles :
« O compagnons — nous n'avons pas oublié nos malheurs passés —
Nous en avons subi de plus grands, et le dieu à ceux-ci aussi mettra fin.

---

[29] Autrement dit des céréales.
[30] Galères à deux rangs de rameurs.
[31] Roi légendaire de Ségeste en Sicile, allié des Troyens.
[32] Ainsi appelait-on la Sicile.

succepitque ignem foliis, atque arida circum 175
nutrimenta dedit, rapuitque in fomite flammam.
Tum Cererem corruptam undis Cerealiaque arma
expediunt fessi rerum, frugesque receptas
et torrere parant flammis et frangere saxo.

Aeneas scopulum interea conscendit, et omnem 180
prospectum late pelago petit, Anthea si quem
iactatum uento uideat Phrygiasque biremis,
aut Capyn, aut celsis in puppibus arma Caici.
Nauem in conspectu nullam, tris litore ceruos

prospicit errantis; hos tota armenta sequuntur 185
a tergo, et longum per uallis pascitur agmen.
Constitit hic, arcumque manu celerisque sagittas
corripuit, fidus quae tela gerebat Achates;
ductoresque ipsos primum, capita alta ferentis

cornibus arboreis, sternit, tum uolgus, et omnem 190
miscet agens telis nemora inter frondea turbam;
nec prius absistit, quam septem ingentia uictor
corpora fundat humi, et numerum cum nauibus aequet.
Hinc portum petit, et socios partitur in omnes.

Vina bonus quae deinde cadis onerarat Acestes 195
litore Trinacrio dederatque abeuntibus heros,
diuidit, et dictis maerentia pectora mulcet:
'O socii -- neque enim ignari sumus ante malorum --
O passi grauiora, dabit deus his quoque finem.

Vous qui la fureur de Scylla[33] et (ses écueils) rugissants
Avez approchés, vous qui également la caverne du Cyclope[34]
Avez connue : reprenez vos esprits, et votre peur pleine de tristesse
Oubliez : peut-être aimerez-vous un jour vous rappeler cela aussi.
Traversant des calamités de toute sorte, tant de contrariétés,

Nous tendons vers le Latium ; où le destin une paisible patrie
Clairement nous signifie ; là il est donné au royaume de Troie de renaître.
Tenez bon, et préservez-vous pour des évènements propices. »
Il prononce ces paroles bien haut, et avec un énorme effort, affaibli,
Simulant l'espoir sur son visage, cachant de son cœur la vive douleur.

Ils récupèrent les proies et s'apprêtent à banqueter ;
Ils écorchent leurs flancs et mettent la chair à nu ;
Les uns les coupent en quartiers, les enfilant frémissants sur des piques ;
D'autres disposent des chaudrons sur la plage, et allument du feu.
Ensuite ils retrouvent leurs forces en mangeant, et dispersés dans l'herbe

Se gavent de vieux Bacchus[35] et de viande de gras gibier.
Une fois rassasiés par ce festin et le repas terminé,
Ils s'enquièrent longuement de leurs compagnons perdus,
Partagés entre l'espoir et la crainte, selon qu'ils les croient vivants
Ou trépassés et incapables d'entendre qu'on les appelle[36].

Notamment le pieux Enée maintenant du zélé Oronte,
D'Amycos, déplore la mort, ainsi que la cruelle à ses yeux
Destinée de Lycos, ô ses braves Gyas et Cloanthe !
Et c'en était fini quand Jupiter, du haut des cieux éthérés
Observant la mer porteuse de voiliers, les terres étendues

---

[33] Monstre marin veillant avec Charybde sur le détroit de Messine.
[34] Le Cyclope Polyphème vivant dans une caverne au pied de l'Etna.
[35] Dieu du vin, devenu synonyme de la boisson elle-même.
[36] Dans le rite funéraire romain, on appelait le mort par trois fois pour vérifier qu'il était bien mort (*conclamatio*).

Vos et Scyllaeam rabiem penitusque sonantis   200
accestis scopulos, uos et Cyclopea saxa
experti: reuocate animos, maestumque timorem
mittite: forsan et haec olim meminisse iuuabit.
Per uarios casus, per tot discrimina rerum

tendimus in Latium; sedes ubi fata quietas   205
ostendunt; illic fas regna resurgere Troiae.
Durate, et uosmet rebus seruate secundis.'
Talia uoce refert, curisque ingentibus aeger
spem uoltu simulat, premit altum corde dolorem.

Illi se praedae accingunt, dapibusque futuris;   210
tergora deripiunt costis et uiscera nudant;
pars in frusta secant ueribusque trementia figunt;
litore aena locant alii, flammasque ministrant.
Tum uictu reuocant uires, fusique per herbam

implentur ueteris Bacchi pinguisque ferinae.   215
Postquam exempta fames epulis mensaeque remotae,
amissos longo socios sermone requirunt,
spemque metumque inter dubii, seu uiuere credant,
siue extrema pati nec iam exaudire uocatos.

Praecipue pius Aeneas nunc acris Oronti,   220
nunc Amyci casum gemit et crudelia secum
fata Lyci, fortemque Gyan, fortemque Cloanthum.
Et iam finis erat, cum Iuppiter aethere summo
despiciens mare ueliuolum terrasque iacentis

Et leurs rivages, et les peuples de partout, au zénith ainsi
S'arrêta, et fixa son regard sur les royaumes de Libye.
Et voilà qu'à lui qui ruminait de tels soucis en son cœur,
Particulièrement affligée et les yeux brillants de larmes,
Vénus s'adresse : « O toi qui aux affaires des hommes et des dieux

Par tes éternels commandements présides, et les terrifies par ta foudre,
Contre toi (qu'ont pu) commettre de si grave mon Enée
Et les Troyens, qui, après avoir subi tant de deuils,
Se sont vu interdire tout le globe terrestre, à cause de l'Italie ?
Oui, que les Romains, à partir de là, un jour, les années passant,

Seraient à l'avenir les maîtres, issus du sang restauré de Teucros,
Dominateurs tout-puissants, sur mer et sur terre,
Tu as promis, pourquoi, père, as-tu changé d'avis ?
De cette chute de Troie, en effet, et de son affligeante ruine,
Je me consolais en compensant le destin par un destin contraire ;

A présent des hommes victimes de tant d'infortunes par le même sort
Sont poursuivis. Quelle fin vas-tu donner, grand roi, à ces tribulations ?
Anténor[37] put, se glissant entre les Achéens,
Pénétrer sans risque dans les baies d'Illyrie et au plus profond
Du royaume des Liburniens[38] et dépasser l'embouchure du Timave[39],

Qui, par neuf bouches descendant bruyamment de la montagne,
Dans la mer se précipite et de son flot sonore laboure la plaine.
Il finit par fonder la cité de Patavium[40] et y implanta les demeures
Des Teucriens, donnant un nom à sa race, et déposant les armes
Troyennes ; à présent d'une paix tranquille il jouit :

---

[37] Anténor, beau-frère de Priam, s'exila de Troie après sa chute, bénéficiant de la mansuétude des Achéens ; il prospecta le golfe adriatique et, dans le fond de celui-ci, trouva asile dans une cité peuplée de rescapés troyens, Venise, et colonisa toute la Vénétie.
[38] Peuple antique vivant sur la côte adriatique et ses îles.
[39] Cette rivière prend sa source en Slovénie, et après un long parcours souterrain se jette dans le golfe de Trieste, faisant résurgence à deux kilomètres de la mer.
[40] Padoue.

litoraque et latos populos, sic uertice caeli   225
constitit, et Libyae defixit lumina regnis.
Atque illum talis iactantem pectore curas
tristior et lacrimis oculos suffusa nitentis
adloquitur Venus: 'O qui res hominumque deumque

aeternis regis imperiis, et fulmine terres,   230
quid meus Aeneas in te committere tantum,
quid Troes potuere, quibus, tot funera passis,
cunctus ob Italiam terrarum clauditur orbis?
Certe hinc Romanos olim, uoluentibus annis,

hinc fore ductores, reuocato a sanguine Teucri,   235
qui mare, qui terras omni dicione tenerent,
pollicitus, quae te, genitor, sententia uertit?
Hoc equidem occasum Troiae tristisque ruinas
solabar, fatis contraria fata rependens;

nunc eadem fortuna uiros tot casibus actos   240
insequitur. Quem das finem, rex magne, laborum?
Antenor potuit, mediis elapsus Achiuis,
Illyricos penetrare sinus, atque intima tutus
regna Liburnorum, et fontem superare Timaui,

unde per ora nouem uasto cum murmure montis   245
it mare proruptum et pelago premit arua sonanti.
Hic tamen ille urbem Pataui sedesque locauit
Teucrorum, et genti nomen dedit, armaque fixit
Troia; nunc placida compostus pace quiescit:

Nous, ta progéniture[41], à qui tu as promis la citadelle des cieux,
Privés de navires, abomination ! du fait de la colère d'une seule
Nous sommes abandonnés et des rivages d'Italie sommes au loin séparés.
Voici le prix de notre piété ? C'est ainsi que tu nous rends un royaume ? »
Lui souriant, le créateur des hommes et des dieux,

De l'air avec lequel il apaise le ciel et les tempêtes,
Envoya des baisers à sa fille, et poursuivit ainsi :
« N'aie crainte, Cythéréenne[42] : des tiens inchangé demeure
Le destin, rassure-toi ; tu verras la cité de Lavinium et ses longs
Remparts, et tu porteras au firmament le sublime,

Magnanime Enée ; et je n'ai pas changé d'avis.
Et cet homme (avec toi en effet, puisque ce souci te tourmente, je serai
Plus dissert et développerai du destin les arcanes)
Mènera une guerre énorme en Italie, et des peuples intrépides
Domptera, donnera à ses hommes des lois et des remparts,

Il lui faudra trois étés pour régner sur le Latium,
Et trois hivers pour asservir les Rutules[43].
Et son garçon Ascagne, à qui maintenant le surnom de Julus
Est ajouté, — c'était Ilus, tant que le royaume d'Ilion existait, —
Trente grandes rotations d'années, mois après mois,

Accomplira au pouvoir, et le siège de son royaume de Lavinium
Transférera en fortifiant puissamment Albe la Longue[44].
Et alors trois cents années[45] en tout règnera
La lignée de Hector, jusqu'à ce que la prêtresse royale
Ilia, enceinte de Mars, accouche de rejetons jumeaux.

---

[41] Enée est fils de Vénus, elle-même fille de Jupiter.
[42] Aphrodite-Vénus est née au large de Cythère.
[43] Peuple du Latium qui combattit Enée et son allié Latinus.
[44] Cité du Latium, fondatrice de la ligue latine, dont elle perdra l'hégémonie au profit de Rome.
[45] Enée règnera donc trois ans, son fils Ascagne trente ans, et ses descendants trois cents ans jusqu'à la naissance des jumeaux Romulus et Rémus.

nos, tua progenies, caeli quibus adnuis arcem,   250
nauibus infandum! amissis, unius ob iram
prodimur atque Italis longe disiungimur oris.
Hic pietatis honos? Sic nos in sceptra reponis?'
Olli subridens hominum sator atque deorum,

uoltu, quo caelum tempestatesque serenat,   255
oscula libauit natae, dehinc talia fatur:
'Parce metu, Cytherea: manent immota tuorum
fata tibi; cernes urbem et promissa Lauini
moenia, sublimemque feres ad sidera caeli

magnanimum Aenean; neque me sententia uertit.   260
Hic, tibi fabor enim, quando haec te cura remordet,
longius et uoluens fatorum arcana mouebo,
bellum ingens geret Italia, populosque feroces
contundet, moresque uiris et moenia ponet,

tertia dum Latio regnantem uiderit aestas,   265
ternaque transierint Rutulis hiberna subactis.
At puer Ascanius, cui nunc cognomen Iulo
additur, -- Ilus erat, dum res stetit Ilia regno, --
triginta magnos uoluendis mensibus orbis

imperio explebit, regnumque ab sede Lauini   270
transferet, et longam multa ui muniet Albam.
Hic iam ter centum totos regnabitur annos
gente sub Hectorea, donec regina sacerdos,
Marte grauis, geminam partu dabit Ilia prolem.

De là, heureux sous la protection d'une louve nourricière fauve,
Romulus prendra en charge la race, et de Mars fondera
Les remparts et appellera les Romains de son propre nom.
A eux, je n'assigne de bornes, ni d'espace ni de temps, à leurs affaires ;
Je leur ai donné un pouvoir sans fin. Bien plus, la rugueuse Junon

Qui, inquiète, actuellement remue ciel, terres et mers,
S'amendera, et de concert avec moi confortera
Les Romains comme maîtres du monde et nation de la toge[46] :
Il en a été convenu ainsi. Viendra un temps, les lustres passant,
Où la maison d'Assaracos[47] à la Phthiotide[48] et à la glorieuse Mycènes[49]

La servitude imposera, et l'emportera sur les Argiens vaincus.
Naîtra César[50], de la belle lignée des Troyens,
Pouvant étendre son règne jusqu'à l'océan, sa gloire jusqu'aux astres —
Julius, un nom venant du grand Julus.
Lui un jour, chargé des dépouilles de l'Orient, dans le ciel

Tu le recevras, rassurée. Cet homme aussi comme un dieu sera invoqué.
Alors des âges la dureté sera attendrie par l'arrêt des guerres ;
La vénérable Fides[51], et Vesta[52], Quirinus[53] et son frère Rémus,
Légiféreront ; avec de terribles ferrures et des serrures bien ajustées
Seront fermées les portes de la Guerre[54] ; à l'intérieur, la Furor[55] impie,

---

[46] La toge était symbole de citoyenneté romaine.
[47] Arrière-grand-père d'Enée.
[48] Royaume de Pelée, le père d'Achille.
[49] Royaume d'Agamemnon.
[50] Octave, devenu César par adoption posthume de son grand-oncle Jules César.
[51] Déesse de la bonne foi et de l'honneur.
[52] Déesse du foyer et de la famille.
[53] Romulus divinisé.
[54] Le temple de Janus, fermé en temps de paix.
[55] Déesse romaine de la Folie furieuse, apparentée à la Lyssa grecque.

Inde lupae fuluo nutricis tegmine laetus 275
Romulus excipiet gentem, et Mauortia condet
moenia, Romanosque suo de nomine dicet.
His ego nec metas rerum nec tempora pono;
imperium sine fine dedi. Quin aspera Iuno,

quae mare nunc terrasque metu caelumque fatigat, 280
consilia in melius referet, mecumque fouebit
Romanos rerum dominos gentemque togatam:
sic placitum. Veniet lustris labentibus aetas,
cum domus Assaraci Phthiam clarasque Mycenas

seruitio premet, ac uictis dominabitur Argis. 285
Nascetur pulchra Troianus origine Caesar,
imperium oceano, famam qui terminet astris, --
Iulius, a magno demissum nomen Iulo.
Hunc tu olim caelo, spoliis Orientis onustum,

accipies secura; uocabitur hic quoque uotis. 290
Aspera tum positis mitescent saecula bellis;
cana Fides, et Vesta, Remo cum fratre Quirinus,
iura dabunt; dirae ferro et compagibus artis
claudentur Belli portae; Furor impius intus,

Sur de cruelles armes assise, entravée par le bronze de cent
Attaches dans le dos, grondera horriblement de sa bouche en sang. »
Ainsi parla-t-il, envoyant des cieux le fils de Maïa[56]
Afin que les terres et les citadelles de la nouvelle[57] Carthage s'ouvrent
Pour accueillir les Teucriens, et que Didon[58], ignorante du destin,

Ne les repousse pas de ses frontières : il vole par les grands espaces
En battant de ses ailes, et rapidement se posa sur les rivages libyens.
A peine s'est-il exécuté que les Carthaginois oublient leurs farouches
Natures, puisque c'est la volonté divine ; la reine les plus pacifiques
Et bienveillantes dispositions d'esprit manifeste envers les Teucriens.

Mais le consciencieux Enée, après une ample réflexion nocturne,
Dès que le jour porteur de vie pointa, (décida) de sortir et (d'explorer)
(Ces lieux) inconnus, sur le rivage desquels le vent l'avait poussé,
Qui, des hommes ou des bêtes, les occupaient, car il voit du désert,
Il décida d'enquêter, et d'en rendre compte à ses compagnons.

Sa flotte, sous une voûte rocheuse, dans une cavité arborée,
Inaccessible par les arbres qui l'entourent et leurs ombres effrayantes,
Il cache ; lui-même avance accompagné du seul Achate,
Brandissant dans sa main une paire de javelots à la large pointe ferrée.
A lui sa mère se présente au milieu de la forêt,

Avec le visage et l'apparence d'une jeune fille, les armes d'une jeune
Spartiate, ou pareille à la Thrace qui épuise les chevaux,
Harpalycé[59], qui dépasse l'Eurus ailé dans sa fuite.
En effet, à l'épaule elle portait suspendu son arc, selon l'habitude
D'une chasseresse, elle avait livré sa chevelure aux vents,

---

[56] L'aînée des Pléiades, mère de Hermès-Mercure.
[57] Carthage signifie « ville nouvelle » en phénicien.
[58] La légendaire fondatrice de Carthage, « la nouvelle Tyr »
[59] Fille d'un roi thrace, devenue chasseresse et voleuse de bétail, elle courait si vite que les chevaux ne pouvaient la rattraper.

saeua sedens super arma, et centum uinctus aenis 295
post tergum nodis, fremet horridus ore cruento.'
Haec ait, et Maia genitum demittit ab alto,
ut terrae, utque nouae pateant Karthaginis arces
hospitio Teucris, ne fati nescia Dido

finibus arceret: uolat ille per aera magnum 300
remigio alarum, ac Libyae citus adstitit oris.
Et iam iussa facit, ponuntque ferocia Poeni
corda uolente deo; in primis regina quietum
accipit in Teucros animum mentemque benignam.

At pius Aeneas, per noctem plurima uoluens, 305
ut primum lux alma data est, exire locosque
explorare nouos, quas uento accesserit oras,
qui teneant, nam inculta uidet, hominesne feraene,
quaerere constituit, sociisque exacta referre.

Classem in conuexo nemorum sub rupe cauata 310
arboribus clausam circum atque horrentibus umbris
occulit; ipse uno graditur comitatus Achate,
bina manu lato crispans hastilia ferro.
Cui mater media sese tulit obuia silua,

uirginis os habitumque gerens, et uirginis arma 315
Spartanae, uel qualis equos Threissa fatigat
Harpalyce, uolucremque fuga praeuertitur Eurum.
Namque umeris de more habilem suspenderat arcum
uenatrix, dederatque comam diffundere uentis,

Le genou dénudé, elle retenait par une ceinture les plis fluides de sa robe.
Et la première elle dit « Eh, vous ! jeunes gens, montrez-moi où est une
De mes sœurs, si par hasard vous l'avez vue passant par ici,
Portant un carquois et une peau de lynx tacheté,
Ou d'un sanglier écumant suivant les traces en criant. »

Ainsi parla Vénus ; et en réponse ainsi commença son fils :
« Aucune de tes sœurs je n'ai entendue ni vue —
Oh, comment te nommerais-je, vierge ? Car tu n'as pas le visage
D'une mortelle, ni la voix d'un humain : Oh, déesse, c'est sûr —
Sœur de Phébus[60] peut-être ? ou déesse du sang des nymphes ? —

Sois propice, et allège, qui que tu sois, notre tâche,
Et sous quels cieux enfin, en quels confins de la terre
Nous sommes rejetés, apprends-nous. Ignorants des hommes et des lieux
Nous errons, amenés ici par le vent et les puissantes vagues :
Notre dextre te sacrifiera de nombreuses victimes devant les autels. »

Alors Vénus répond : « Je ne mérite certainement pas un tel honneur ;
Les jeunes filles tyriennes ont coutume de porter un carquois,
Et des brodequins de couleur pourpre montant haut sur le mollet.
Tu vois le royaume de Carthage, des Tyriens, et la cité d'Agénor[61] ;
Mais ces confins sont ceux des Libyens[62], une race intraitable à la guerre.

Didon y exerce le pouvoir, après avoir quitté une cité tyrienne,
Fuyant son frère. Grande est l'injustice qu'elle a subie, grandes
Ses tribulations ; mais je vais en énumérer les points principaux.
« Elle avait un mari nommé Sychée, le plus riche en terres
De la Phénicie, d'un grand amour aimé par la malheureuse,

---

[60] Apollon, frère jumeau d'Artémis-Diane la vierge chasseresse.
[61] Roi phénicien de Tyr, à ne pas confondre avec son homonyme, le fils d'Anténor qui combattit les Grecs pendant la guerre de Troie.
[62] Les Libyens étaient des peuples autochtones d'Afrique du Nord, encore appelés Berbères.

nuda genu, nodoque sinus collecta fluentis.   320
Ac prior, 'Heus' inquit 'iuuenes, monstrate mearum
uidistis si quam hic errantem forte sororum,
succinctam pharetra et maculosae tegmine lyncis,
aut spumantis apri cursum clamore prementem.'

Sic Venus; et Veneris contra sic filius orsus: 325
'Nulla tuarum audita mihi neque uisa sororum --
O quam te memorem, uirgo? Namque haud tibi uoltus
mortalis, nec uox hominem sonat: O, dea certe --
an Phoebi soror? an nympharum sanguinis una? –

sis felix, nostrumque leues, quaecumque, laborem,   330
et, quo sub caelo tandem, quibus orbis in oris
iactemur, doceas. Ignari hominumque locorumque
erramus, uento huc uastis et fluctibus acti:
multa tibi ante aras nostra cadet hostia dextra.'

Tum Venus: 'Haud equidem tali me dignor honore;   335
uirginibus Tyriis mos est gestare pharetram,
purpureoque alte suras uincire cothurno.
Punica regna uides, Tyrios et Agenoris urbem;
sed fines Libyci, genus intractabile bello.

Imperium Dido Tyria regit urbe profecta,   340
germanum fugiens. Longa est iniuria, longae
ambages; sed summa sequar fastigia rerum.
'Huic coniunx Sychaeus erat, ditissimus agri
Phoenicum, et magno miserae dilectus amore,

Que son père lui avait donnée vierge, les unissant en premières
Noces. Mais le royaume de Tyr appartenait au frère de Didon,
Pygmalion, le plus cruel de tous les criminels.
La haine vint à s'installer entre eux. Sychée par Pygmalion,
L'impie rendu aveugle par l'amour de l'or, devant les autels

En secret et par surprise est occis par le fer, nonobstant l'amour
De la sœur ; longtemps Pygmalion dissimula le méfait, et l'affligée
Amante berça d'un vain espoir, avec une odieuse hypocrisie.
Mais dans ses rêves se présenta le spectre lui-même, sans tombe,
De son époux, levant un visage étrangement pâle,

Les cruels autels et sa poitrine transpercée par le fer
Dévoilant, découvrant tout du secret meurtre domestique.
Alors il l'exhorte à fuir précipitamment et quitter sa patrie,
Et pour l'aider dans son voyage révèle, enfouis, d'anciens
Trésors, quantité ignorée d'argent et d'or.

Par cela alarmée, Didon préparait sa fuite et ses compagnons :
La rejoignent ceux qui pour le tyran soit une haine impitoyable,
Soit une crainte profonde avaient ; de navires, par hasard disponibles,
Ils s'emparent, les chargent d'or : (en mer) sont emportées du cupide
Pygmalion les richesses ; œuvre dirigée par une femme.

Ils débarquèrent à l'endroit où à présent tu distingues les puissants
Remparts ainsi que l'altière citadelle de la nouvelle Carthage,
Après avoir acheté le terrain appelé Byrsa du fait (qu'il était)
Aussi grand que ce qu'ils purent encercler avec la peau[63] d'un taureau.
Mais vous, qui êtes-vous enfin, de quels rivages êtes-vous venus,

Et quelle est votre destination ? » A celle qui l'interroge, lui en
En soupirant du fond de sa poitrine tire ces paroles :
« O déesse, si je dois tout reprendre depuis les premiers débuts,
Et si tu avais le loisir d'entendre le récit détaillé de nos tribulations,
Vesper[64] aurait, avant, couché le jour du fait de la fermeture de l'Olympe.

---

[63] Découpée en fines lanières.
[64] Hespéros-Vesper personnifie l'étoile du soir, la planète Vénus.

cui pater intactam dederat, primisque iugarat 345
ominibus. Sed regna Tyri germanus habebat
Pygmalion, scelere ante alios immanior omnes.
Quos inter medius uenit furor. Ille Sychaeum
impius ante aras, atque auri caecus amore,

clam ferro incautum superat, securus amorum 350
germanae; factumque diu celauit, et aegram,
multa malus simulans, uana spe lusit amantem.
Ipsa sed in somnis inhumati uenit imago
coniugis, ora modis attollens pallida miris,

crudeles aras traiectaque pectora ferro 355
nudauit, caecumque domus scelus omne retexit.
Tum celerare fugam patriaque excedere suadet,
auxiliumque uiae ueteres tellure recludit
thesauros, ignotum argenti pondus et auri.

His commota fugam Dido sociosque parabat: 360
conueniunt, quibus aut odium crudele tyranni
aut metus acer erat; nauis, quae forte paratae,
corripiunt, onerantque auro: portantur auari
Pygmalionis opes pelago; dux femina facti.

Deuenere locos, ubi nunc ingentia cernis 365
moenia surgentemque nouae Karthaginis arcem,
mercatique solum, facti de nomine Byrsam,
taurino quantum possent circumdare tergo.
Sed uos qui tandem, quibus aut uenistis ab oris,

quoue tenetis iter? 'Quaerenti talibus ille 370
suspirans, imoque trahens a pectore uocem:
'O dea, si prima repetens ab origine pergam,
et uacet annalis nostrorum audire laborum,
ante diem clauso componat Vesper Olympo.

Nous, de l'ancienne Troie, si par hasard à travers vos oreilles
Le nom de Troie a résonné, par des courants divers transportés,
Une tempête par ses caprices sur les rivages libyens nous a jetés.
Je suis le pieux Enée qui nos Pénates arrachés à l'ennemi
Emporte avec moi sur des navires, connu de réputation au-delà des cieux.

Je recherche l'Italie, ma patrie, et ma race issue de Jupiter le très haut.
J'ai embarqué sur la mer phrygienne avec deux fois dix navires,
Ma mère la déesse me montrant le chemin, obéissant à mon destin ;
Il en reste à peine sept, disloqués par les vagues et l'Eurus.
Moi-même, inconnu, dépourvu, je parcours les déserts de Libye,

Repoussé d'Europe et d'Asie. » De l'entendre se plaindre, davantage
Vénus ne supporta pas et ainsi l'interrompit au milieu de sa douleur :
« Qui que tu sois, ce n'est pas, je crois, mal vu des dieux que l'air
Vital tu respires, ô toi qui es parvenu jusqu'à la cité tyrienne.
Contente-toi de persévérer, et d'ici porte-toi jusqu'à la porte de la reine,

En effet, que tes compagnons sont sauvés et ta flotte ramenée à bon port,
Conduite en sécurité par les vents aquilons déviés, je t'annonce,
A moins qu'en vain mes parents ne m'aient enseigné l'art divinatoire.
Regarde ces deux fois six cygnes joyeusement alignés,
Que l'oiseau de Jupiter[65], piquant depuis l'espace éthéré, en plein

Ciel a dispersés ; à présent, en une longue file, terre
Les uns semblent toucher, les autres d'en haut les regarder :
De même que ceux-là, revenus, s'ébattent en faisant claquer leurs ailes,
Et, rassemblés, ont fait une ronde dans le ciel et chanté leurs chants,
De même les jeunes gens de chez toi sur tes navires

Soit occupent le mouillage soit, voiles déployées, approchent du port.
Contente-toi de persévérer, et là où le chemin te conduit, dirige tes pas. »
Elle parla et en s'éloignant fit resplendir sa nuque rose,
Et sa chevelure, sentant l'ambroisie, de sa tête un parfum divin
Répandit, sa robe se déroula jusqu'en bas de ses pieds,

---

[65] L'aigle.

Nos Troia antiqua, si uestras forte per auris 375
Troiae nomen iit, diuersa per aequora uectos
forte sua Libycis tempestas adpulit oris.
Sum pius Aeneas, raptos qui ex hoste Penates
classe ueho mecum, fama super aethera notus.

Italiam quaero patriam et genus ab Ioue summo. 380
Bis denis Phrygium conscendi nauibus aequor,
matre dea monstrante uiam, data fata secutus;
uix septem conuolsae undis Euroque supersunt.
Ipse ignotus, egens, Libyae deserta peragro,

Europa atque Asia pulsus.' Nec plura querentem 385
passa Venus medio sic interfata dolore est:
'Quisquis es, haud, credo, inuisus caelestibus auras
uitalis carpis, Tyriam qui adueneris urbem.
Perge modo, atque hinc te reginae ad limina perfer,

Namque tibi reduces socios classemque relatam 390
nuntio, et in tutum uersis aquilonibus actam,
ni frustra augurium uani docuere parentes.
Aspice bis senos laetantis agmine cycnos,
aetheria quos lapsa plaga Iouis ales aperto

turbabat caelo; nunc terras ordine longo 395
aut capere, aut captas iam despectare uidentur:
ut reduces illi ludunt stridentibus alis,
et coetu cinxere polum, cantusque dedere,
haud aliter puppesque tuae pubesque tuorum

aut portum tenet aut pleno subit ostia uelo. 400
Perge modo, et, qua te ducit uia, dirige gressum.'
Dixit, et auertens rosea ceruice refulsit,
ambrosiaeque comae diuinum uertice odorem
spirauere, pedes uestis defluxit ad imos,

Et à sa démarche se découvrit la vraie déesse. Lui, lorsque sa mère
Il eut reconnu, l'appela, fuyante, de ces paroles :
« Pourquoi si souvent, toi aussi, ton fils cruellement par de fausses
Apparitions tu trompes ? Pourquoi de joindre ma dextre à la tienne
Il ne m'est pas donné, ni d'entendre et répondre à ta vraie voix ? »

La blâmant par ces paroles, vers les remparts il dirige ses pas :
Mais Vénus d'un brouillard opaque recouvrit les marcheurs,
Et la déesse les enveloppa d'un épais manteau de nuages,
Afin que personne ne pût les distinguer, ni les toucher,
Ni leur faire obstacle, ni leur demander pourquoi ils venaient.

Elle-même s'envole pour Paphos[66], et sa résidence retrouve
Avec joie, là où est son temple, où (d'encens) de Saba cent
Autels fument, de guirlandes de fleurs fraîches embaumés.
Entretemps ils s'engagèrent sur le chemin indiqué.
Alors qu'ils gravissaient une colline, qui de beaucoup la cité

Domine, il contemple d'en haut les citadelles d'en face.
Enée s'étonne des constructions massives, jadis des huttes,
Il est impressionné par les portes, le bruit et les rues pavées.
Des Tyriens pleins d'ardeur s'emploient les uns à élever des murs,
Edifier une citadelle et rouler des pierres à la main,

Les autres à choisir un endroit où bâtir et l'entourer d'une tranchée.
On rend la justice, désigne des magistrats et un auguste sénat ;
Ici certains excavent un port ; ici pour un théâtre de profondes
Fondations d'autres mettent en place, et d'énormes colonnes
Sont taillées dans le roc, nobles ornements pour de futures scènes.

Comme les abeilles au premier été dans la campagne fleurie
Sous le soleil à travailler s'épuisent, comme de l'espèce, une fois adultes,
Elles font sortir les rejetons, ou comme le miel liquide
Elles emmagasinent et remplissent les alvéoles de nectar sucré,
Ou réceptionnent le fardeau des arrivantes, ou en ordre de bataille

---

[66] Cité de Chypre, vouée à la déesse Aphrodite.

et uera incessu patuit dea. Ille ubi matrem 405
adgnouit, tali fugientem est uoce secutus:
'Quid natum totiens, crudelis tu quoque, falsis
ludis imaginibus? Cur dextrae iungere dextram
non datur, ac ueras audire et reddere uoces?'

Talibus incusat, gressumque ad moenia tendit: 410
at Venus obscuro gradientes aere saepsit,
et multo nebulae circum dea fudit amictu,
cernere ne quis eos, neu quis contingere posset,
moliriue moram, aut ueniendi poscere causas.

Ipsa Paphum sublimis abit, sedesque reuisit 415
laeta suas, ubi templum illi, centumque Sabaeo
ture calent arae, sertisque recentibus halant.
Corripuere uiam interea, qua semita monstrat.
Iamque ascendebant collem, qui plurimus urbi

imminet, aduersasque adspectat desuper arces. 420
Miratur molem Aeneas, magalia quondam,
miratur portas strepitumque et strata uiarum.
Instant ardentes Tyrii pars ducere muros,
molirique arcem et manibus subuoluere saxa,

pars optare locum tecto et concludere sulco. 425
Iura magistratusque legunt sanctumque senatum;
hic portus alii effodiunt; hic alta theatris
fundamenta locant alii, immanisque columnas
rupibus excidunt, scaenis decora alta futuris.

Qualis apes aestate noua per florea rura 430
exercet sub sole labor, cum gentis adultos
educunt fetus, aut cum liquentia mella
stipant et dulci distendunt nectare cellas,
aut onera accipiunt uenientum, aut agmine facto

Les faux-bourdons, paresseux troupeau, de leur ruche repoussent :
Le travail bat son plein, le miel parfumé sent bon le thym.
« O heureux hommes, dont les remparts déjà se lèvent ! »
Dit Enée, contemplant les toits de la cité.
De son nuage enveloppé, il s'introduit, chose étonnante,

Au milieu des hommes et se mêle à eux, invisible à tous.
Il y avait un bois sacré au milieu de la cité, à l'ombre accueillante,
Là où les premiers Phéniciens, rejetés par les vagues et la tempête,
Déterrèrent le signe que la reine Junon
Leur avait révélé, la tête d'un fier cheval ; ainsi serait-elle à la guerre

Sans pareille, et en nourriture opulente, leur race, pour les siècles.
Dans ce bois Didon de Sidon[67] à Junon un temple énorme
Avait enclos, temple riche de dons et de la faveur de la déesse,
Des marches montaient jusqu'au seuil de bronze et (aux montants)
Revêtus de bronze, aux portes en bronze dont les gonds grinçaient.

Dans ce bois sacré les nouveautés offertes à sa vue sa crainte
Apaisèrent, ici pour la première fois Enée en son salut espérer
Osa, et aussi compter sur l'amélioration de sa piteuse situation.
Car, pendant qu'au pied du temple gigantesque il examine chaque chose,
Attendant la reine, pendant que sur la prospérité de la cité,

Les dextérités comparées des artistes, la somme de travail de ces œuvres,
Il s'extasie, il voit défiler les batailles troyennes,
Et les guerres à présent fameuses sur la terre entière,
Les fils d'Atrée[68], Priam et Achille, féroce pour les deux.
Il s'arrêta et, pleurant, dit : « A présent, quel endroit, Achate,

Quelle contrée sur terre ne sont-ils remplis de notre malheur ?
Vois Priam ! Ici aussi le mérite a sa louange ;
Les tribulations ont leurs larmes et les choses mortelles touchent l'esprit.
Libère-toi de tes craintes ; cette renommée t'apportera quelque salut. »
Il dit cela, et repaît son esprit du tableau inanimé,

---

[67] Capitale de la Phénicie.
[68] Agamemnon et Ménélas.

ignauom fucos pecus a praesepibus arcent: 435
feruet opus, redolentque thymo fragrantia mella.
'O fortunati, quorum iam moenia surgunt!'
Aeneas ait, et fastigia suspicit urbis.
Infert se saeptus nebula, mirabile dictu,

per medios, miscetque uiris, neque cernitur ulli.   440
Lucus in urbe fuit media, laetissimus umbra,
quo primum iactati undis et turbine Poeni
effodere loco signum, quod regia Iuno
monstrarat, caput acris equi; sic nam fore bello

egregiam et facilem uictu per saecula gentem.   445
Hic templum Iunoni ingens Sidonia Dido
condebat, donis opulentum et numine diuae,
aerea cui gradibus surgebant limina, nexaeque
aere trabes, foribus cardo stridebat aenis.

Hoc primum in luco noua res oblata timorem   450
leniit, hic primum Aeneas sperare salutem
ausus, et adflictis melius confidere rebus.
Namque sub ingenti lustrat dum singula templo,
reginam opperiens, dum, quae fortuna sit urbi,

artificumque manus inter se operumque laborem   455
miratur, uidet Iliacas ex ordine pugnas,
bellaque iam fama totum uolgata per orbem,
Atridas, Priamumque, et saeuum ambobus Achillem.
Constitit, et lacrimans, 'Quis iam locus' inquit 'Achate,

quae regio in terris nostri non plena laboris?   460
En Priamus! Sunt hic etiam sua praemia laudi;
sunt lacrimae rerum et mentem mortalia tangunt.
Solue metus; feret haec aliquam tibi fama salutem.'
Sic ait, atque animum pictura pascit inani,

Poussant de grandes plaintes, il inonde son visage d'un flot de larmes.
Il voyait en effet, combattant autour de Pergame[69],
Ici les Grecs en fuite, pressés par la jeunesse troyenne,
Là les Phrygiens, que menaçait sur son char Achille avec son panache.
Et non loin de là, de Rhésus[70] les tentes aux toiles d'un blanc de neige

Il reconnaît en pleurant, tentes livrées dans son premier sommeil,
Que le fils de Tydée dévastait, couvert du sang d'un grand carnage,
Ayant détourné ses ardents chevaux dans le camp, avant qu'ils
N'eussent senti le goût du fourrage troyen et bu l'eau du Xanthe[71].
Ailleurs, Troïlos[72] en fuite, ayant perdu ses armes,

Malheureux enfant, adversaire d'Achille dans un combat inégal,
Est emporté par ses chevaux, renversé et accroché à son char vide,
En tenant cependant les rênes ; son cou et ses cheveux traînent
Par terre, et son javelot laisse une trace sur le sol poussiéreux.
Au milieu de cela, au temple de l'hostile Pallas se rendaient

Des filles d'Ilion, les cheveux dénoués, portant un péplos[73],
Suppliantes tristes, se frappant la poitrine des mains ;
La déesse, retournée, gardait les yeux fixés sur le sol.
Trois fois autour des remparts d'Ilion ayant traîné Hector,
Achille mettait en vente son corps sans vie contre de l'or.

Alors, il émet une plainte vraiment immense du fond de sa poitrine,
Quand la dépouille, le char et le corps lui-même de son ami
Il contemple, ainsi que Priam tendant ses mains désarmées.
Lui-même aussi, mêlé à des princes achéens, il se reconnut,
Ainsi que les troupes d'Eos et les armes du noir Memnon[74].

---

[69] La forteresse de Troie.

[70] Jeune roi de Thrace, éphémère allié des Troyens, tué dans son sommeil par Diomède, le fils de Tydée, avant que ses chevaux n'aient eu le temps de goûter au fourrage ou à l'eau de Troie, condition requise au salut de la cité assiégée.

[71] Autre nom du Scamandre, fleuve côtier de la plaine de Troie.

[72] Fils de Priam.

[73] On offrait à Athéna un péplos brodé lors des fêtes en l'honneur de la déesse.

[74] Roi d'Ethiopie, fils d'Eos (l'Aurore) et neveu de Priam, allié de Troie.

multa gemens, largoque umectat flumine uoltum.   465
Namque uidebat, uti bellantes Pergama circum
hac fugerent Graii, premeret Troiana iuuentus,
hac Phryges, instaret curru cristatus Achilles.
Nec procul hinc Rhesi niueis tentoria uelis

adgnoscit lacrimans, primo quae prodita somno   470
Tydides multa uastabat caede cruentus,
ardentisque auertit equos in castra, prius quam
pabula gustassent Troiae Xanthumque bibissent.
Parte alia fugiens amissis Troilus armis,

infelix puer atque impar congressus Achilli,   475
fertur equis, curruque haeret resupinus inani,
lora tenens tamen; huic ceruixque comaeque trahuntur
per terram, et uersa puluis inscribitur hasta.
Interea ad templum non aequae Palladis ibant

crinibus Iliades passis peplumque ferebant,   480
suppliciter tristes et tunsae pectora palmis;
diua solo fixos oculos auersa tenebat.
Ter circum Iliacos raptauerat Hectora muros,
exanimumque auro corpus uendebat Achilles.

Tum uero ingentem gemitum dat pectore ab imo,   485
ut spolia, ut currus, utque ipsum corpus amici,
tendentemque manus Priamum conspexit inermis.
Se quoque principibus permixtum adgnouit Achiuis,
Eoasque acies et nigri Memnonis arma.

Les troupes des Amazones aux boucliers en croissant sont conduites
Par la rageuse Penthésilée[75], étincelante parmi des milliers,
Une ceinture d'or fixée sous ses seins découverts,
Belliqueuse, elle ose se mesurer à des hommes, la jeune fille.
Alors qu'Enée le Dardanéen regarde ces merveilles,

Muet d'admiration et tout à sa contemplation,
La reine Didon à la sublime beauté, vers le temple
S'avance majestueusement, escortée d'une nombreuse jeunesse.
De même sur les rives de l'Eurotas[76] ou sur les hauteurs du Cynthe[77]
Diane entraîne ses troupes de danseurs et, à sa suite, un millier

D'Oréades[78] çà et là autour d'elle se pressent ; un carquois elle
Porte à l'épaule, et en marchant surpasse toutes ses déesses :
Le cœur de Latone[79] est pénétré d'un tranquille bonheur :
Telle était Didon, s'avançant joyeusement
Au milieu d'eux, se consacrant au développement de son royaume.

Alors, devant la cella de la déesse, sous la voûte centrale du temple,
Entourée de ses gardes, sur un trône élevé elle s'assit.
Elle donnait des règles et des lois à ses gens, et les tâches
Equitablement répartissait ou les distribuait par tirage au sort :
Quand soudain Enée (voit) s'approcher précipitamment,

Anthée et Sergeste[80], ainsi que le brave Cloanthe,
Et d'autres Teucriens, que la noire tempête dans la mer
Avait dispersés et rejetés au plus loin sur d'autres rivages.
Ils en restèrent abasourdis, lui et Achate à la fois,
De joie et de crainte ; d'unir leurs dextres, impatients,

---

[75] Reine des Amazones, qui sera tuée par Achille.
[76] Diane aimait chasser sur les bords de cette rivière du Péloponnèse.
[77] Le mont Cynthe, sur l'ile de Délos, où Diane et Apollon ont été élevés.
[78] Nymphes des montagnes.
[79] Mère d'Artémis-Diane.
[80] Autre compagnon d'Enée.

Ducit Amazonidum lunatis agmina peltis 490
Penthesilea furens, mediisque in milibus ardet,
aurea subnectens exsertae cingula mammae,
bellatrix, audetque uiris concurrere uirgo.
Haec dum Dardanio Aeneae miranda uidentur,

dum stupet, obtutuque haeret defixus in uno, 495
regina ad templum, forma pulcherrima Dido,
incessit magna iuuenum stipante caterua.
Qualis in Eurotae ripis aut per iuga Cynthi
exercet Diana choros, quam mille secutae

hinc atque hinc glomerantur oreades; illa pharetram 500
fert umero, gradiensque deas supereminet omnis:
Latonae tacitum pertemptant gaudia pectus:
talis erat Dido, talem se laeta ferebat
per medios, instans operi regnisque futuris.

Tum foribus diuae, media testudine templi, 505
saepta armis, solioque alte subnixa resedit.
Iura dabat legesque uiris, operumque laborem
partibus aequabat iustis, aut sorte trahebat:
cum subito Aeneas concursu accedere magno

Anthea Sergestumque uidet fortemque Cloanthum, 510
Teucrorumque alios, ater quos aequore turbo
dispulerat penitusque alias auexerat oras.
Obstipuit simul ipse simul perculsus Achates
laetitiaque metuque; auidi coniungere dextras

Ils brûlaient ; mais quelque chose d'inconnu troublait leurs esprits.
Ils font semblant de rien et, au creux de leur nuage, observent,
Qu'est-il arrivé à ces hommes, sur quel rivage ont-ils laissé leur flotte,
Pourquoi sont-ils là ; car ils venaient, délégués par tous les navires,
Demandant grâce, et cherchaient en criant à pénétrer dans le temple.

Une fois rentrés et autorisés à parler face à face,
L'aîné d'entre eux, Ilionée, sur un ton calme ainsi commença :
« O reine, à qui Jupiter de fonder une nouvelle ville
A donné le pouvoir, ainsi que de brider par des lois des races arrogantes,
Nous, malheureux Troyens, poussés par les vents sur toutes les mers,

Nous te prions d'éloigner de nos navires les abominables incendies,
D'épargner une race pieuse et de nous être plus propice.
Ni anéantir les dieux Pénates libyens par le fer,
Ni ramener sur le rivage du butin pillé, nous ne sommes venus ;
Ni telle violence ni si grand orgueil ne sont dans nos esprits de vaincus.

Il est un endroit que les Grecs appellent Hespérie[81],
Terre antique, puissante en guerriers et abondante en terres,
Que les Œnôtres[82] ont habitée ; on dit à présent que leurs successeurs
Ont appelé la région Italie du nom de leur chef[83].
Telle fut notre destination :

Lorsque soudain le nuageux Orion se levant au-dessus des flots
Nous mena sur les invisibles hauts fonds et tous, avec ses vents furieux,
Soit sur les eaux libres d'obstacles, soit sur des rochers infranchissables
Nous dispersa ; peu d'entre nous ont pu dériver jusqu'à vos rivages.
Quelle est cette race d'hommes ? Cette coutume, quelle si barbare

---

[81] L'Italie et plus spécialement le Latium.
[82] Peuple originaire du Péloponnèse ayant colonisé le sud de l'Italie.
[83] Italos était roi des Œnôtres.

ardebant; sed res animos incognita turbat.   515
Dissimulant, et nube caua speculantur amicti,
quae fortuna uiris, classem quo litore linquant,
quid ueniant; cunctis nam lecti nauibus ibant,
orantes ueniam, et templum clamore petebant.

Postquam introgressi et coram data copia fandi,   520
maxumus Ilioneus placido sic pectore coepit:
'O Regina, nouam cui condere Iuppiter urbem
iustitiaque dedit gentis frenare superbas,
Troes te miseri, uentis maria omnia uecti,

oramus, prohibe infandos a nauibus ignis,   525
parce pio generi, et propius res aspice nostras.
Non nos aut ferro Libycos populare Penatis
uenimus, aut raptas ad litora uertere praedas;
non ea uis animo, nec tanta superbia uictis.

Est locus, Hesperiam Grai cognomine dicunt,   530
terra antiqua, potens armis atque ubere glaebae;
Oenotri coluere uiri; nunc fama minores
Italiam dixisse ducis de nomine gentem.
Hic cursus fuit:

cum subito adsurgens fluctu nimbosus Orion   535
in uada caeca tulit, penitusque procacibus austris
perque undas, superante salo, perque inuia saxa
dispulit; huc pauci uestris adnauimus oris.
Quod genus hoc hominum? Quaeue hunc tam barbara morem

Patrie la permet ? On nous refuse l'hospitalité de la plage ;
Ils sont belliqueux, nous interdisent de prendre pied sur leur terre.
Si vous méprisez le genre humain et les armes des mortels
Craignez que les dieux ne vous rappellent ce qui est permis ou non.
Enée était notre roi, de plus juste que lui,

Ni de plus pieux il n'y eut, ni de plus grand à la guerre.
Si le destin préserve cet homme, s'il jouit toujours de l'air
Ethéré, et n'est pas encore mort parmi les ombres cruelles,
Ne crains rien ; ni d'avoir la première fait preuve de bienveillance,
Ne sois en peine. Il y a aussi dans les contrées siciliennes des cités

Fortifiées, où réside l'illustre Aceste de sang troyen.
Permets-nous de mettre à terre notre flotte endommagée par les vents,
De préparer des planches et confectionner des rames à partir d'arbres ;
S'il nous est donné, nos compagnons et notre roi retrouvés, vers l'Italie
De voguer, alors puissions-nous, heureux, gagner l'Italie et le Latium ;

Mais si notre salut a été anéanti et que toi, très cher père des Teucriens,
La mer de Libye te tient, et qu'il n'y a plus d'espoir pour Julus,
Qu'au moins les flots de Sicanie[84] et les résidences prévues pour nous,
D'où nous avons été portés jusqu'ici, et le roi Aceste nous retrouvions. »
Ainsi parla Ilionée ; à l'unisson murmuraient tous les

Dardanéens.
Alors Didon, le visage affligé, dit brièvement :
« Libérez vos cœurs de la crainte, Teucriens, chassez vos soucis.
Les temps difficiles et la jeunesse de mon royaume m'obligent ainsi
A agir, et à protéger mes frontières avec une garde conséquente.

Qui ne connaît la race d'Enée, la cité de Troie,
Ses vertus et ses hommes, ou encore les incendies causés par la guerre ?
Nous Carthaginois ne sommes pas à ce point ignorants
Et le Soleil ne tient pas ses chevaux aussi écartés de notre cité tyrienne.
Soit que la grande Hespérie et les champs saturniens[85]

---

[84] Autre nom de la Sicile.
[85] Le dieu romain Saturne aurait régné sur le Latium pendant l'âge d'or.

permittit patria? Hospitio prohibemur harenae;   540
bella cient, primaque uetant consistere terra.
Si genus humanum et mortalia temnitis arma
at sperate deos memores fandi atque nefandi.
Rex erat Aeneas nobis, quo iustior alter,

nec pietate fuit, nec bello maior et armis.   545
Quem si fata uirum seruant, si uescitur aura
aetheria, neque adhuc crudelibus occubat umbris,
non metus; officio nec te certasse priorem
poeniteat. Sunt et Siculis regionibus urbes

armaque, Troianoque a sanguine clarus Acestes.   550
Quassatam uentis liceat subducere classem,
et siluis aptare trabes et stringere remos:
si datur Italiam, sociis et rege recepto,
tendere, ut Italiam laeti Latiumque petamus;

sin absumpta salus, et te, pater optume Teucrum,   555
pontus habet Libyae, nec spes iam restat Iuli,
at freta Sicaniae saltem sedesque paratas,
unde huc aduecti, regemque petamus Acesten.'
Talibus Ilioneus; cuncti simul ore fremebant

Dardanidae.   560
Tum breuiter Dido, uoltum demissa, profatur:
'Soluite corde metum, Teucri, secludite curas.
Res dura et regni nouitas me talia cogunt
moliri, et late finis custode tueri.

Quis genus Aeneadum, quis Troiae nesciat urbem,   565
uirtutesque uirosque, aut tanti incendia belli?
Non obtusa adeo gestamus pectora Poeni,
nec tam auersus equos Tyria Sol iungit ab urbe.
Seu uos Hesperiam magnam Saturniaque arua,

Ou que les frontières de l'Eryx[86] et Aceste comme roi vous choisissiez,
Je vous y enverrai sous ma protection et en sécurité, avec des provisions.
Et si vous voulez vous installer dans ce royaume à égalité avec moi,
La cité que je bâtis est la vôtre, amenez vos navires sur le rivage ;
Je ne ferai aucune différence entre le Troyen et le Tyrien.

Et si le roi (Enée) lui-même, pareillement par le Notus poussé,
Pouvait être ici ! Moi sur les côtes des hommes sûrs
Je vais envoyer et leur commanderai de parcourir les confins de la Libye,
Au cas où rejeté dans quelque forêt ou quelque cité il errerait. »
Ranimés par ces paroles, à la fois le brave Achate

Et le père Enée depuis un bon moment de surgir de leur nuage
Brûlaient. Le premier, Achate s'adresse à Enée :
« O fils de déesse, qu'en penses-tu à présent ?
Tu vois, tous en lieu sûr, la flotte et les compagnons sont retrouvés.
Un seul manque[87], que nous-mêmes avons vu au milieu de la vague

Couler ; les autres choses sont conformes aux paroles de ta mère. »
A peine avait-il prononcé ces paroles que soudain tout autour
Le nuage se disloque et se clarifie en air limpide.
Enée s'immobilisa et resplendit dans la lumière brillante,
De visage et des épaules pareil à un dieu ; car une somptueuse

Chevelure et une lumière juvénile, (vermeille,) la mère sur son fils
Avait (elle-même) répandues, ainsi qu'une joyeuse grâce dans ses yeux :
A l'instar de l'artiste qui à l'ivoire ajoute de la dignité, ou quand le jaune
Or enchâsse l'argent ou le marbre de Paros.
Alors à la reine il s'adresse ainsi, et à tous soudain

Inopinément il dit : « Devant vous, moi que vous recherchez, je me tiens,
Enée le Troyen, sorti des eaux libyennes.
O toi la seule qui a eu pitié des indicibles tribulations de Troie,
Qui à nous, échappés des Danaéens, sur terre et sur mer
Epuisés que nous sommes par les calamités, dépourvus de tout,

---

[86] Région située à la pointe nord-occidentale de la Sicile.
[87] Le navire d'Oronte : cf. vers 113 supra.

siue Erycis finis regemque optatis Acesten,   570
auxilio tutos dimittam, opibusque iuuabo.
Voltis et his mecum pariter considere regnis,
urbem quam statuo uestra est, subducite nauis;
Tros Tyriusque mihi nullo discrimine agetur.

Atque utinam rex ipse Noto compulsus eodem   575
adforet Aeneas! Equidem per litora certos
dimittam et Libyae lustrare extrema iubebo,
si quibus eiectus siluis aut urbibus errat.'
His animum arrecti dictis et fortis Achates

et pater Aeneas iamdudum erumpere nubem   580
ardebant. Prior Aenean compellat Achates:
'Nate dea, quae nunc animo sententia surgit?
omnia tuta uides, classem sociosque receptos.
Unus abest, medio in fluctu quem uidimus ipsi

submersum; dictis respondent cetera matris.'   585
Vix ea fatus erat, cum circumfusa repente
scindit se nubes et in aethera purgat apertum.
Restitit Aeneas claraque in luce refulsit,
os umerosque deo similis; namque ipsa decoram

caesariem nato genetrix lumenque iuuentae   590
purpureum et laetos oculis adflarat honores:
quale manus addunt ebori decus, aut ubi flauo
argentum Pariusue lapis circumdatur auro.
Tum sic reginam adloquitur, cunctisque repente

improuisus ait: 'Coram, quem quaeritis, adsum,   595
Troius Aeneas, Libycis ereptus ab undis.
O sola infandos Troiae miserata labores,
quae nos, reliquias Danaum, terraeque marisque
omnibus exhaustos iam casibus, omnium egenos,

Offre de partager ta cité et ta maison, te remercier dignement
N'est pas en notre pouvoir, Didon, ni en celui du restant, où qu'il soit,
De la race des Dardanéens, qui par le vaste monde, a été dispersée.
Que les dieux, s'il est quelque divinité ayant de l'égard pour les vertueux,
Si quelque part il existe une justice et de la considération pour le bien,

Dignement te récompensent. Tu es issue de quelle bienheureuse
Lignée ? Quels parents si grands t'ont mise au monde ?
Tant que les fleuves dans la mer tomberont, que les ombres en montagne
Les vallées parcourront, tant que le firmament fera paître les étoiles,
Que toujours on honore ton nom et te prodigue des louanges,

Quelles que soient les terres qui m'appellent. » Ayant dit cela, à son ami
Ilionée il tend sa dextre, et sa gauche à Séreste,
Ensuite aux autres, aux braves Gyas et Cloanthe.
La sidonienne Didon fut d'abord étonnée à la vue,
Puis au récit de si grands malheurs de cet homme, et parla ainsi :

« Quelle infortune, toi né d'une déesse, par tant de dangers
Te persécute ? Quelle force sur ces cruels rivages te retient ?
Es-tu cet Enée qu'à Anchise le Dardanéen
Vénus nourricière au bord du Simoïs phrygien a engendré ?
Et je me souviens bien de Teucros[88] venant à Sidon,

Expulsé du pays de ses ancêtres, recherchant un nouveau royaume
Avec l'aide de Belos[89] ; mon père Belos alors la riche
Chypre saccageait et, victorieux, la tenait sous sa coupe.
Depuis cette époque déjà, me sont connus la chute de la cité
Troyenne, ainsi que ton nom et les rois pélasgiens[90].

---

[88] Teucros l'Achéen, fils de Télamon et demi-frère d'Ajax le Grand, à ne pas confondre avec son homonyme, le premier roi mythique de Troade. A son retour de la guerre de Troie, il se vit interdire par son père le séjour à Salamine, sa patrie, et chercha fortune à Chypre, guerroyant sous les ordres de Belos.
[89] Roi de Tyr, père de Didon et de Pygmalion.
[90] Désigne ici les rois combattant dans le camp des Grecs.

urbe, domo, socias, grates persoluere dignas 600
non opis est nostrae, Dido, nec quicquid ubique est
gentis Dardaniae, magnum quae sparsa per orbem.
Di tibi, si qua pios respectant numina, si quid
usquam iustitia est et mens sibi conscia recti,

praemia digna ferant. Quae te tam laeta tulerunt 605
saecula? Qui tanti talem genuere parentes?
In freta dum fluuii current, dum montibus umbrae
lustrabunt conuexa, polus dum sidera pascet,
semper honos nomenque tuum laudesque manebunt,

quae me cumque uocant terrae.' Sic fatus, amicum 610
Ilionea petit dextra, laeuaque Serestum,
post alios, fortemque Gyan fortemque Cloanthum.
Obstipuit primo aspectu Sidonia Dido,
casu deinde uiri tanto, et sic ore locuta est:

'Quis te, nate dea, per tanta pericula casus 615
insequitur? Quae uis immanibus applicat oris?
Tune ille Aeneas, quem Dardanio Anchisae
alma Venus Phrygii genuit Simoentis ad undam?
Atque equidem Teucrum memini Sidona uenire

finibus expulsum patriis, noua regna petentem 620
auxilio Beli; genitor tum Belus opimam
uastabat Cyprum, et uictor dicione tenebat.
Tempore iam ex illo casus mihi cognitus urbis
Troianae nomenque tuum regesque Pelasgi.

Ton ennemi lui-même portait les Teucriens aux nues,
Et se voulait issu de l'antique lignée des Teucriens.
C'est pourquoi, venez, ô jeunes gens, de nos maisons approchez.
Moi aussi la fortune, par de nombreuses et semblables tribulations
Ballottée, a voulu que finalement sur cette terre je m'installe.

Avertie du malheur, j'apprends à secourir les malheureux. »
Ainsi se souvient-elle ; ce faisant, elle conduit Enée en ses royaux
Appartements, et décrète un sacrifice dans les temples des dieux.
Entretemps, à ses compagnons sur le rivage elle n'envoie pas moins
De vingt taureaux, une centaine de grands (cochons) hérissés de soies

Sur le dos, cent agneaux gras avec leurs mères,
Présents et réjouissance de la journée.
L'intérieur de la splendide demeure avec un faste royal
Est aménagé, et au centre des appartements se préparent les banquets :
Tapis travaillés avec art, d'une magnifique pourpre,

Une énorme argenterie sur les tables, ciselés dans l'or
Les hauts faits des ancêtres, longuissime succession d'évènements
Passant par tant de héros d'une race depuis ses antiques origines.
Enée, dont l'esprit ne pouvait rester en place (du fait) de son paternel
Amour, rapidement envoie Achate aux navires,

Afin qu'il rapporte cela à Ascagne, et le conduise jusqu'aux remparts ;
Tout le souci du père réside dans son Ascagne chéri.
En outre, des cadeaux arrachés aux ruines d'Ilion
Il commande d'apporter, un manteau raidi par des broderies d'or,
Et une robe ourlée de fleurs d'acanthe jaune safran,

Parure de l'Argienne Hélène[91], que de Mycènes celle-ci,
Quand elle se rendait à Pergame pour un mariage illicite,
Avait emportée, merveilleux don de sa mère Léda :
Et en plus : le sceptre que jadis avait tenu Iliona,
La plus noble des filles de Priam, et de son cou un collier

---

[91] Fille de Zeus et de Léda, femme de Ménélas roi de Sparte, enlevée par le troyen Pâris, ce qui déclencha la guerre de Troie (encore appelée Pergame).

Ipse hostis Teucros insigni laude ferebat, 625
seque ortum antiqua Teucrorum ab stirpe uolebat.
Quare agite, O tectis, iuuenes, succedite nostris.
Me quoque per multos similis fortuna labores
iactatam hac demum uoluit consistere terra.

Non ignara mali, miseris succurrere disco.' 630
Sic memorat; simul Aenean in regia ducit
tecta, simul diuom templis indicit honorem.
Nec minus interea sociis ad litora mittit
uiginti tauros, magnorum horrentia centum

terga suum, pinguis centum cum matribus agnos, 635
munera laetitiamque dii.
At domus interior regali splendida luxu
instruitur, mediisque parant conuiuia tectis:
arte laboratae uestes ostroque superbo,

ingens argentum mensis, caelataque in auro 640
fortia facta patrum, series longissima rerum
per tot ducta uiros antiqua ab origine gentis.
Aeneas neque enim patrius consistere mentem
passus amor rapidum ad nauis praemittit Achaten,

Ascanio ferat haec, ipsumque ad moenia ducat; 645
omnis in Ascanio cari stat cura parentis.
Munera praeterea, Iliacis erepta ruinis,
ferre iubet, pallam signis auroque rigentem,
et circumtextum croceo uelamen acantho,

ornatus Argiuae Helenae, quos illa Mycenis, 650
Pergama cum peteret inconcessosque hymenaeos,
extulerat, matris Ledae mirabile donum:
praeterea sceptrum, Ilione quod gesserat olim,
maxima natarum Priami, colloque monile

De perles, et une couronne à deux rangs de gemmes et d'or.
Achate se rendait aux navires, pressé d'exécuter ces ordres.
Mais la Cythéréenne en sa poitrine[92] trame de nouvelles ruses, de
(Nouveaux) plans, afin que, ayant changé d'air et de visage, Cupidon[93]
Vienne à la place du doux Ascagne et, par ses dons rendue folle,

Enflamme la reine, et dans ses os[94] inocule le feu ;
Ah, elle craint ces Tyriens à la langue fourchue et leur douteuse maison ;
L'atroce Junon la consume et, à la nuit, ses soucis reviennent en courant.
C'est pourquoi à l'Amour ailé elle adresse ces paroles :
« Mon fils, toi ma force, toi ma grande puissance, toi le seul,

Mon fils, qui de mon éminent père les flèches typhoniennes[95] méprises,
Je me réfugie sous ta protection et en suppliant invoque ta divinité.
A quel point ton frère Enée sur la mer à l'entour de tous les
Rivages est ballotté par la haine de l'acariâtre Junon,
Tu le sais bien, et souvent tu as pris part à ma douleur.

La Phénicienne Didon tient cet homme et le retarde par d'enjôleuses
Paroles ; et je crains l'issue de cette junonienne
Hospitalité ; elle ne s'arrêtera pas en si bon chemin.
Pour cela, de conquérir d'abord par la ruse puis d'encercler de flammes
La reine je projette, afin qu'elle ne change pas par quelque pouvoir divin,

Mais par un grand amour pour Enée soit retenue tout comme moi.
Pour te permettre d'y arriver, écoute maintenant mon plan.
A l'appel de son cher père, le royal (enfant) à la cité
Sidonienne s'apprête à se rendre, ce qui m'inquiète grandement,
Amenant des cadeaux, préservés de la mer et des flammes de Troie :

---

[92] La poitrine était le siège de la raison.
[93] Le dieu de l'amour, fils de Vénus et de Mars.
[94] Les os, et plus spécialement la moelle, étaient le siège du sentiment.
[95] Typhon est un monstre enfanté par Héra-Junon pour se venger de Zeus ; celui-ci l'abat de sa foudre et le cache sous l'Etna. L'éclair est donc une « flèche typhonienne »

bacatum, et duplicem gemmis auroque coronam.   655
Haec celerans ita ad naues tendebat Achates.
At Cytherea nouas artes, noua pectore uersat
Consilia, ut faciem mutatus et ora Cupido
pro dulci Ascanio ueniat, donisque furentem

incendat reginam, atque ossibus implicet ignem;   660
quippe domum timet ambiguam Tyriosque bilinguis;
urit atrox Iuno, et sub noctem cura recursat.
Ergo his aligerum dictis adfatur Amorem:
'Nate, meae uires, mea magna potentia solus,

nate, patris summi qui tela Typhoia temnis,   665
ad te confugio et supplex tua numina posco.
Frater ut Aeneas pelago tuus omnia circum
litora iactetur odiis Iunonis iniquae,
nota tibi, et nostro doluisti saepe dolore.

Hunc Phoenissa tenet Dido blandisque moratur   670
uocibus; et uereor, quo se Iunonia uertant
hospitia; haud tanto cessabit cardine rerum.
Quocirca capere ante dolis et cingere flamma
reginam meditor, ne quo se numine mutet,

sed magno Aeneae mecum teneatur amore.   675
Qua facere id possis, nostram nunc accipe mentem.
Regius accitu cari genitoris ad urbem
Sidoniam puer ire parat, mea maxima cura,
dona ferens, pelago et flammis restantia Troiae:

Ce garçon, tranquillement endormi, sur les hauteurs de Cythère[96]
Ou d'Idalie[97] dans ma résidence sacrée je cacherai,
Afin qu'il ne puisse rien savoir de mes ruses ni se mettre en travers.
Toi, pas plus longtemps qu'une seule nuit, son apparence
Tu feindras par ruse et, enfant, prendras aisément le visage d'un enfant,

Afin que, lorsque dans son giron Didon, au comble de la joie, te recevra
En plein banquet royal arrosé de vins de Lyée[98],
Quand elle t'embrassera et te criblera de ses doux baisers,
Tu lui insuffles un feu secret et la dupes par un philtre. »
L'Amour obéit aux paroles de sa chère mère, et de ses ailes

Se défaisant, prend plaisir à marcher comme Julus.
Tandis que Vénus une douce torpeur par tout le corps d'Ascagne
Répand et en son sein emporte son protégé sur les hauteurs
Boisées d'Idalie, où la tendre marjolaine
L'enveloppe de ses fleurs odorantes et de sa douce ombre.

Entretemps Cupidon partait, obéissant aux ordres, les cadeaux
Royaux apportant aux Tyriens, content de suivre Achate.
Quand il arrive, la reine, sur des tapis somptueux,
Est allongée sur un lit doré, occupant une place centrale.
Déjà le père Enée et la jeunesse troyenne

Se rassemblent, et on se met à table sur un tapis de pourpre.
Les serviteurs donnent de l'eau pour les mains, le pain dans des paniers
Distribuent, apportent des serviettes en tissu de poils tondus.
Cinquante servantes à l'office, chacune à sa place, ont
Pour tâche d'approvisionner les vivres, et de nourrir le feu des Pénates ;

---

[96] Ile de la mer Egée ; son acropole abritait un temple dédié à Aphrodite-Vénus.
[97] Cité antique sur l'île de Chypre, consacrée à Vénus, où la déesse possédait également un temple célèbre.
[98] Le Libérateur, un des surnoms de Bacchus.

hunc ego sopitum somno super alta Cythera   680
aut super Idalium sacrata sede recondam,
ne qua scire dolos mediusue occurrere possit.
Tu faciem illius noctem non amplius unam
falle dolo, et notos pueri puer indue uoltos,

ut, cum te gremio accipiet laetissima Dido   685
regalis inter mensas laticemque Lyaeum,
cum dabit amplexus atque oscula dulcia figet,
occultum inspires ignem fallasque ueneno.'
Paret Amor dictis carae genetricis, et alas

exuit, et gressu gaudens incedit Iuli.   690
At Venus Ascanio placidam per membra quietem
inrigat, et fotum gremio dea tollit in altos
Idaliae lucos, ubi mollis amaracus illum
floribus et dulci adspirans complectitur umbra.

Iamque ibat dicto parens et dona Cupido   695
regia portabat Tyriis, duce laetus Achate.
Cum uenit, aulaeis iam se regina superbis
aurea composuit sponda mediamque locauit.
Iam pater Aeneas et iam Troiana iuuentus

conueniunt, stratoque super discumbitur ostro.   700
Dant famuli manibus lymphas, Cereremque canistris
expediunt, tonsisque ferunt mantelia uillis.
Quinquaginta intus famulae, quibus ordine longam
cura penum struere, et flammis adolere Penatis;

Cent autres, ainsi qu'autant de serveurs ayant le même âge,
Doivent charger les tables de victuailles et disposer les coupes.
Des Tyriens également, aux portes accueillantes en foule
S'étant rassemblés, sont invités à prendre place sur les lits décorés.
On admire les cadeaux d'Enée, on admire Julus

Et le visage éclatant du dieu, ainsi que ses paroles feintes,
Le manteau et la robe décorée de feuilles d'acanthe jaune safran.
En particulier, l'infortunée (Phénicienne), vouée à une future ruine,
Ne peut se rassasier l'esprit, et est enflammée par le spectacle,
Et pareillement par l'enfant et les cadeaux est impressionnée.

Lui quand, dans les bras d'Enée et pendu à son cou,
Il l'eut remplie d'un grand amour pour son faux père,
Il va vers la reine. Celle-ci de ses yeux, de tout son cœur
A lui s'accroche, le prenant quelquefois sur elle, ignorant, Didon,
Quel Dieu s'est assis sur la pauvre ; mais lui, se souvenant

De sa mère l'Acidalienne[99], peu à peu à faire oublier Sychée
Commence, et s'emploie à éveiller à l'amour d'un vivant
Des sensations depuis longtemps éteintes et un cœur en friche.
A la première pause dans le banquet et quand on eut enlevé les tables,
On dispose de grands cratères et y verse les vins à ras bords.

Le vacarme se fait dans le palais, les voix s'élèvent à travers les vastes
Salles, aux plafonds dorés sont suspendues des lampes
Qu'on a allumées, et les torches percent la nuit de leurs flammes.
Alors la reine réclama une lourde (patère) d'or ornée de gemmes
Et la remplit de vin pur, comme Belos et tous

Depuis Belos ont coutume de faire ; le silence s'est fait dans le palais :
« O Jupiter, toi qu'on dit l'auteur des lois de l'hospitalité,
Que ce jour heureux pour les Tyriens et pour ceux qui ont quitté Troie
Tu veuilles bien l'accorder, et que nos enfants s'en souviennent.
Que viennent Bacchus qui procure la joie, et la bienveillante Junon ;

---

[99] Vénus venait se baigner avec les Grâces à la source d'Acidalie en Béotie.

centum aliae totidemque pares aetate ministri,   705
qui dapibus mensas onerent et pocula ponant.
Nec non et Tyrii per limina laeta frequentes
conuenere, toris iussi discumbere pictis.
Mirantur dona Aeneae, mirantur Iulum

flagrantisque dei uoltus simulataque uerba,   710
pallamque et pictum croceo uelamen acantho.
Praecipue infelix, pesti deuota futurae,
expleri mentem nequit ardescitque tuendo
Phoenissa, et pariter puero donisque mouetur.

Ille ubi complexu Aeneae colloque pependit   715
et magnum falsi impleuit genitoris amorem,
reginam petit. Haec oculis, haec pectore toto
haeret et interdum gremio fouet, inscia Dido,
insidat quantus miserae deus; at memor ille

matris Acidaliae paulatim abolere Sychaeum   720
incipit, et uiuo temptat praeuertere amore
iam pridem resides animos desuetaque corda.
Postquam prima quies epulis, mensaeque remotae,
crateras magnos statuunt et uina coronant.

Fit strepitus tectis, uocemque per ampla uolutant   725
atria; dependent lychni laquearibus aureis
incensi, et noctem flammis funalia uincunt.
Hic regina grauem gemmis auroque poposcit
impleuitque mero pateram, quam Belus et omnes

a Belo soliti; tum facta silentia tectis: 730
'Iuppiter, hospitibus nam te dare iura loquuntur,
hunc laetum Tyriisque diem Troiaque profectis
esse uelis, nostrosque huius meminisse minores.
Adsit laetitiae Bacchus dator, et bona Iuno;

Et vous, ô Tyriens, applaudissez à cette rencontre. »
Ayant dit cela, elle répandit une libation de vin sur un autel,
Et la première, une fois la libation faite, effleura du bout des lèvres,
Puis tendit (le cratère) à Bitias[100] en le rabrouant ; celui-ci éclusa
La patère mousseuse, nettoyant la coupe en or remplie

Avec les autres nobles après lui. Le chevelu Iopas sa cithare
Dorée fait retentir, lui l'élève du sublime Atlas.
Il chante la lune vagabonde et les tribulations du soleil ;
L'origine du genre humain et du bétail ; de l'eau et du feu ;
Arcturus[101] et les pluvieuses Hyades[102], et les Bœufs jumeaux[103] ;

Pourquoi dans l'Océan se hâtent tant de s'immerger les soleils
En hiver, ou quel obstacle les retarde pendant les longues nuits.
Les Tyriens redoublent d'applaudissements, les Troyens les imitent.
Et, par des discours variés, aussi occupait la nuit
L'infortunée Didon, s'abreuvant d'amour,

Demandant beaucoup de choses à propos de Priam, d'Hector ;
Avec quelles armes était venu le fils de l'Aurore[104],
Comment étaient les chevaux de Diomède, et le terrible Achille.
« Ou plutôt, allons, du début raconte-nous, hôte,
Les ruses, » dit-elle, « des Danaéens, les désastres des tiens,

Tes errances ; car c'est déjà la septième (année) qui te porte,
Errant, par toutes les terres et les mers. »

---

[100] Peut-être un général carthaginois à qui la reine reproche d'avoir empêché le débarquement des Troyens ?
[101] Etoile brillante de la constellation du Bouvier, située dans le prolongement du timon du Grand Chariot (ou Grande Ourse).
[102] Ensemble d'étoiles représentant la tête de la constellation du Taureau ; les Hyades sont les nymphes de la pluie, transportées au ciel par Zeus pour les remercier d'avoir nourri Dionysos et l'avoir protégé de la jalousie d'Héra.
[103] Les deux Ourses.
[104] Memnon, combattant du camp troyen, tué en combat singulier par Achille (cf. vers 489 supra).

et uos, O, coetum, Tyrii, celebrate fauentes.'   735
Dixit, et in mensam laticum libauit honorem,
primaque, libato, summo tenus attigit ore,
tum Bitiae dedit increpitans; ille impiger hausit
spumantem pateram, et pleno se proluit auro

post alii proceres. Cithara crinitus Iopas   740
personat aurata, docuit quem maximus Atlas.
Hic canit errantem lunam solisque labores;
unde hominum genus et pecudes; unde imber et ignes;
Arcturum pluuiasque Hyadas geminosque Triones;

quid tantum Oceano properent se tinguere soles   745
hiberni, uel quae tardis mora noctibus obstet.
Ingeminant plausu Tyrii, Troesque sequuntur.
Nec non et uario noctem sermone trahebat
infelix Dido, longumque bibebat amorem,

multa super Priamo rogitans, super Hectore multa;   750
nunc quibus Aurorae uenisset filius armis,
nunc quales Diomedis equi, nunc quantus Achilles.
'Immo age, et a prima dic, hospes, origine nobis
insidias,' inquit, 'Danaum, casusque tuorum,

erroresque tuos; nam te iam septima portat   755
omnibus errantem terris et fluctibus aestas.'

CHANT II

CHANT II

Tous se turent, l'air concentré.
Alors le père Enée, du haut de son lit de table, se mit à parler ainsi :
Tu m'ordonnes, ô reine, de rappeler le souvenir d'une douleur indicible,
Comment les richesses des Troyens et leur malheureux royaume

Les Danaéens ont détruit ; choses pitoyables que moi-même j'ai vues,
Et auxquelles j'ai grandement participé. Qui, parlant de ces choses,
Myrmidon[105], Dolope[106] ou soldat du rude Ulysse,
S'abstiendrait de pleurer ? Et déjà la nuit humide du ciel
Descend, et les étoiles qui se couchent invitent au sommeil.

Mais si un si grand désir de connaître nos malheurs (tu as)
Ainsi que d'entendre brièvement les ultimes tribulations de Troie,
Bien que de l'évoquer mon esprit tressaille et, affligé, y répugne,
Je vais commencer. Brisés par la guerre et éconduits par le destin
Les chefs des Danaéens, après le passage de tant d'années,

Un cheval de la hauteur d'une montagne grâce à l'art de la divine Pallas
Construisent, lui confectionnant des flancs avec des pièces de bois :
Ils simulent des prières pour leur retour ; on répand cette rumeur.
Après tirage au sort, en secret les hommes ainsi désignés
Ils les introduisent dans les flancs obscurs, et comblent les vides

Immenses ainsi que le ventre en les remplissant de soldats en armes.
Ténédos[107] est à portée de vue, la très réputée
Ile, opulente du temps du règne de Priam,
Et à présent simple abri et mouillage peu sûr pour les navires :
Là ils se transportent et se cachent sur le rivage désert.

---

[105] Soldats grecs combattant sous les ordres d'Achille.
[106] Guerriers originaires de Grèce occidentale ayant pris part à la guerre de Troie.
[107] Ile située à proximité de l'entrée du détroit des Dardanelles.

LIBER II

Conticuere omnes, intentique ora tenebant.
Inde toro pater Aeneas sic orsus ab alto:
Infandum, regina, iubes renouare dolorem,
Troianas ut opes et lamentabile regnum

eruerint Danai; quaeque ipse miserrima uidi, 5
et quorum pars magna fui. Quis talia fando
Myrmidonum Dolopumue aut duri miles Ulixi
temperet a lacrimis? Et iam nox umida caelo
praecipitat, suadentque cadentia sidera somnos.

Sed si tantus amor casus cognoscere nostros 10
et breuiter Troiae supremum audire laborem,
quamquam animus meminisse horret, luctuque refugit,
incipiam. Fracti bello fatisque repulsi
ductores Danaum, tot iam labentibus annis,

instar montis equum diuina Palladis arte 15
aedificant, sectaque intexunt abiete costas:
uotum pro reditu simulant; ea fama uagatur.
Huc delecta uirum sortiti corpora furtim
includunt caeco lateri, penitusque cauernas

ingentis uterumque armato milite complent. 20
Est in conspectu Tenedos, notissima fama
insula, diues opum, Priami dum regna manebant,
nunc tantum sinus et statio male fida carinis:
huc se prouecti deserto in litore condunt.

Nous les pensâmes partis, cherchant à gagner Mycènes avec le vent :
C'est pourquoi la Troade tout entière se libéra d'une longue souffrance ;
Les portes sont ouvertes ; on se réjouit d'aller (voir) du camp dorien[108]
L'emplacement désert, et le rivage abandonné.
Ici campait la troupe des Dolopes, ici le féroce Achille ;

Ici stationnaient les navires ; ici d'habitude était leur champ de bataille.
Quelques-uns s'étonnent de la funeste offrande à Minerve la célibataire,
Et admirent la masse imposante du cheval ; et, le premier, Thymétès
Exhorte à l'introduire à l'intérieur des murs et le placer dans la citadelle,
Soit par fourberie, soit que c'était déjà le destin prévu pour Troie.

Mais Capys, et ceux dont l'esprit était plus avisé,
Soit à la mer le piège des Danaéens et leur offrande suspecte
Recommandent de jeter, en l'incendiant par en dessous,
Ou de perforer ses entrailles et sonder ses cachettes.
La foule hésitante est partagée entre des passions antagonistes.

Le premier de tous, accompagné d'une grande multitude,
Le bouillonnant Laocoon dévale des hauteurs de la citadelle,
Et de loin crie : « O malheureux citoyens, quelle folie vous prend ?
Croyez-vous l'ennemi parti ? Ou pensez-vous qu'il existe une offrande
Des Danaéens dénuée de ruse ? Vous ne connaissez pas Ulysse ?

Soit des Achéens se dissimulent à l'intérieur de ces planches,
Soit cette machine a été fabriquée pour, contre nos remparts,
Observer nos demeures et tomber d'en haut sur la cité,
Soit quelqu'autre fourberie s'y cache ; méfiez-vous du cheval, Teucriens,
Quoi qu'il en soit, je crains les Danaéens, même porteurs d'offrandes. »

Ayant parlé ainsi, avec une grande force une énorme lance
Dans les flancs et le ventre incurvé de la bête, fait de pièces assemblées,
Il balança : celle-ci, tremblante, resta droite, et ses entrailles secouées
Résonnèrent creux et émirent un bruit plaintif.
Et, s'il n'y avait eu le destin des dieux et notre esprit mal orienté,

---

[108] Désigne ici le camp des Grecs.

Nos abiisse rati et uento petiisse Mycenas: 25
ergo omnis longo soluit se Teucria luctu;
panduntur portae; iuuat ire et Dorica castra
desertosque uidere locos litusque relictum.
Hic Dolopum manus, hic saeuus tendebat Achilles;

classibus hic locus; hic acie certare solebant. 30
Pars stupet innuptae donum exitiale Mineruae,
et molem mirantur equi; primusque Thymoetes
duci intra muros hortatur et arce locari,
siue dolo, seu iam Troiae sic fata ferebant.

At Capys, et quorum melior sententia menti, 35
aut pelago Danaum insidias suspectaque dona
praecipitare iubent, subiectisque urere flammis,
aut terebrare cauas uteri et temptare latebras.
Scinditur incertum studia in contraria uolgus.

Primus ibi ante omnis, magna comitante caterua, 40
Laocoon ardens summa decurrit ab arce,
et procul: 'O miseri, quae tanta insania, ciues?
Creditis auectos hostis? Aut ulla putatis
dona carere dolis Danaum? Sic notus Ulixes?

aut hoc inclusi ligno occultantur Achiui, 45
aut haec in nostros fabricata est machina muros
inspectura domos uenturaque desuper urbi,
aut aliquis latet error; equo ne credite, Teucri.
Quicquid id est, timeo Danaos et dona ferentis.'

Sic fatus, ualidis ingentem uiribus hastam 50
in latus inque feri curuam compagibus aluum
contorsit: stetit illa tremens, uteroque recusso
insonuere cauae gemitumque dedere cauernae.
Et, si fata deum, si mens non laeua fuisset,

Il nous eût amenés à démasquer avec nos épées les cachettes argiennes,
Et à présent tu serais debout, Troie, et toi, altière citadelle de Priam.
Et voilà qu'entretemps, les mains liées derrière le dos, un jeune
Par des bergers (Dardanéens) était amené à grands cris devant le roi,
Un étranger qui spontanément à eux,

Dans le but de réaliser l'exploit d'ouvrir Troie aux Achéens,
S'était présenté, confiant dans son idée et préparé à l'un ou l'autre,
Soit à perpétrer son forfait, soit à succomber à une mort certaine.
De tous côtés la jeunesse troyenne avide de le voir
Se précipite et l'entoure, rivalisant de moqueries à l'égard du prisonnier.

Ecoute maintenant les fourberies des Danaéens, et par le forfait d'un seul
Apprends à les connaître tous.
Car lorsqu'au milieu des regards, troublé, sans défense,
Il se trouva et jeta un regard circulaire aux rangs phrygiens :
« Hélas, à présent quelle terre » dit-il « quelles mers peuvent me

Recevoir ? Et que subsiste-t-il finalement du pauvre de moi,
Qui chez les Danaéens n'a plus aucune place, et pour qui en outre même
Les Dardanéens, hostiles, réclament un châtiment sanglant ? »
Par ces plaintes nos esprits sont retournés, et stoppé tout
Elan. Nous le pressons de parler ; de quel sang il est issu,

Et quelle nouvelle apporte-t-il, quelle garantie il donne en tant que captif.
Lui, enfin délivré de sa frayeur, dit cela :
« O roi, toutes choses, pour ma part, et quoi qu'il arrive, je les dirai
En vérité, dit-il ; et je ne renierai pas non plus mes origines argiennes :
Voilà pour commencer ; et, si la Fortune Sinon misérable

A rendu, elle n'en fera pas, la méchante, un traître et un menteur.
Peut-être, dans tes conversations, un jour est parvenu à tes oreilles
Le nom de Palamède, le descendant de Bélos, de renommée illustre
Par sa gloire, lui que sur une fausse dénonciation les Pélasges,
A cause d'un odieux témoignage, parce qu'il refusait la guerre, innocent

impulerat ferro Argolicas foedare latebras, 55
Troiaque, nunc stares, Priamique arx alta, maneres.
Ecce, manus iuuenem interea post terga reuinctum
pastores magno ad regem clamore trahebant
Dardanidae, qui se ignotum uenientibus ultro,

hoc ipsum ut strueret Troiamque aperiret Achiuis, 60
obtulerat, fidens animi atque in utrumque paratus,
seu uersare dolos, seu certae occumbere morti.
Undique uisendi studio Troiana iuuentus
circumfusa ruit, certantque inludere capto.

Accipe nunc Danaum insidias, et crimine ab uno 65
disce omnes.
Namque ut conspectu in medio turbatus, inermis
constitit atque oculis Phrygia agmina circumspexit:
'Heu, quae nunc tellus' inquit 'quae me aequora possunt

accipere? Aut quid iam misero mihi denique restat, 70
cui neque apud Danaos usquam locus, et super ipsi
Dardanidae infensi poenas cum sanguine poscunt?'
Quo gemitu conuersi animi, compressus et omnis
impetus. Hortamur fari; quo sanguine cretus,

quidue ferat, memoret, quae sit fiducia capto. 75
Ille haec, deposita tandem formidine, fatur:
'Cuncta equidem tibi, Rex, fuerit quodcumque, fatebor
uera, inquit; neque me Argolica de gente negabo:
hoc primum; nec, si miserum Fortuna Sinonem

finxit, uanum etiam mendacemque improba finget. 80
Fando aliquod si forte tuas peruenit ad auris
Belidae nomen Palamedis et incluta fama
gloria, quem falsa sub proditione Pelasgi
insontem infando indicio, quia bella uetabat,

Firent mourir et que, maintenant qu'il est privé de lumière, ils pleurent :
A lui, en tant que compagnon et proche parent,
Mon père pauvre m'envoya guerroyer ici depuis mes jeunes années.
Tant qu'il restait intouchable dans notre royaume, influent dans
Les assemblées (royales), moi aussi d'un peu de renom et de dignité

Je bénéficiai. Après que, du fait de la haine du fourbe Ulysse —
Je parle de choses connues — il eut quitté le monde d'en haut,
Je traînais, accablé, une vie dans les ténèbres et le deuil,
M'indignant de la mort de mon ami innocent.
Je ne me tus pas, non plus, dans ma folie, et si par quelque hasard

Je pouvais un jour revenir victorieux dans ma patrie d'Argos[109], (je me)
Promis d'être un vengeur, soulevant par mes paroles une haine farouche.
De là un premier déluge de maux pour moi, de là Ulysse toujours
Me terrifiant avec de nouvelles accusations, répandant des paroles
Ambiguës dans la populace, et recherchant des alliés pour conspirer.

Et en effet il ne cessa pas, jusqu'à ce que, assisté de Calchas —
Mais pourquoi donc je remue vainement ces choses déplaisantes ?
Pourquoi m'attarder, si vous considérez pareillement tous les Achéens,
Et en avez assez entendu ? Depuis longtemps déjà vous auriez dû sévir,
Ainsi le voudrait l'Ithaquien[110], les Atrides[111] paieraient cher pour cela. »

Alors nous brûlons véritablement de l'interroger, et savoir pourquoi,
Ignorant que si grandes sont la forfaiture et la ruse des Pélasgiens.
Il poursuit en tremblant, et fourbe dans sa poitrine, il dit :
« Souvent les Danaéens ont désiré, abandonnant Troie, à leur fuite
S'activer et s'en aller, fatigués d'une longue guerre ;

---

[109] Ici nom générique : Palamède est plus précisément originaire d'Eubée.
[110] Ulysse, le roi d'Ithaque.
[111] Agamemnon et Ménélas, les fils d'Atrée.

demisere neci, nunc cassum lumine lugent: 85
Illi me comitem et consanguinitate propinquum
pauper in arma pater primis huc misit ab annis.
dum stabat regno incolumis regumque uigebat
consiliis, et nos aliquod nomenque decusque

gessimus. Inuidia postquam pellacis Ulixi --   90
haud ignota loquor -- superis concessit ab oris,
adflictus uitam in tenebris luctuque trahebam,
et casum insontis mecum indignabar amici.
Nec tacui demens, et me, fors si qua tulisset,

si patrios umquam remeassem uictor ad Argos,   95
promisi ultorem, et uerbis odia aspera moui.
Hinc mihi prima mali labes, hinc semper Ulixes
criminibus terrere nouis, hinc spargere uoces
in uolgum ambiguas, et quaerere conscius arma.

Nec requieuit enim, donec, Calchante ministro --   100
sed quid ego haec autem nequiquam ingrata reuoluo?
Quidue moror, si omnis uno ordine habetis Achiuos,
idque audire sat est? Iamdudum sumite poenas,
hoc Ithacus uelit, et magno mercentur Atridae.'

Tum uero ardemus scitari et quaerere causas,   105
ignari scelerum tantorum artisque Pelasgae.
Prosequitur pauitans, et ficto pectore fatur:
'Saepe fugam Danai Troia cupiere relicta
moliri, et longo fessi discedere bello;

Si seulement ils avaient pu le faire ! Souvent de la mer une rude
Tempête (les) en empêcha, et l'Auster effraya les partants.
En particulier, quand déjà, assemblé de planches d'érable,
Se fut dressé ce cheval, les nuages retentirent du tonnerre par tout le ciel.
Indécis, pour interroger l'oracle de Phébus, Eurypyle

Nous déléguons, qui des sanctuaires ces tristes paroles rapporte :
« Par le sang et en immolant une vierge[112] vous avez apaisé les vents
Quand la première fois vous avez abordé les rivages iliens, Danaéens,
Votre retour est à rechercher par le sang, et à favoriser par une âme
Argienne. » Quand cette parole vint aux oreilles de la foule,

Les esprits furent abasourdis, un glacial (frisson) les parcourut jusqu'à
La moelle : à qui l'oracle pensait-il, qui Apollon réclamait-il ?
« Alors à grand bruit le prêtre Calchas par l'Ithaquien
Est traîné jusqu'au centre ; quelle peut être la volonté divine,
Demande-t-il instamment ; et beaucoup déjà me prédisaient la cruelle

Impiété du malfrat, et observaient en silence ce qui allait se passer.
Lui, deux fois cinq jours reste silencieux et, retiré, refuse
De nommer par sa voix qui que ce soit, et de l'exposer à la mort.
A contre-cœur, enfin, poussé par les braillements de l'Ithaquien,
En accord avec lui, il rompt son silence, et me désigne pour l'autel.

Tous approuvèrent, et à ce que les choses que chacun pour soi redoutait
En la ruine d'un seul malheureux fussent converties, ils acquiescèrent.
Et déjà ce jour abominable était là ; pour moi on préparait la cérémonie,
Ainsi que les gâteaux salés, et les bandelettes autour des tempes :
Je m'arrachai, je l'avoue, à la mort, et rompis mes liens,

Dans une eau fangeuse, la nuit, à l'abri des roseaux
Je me cachai, attendant qu'ils hissent les voiles, si jamais c'était le cas.
Je n'ai plus aucun espoir de revoir mon ancienne patrie,
Ni mes doux enfants, ni mon père qui me manque tant ;
Peut-être même exigeront-ils leur châtiment du fait de ma

---

[112] Iphigénie, fille d'Agamemnon.

fecissentque utinam! Saepe illos aspera ponti   110
interclusit hiemps, et terruit Auster euntis.
Praecipue, cum iam hic trabibus contextus acernis
staret equus, toto sonuerunt aethere nimbi.
Suspensi Eurypylum scitantem oracula Phoebi

mittimus, isque adytis haec tristia dicta reportat: 115
"Sanguine placastis uentos et uirgine caesa,
cum primum Iliacas, Danai, uenistis ad oras;
sanguine quaerendi reditus, animaque litandum
Argolica." Volgi quae uox ut uenit ad auris,

obstipuere animi, gelidusque per ima cucurrit   120
ossa tremor, cui fata parent, quem poscat Apollo.
'Hic Ithacus uatem magno Calchanta tumultu
protrahit in medios; quae sint ea numina diuom,
flagitat; et mihi iam multi crudele canebant

artificis scelus, et taciti uentura uidebant.   125
Bis quinos silet ille dies, tectusque recusat
prodere uoce sua quemquam aut opponere morti.
Vix tandem, magnis Ithaci clamoribus actus,
composito rumpit uocem, et me destinat arae.

Adsensere omnes, et, quae sibi quisque timebat,   130
unius in miseri exitium conuersa tulere.
Iamque dies infanda aderat; mihi sacra parari,
et salsae fruges, et circum tempora uittae:
eripui, fateor, leto me, et uincula rupi,

limosoque lacu per noctem obscurus in ulua   135
delitui, dum uela darent, si forte dedissent.
Nec mihi iam patriam antiquam spes ulla uidendi,
nec dulcis natos exoptatumque parentem;
quos illi fors et poenas ob nostra reposcent

Fuite, et vengeront cette faute par la mort de ces malheureux.
C'est pourquoi, par les dieux et les divinités sachant la vérité,
Par ce qu'il peut encore subsister aux mortels
De réputation non souillée, je te prie, aie pitié d'épreuves
Si grandes, aie pitié d'un esprit endurant des choses injustes. »

A ces larmes nous accordons la vie sauve, et même en prenons pitié.
D'abord, à l'homme qu'on enlève ses chaînes et (ses liens) serrés
Priam (lui-même) ordonne, et prononce ces paroles amicales :
« Qui que tu sois, dorénavant laisse tomber et oublie les Grecs ;
Tu seras des nôtres, et à moi qui t'interroge expose sincèrement :

Dans quel but ont-ils dressé ce cheval énorme ? Qui en a eu l'idée ?
Que cherchent-ils ? Est-ce un objet sacré, ou une machine de guerre ? »
Avait-il dit. Lui, instruit en ruses et fourberies des Pélasges,
Leva vers les étoiles ses mains débarrassées de leurs chaînes :
« Vous, feux éternels et votre inviolable

Divinité, je vous prends à témoin » dit-il « vous, autels et épées impies,
Que j'ai fuis, bandelettes rituelles que j'ai portées en tant que victime :
J'ai le droit de violer les lois sacrées des Grecs,
J'ai le droit de haïr ces hommes, et de porter à la lumière tout ce
Qu'ils pourraient cacher ; et par aucune loi de ma patrie je ne suis tenu.

Il suffit que tu t'en tiennes à tes promesses et, préservée, me préserves,
O Troie, ta loyauté si je te rapporte la vérité et te paie cher en retour.
Tout l'espoir des Danaéens et leur confiance en la guerre entreprise
A toujours reposé sur l'aide de Pallas[113]. Depuis que l'impie
Fils de Tydée[114], cependant, et Ulysse, l'inventeur de scélératesses,

Après l'avoir attaqué, extirpèrent de son temple sacré le fatal
Palladium[115], ayant massacré les gardes de l'éminente citadelle,
Ravirent l'effigie sacrée, et de leurs mains sanglantes
Osèrent toucher les bandelettes virginales de la déesse,
Depuis ce jour, à s'étioler et, rétrogradant, (commença) à refluer

---

[113] Athéna-Minerve, protectrice des Grecs pendant la guerre de Troie.
[114] Diomède.
[115] Statue de Pallas-Athéna, conférant l'inexpugnabilité à la cité qui l'abritait.

effugia, et culpam hanc miserorum morte piabunt.   140
Quod te per superos et conscia numina ueri,
per si qua est quae restet adhuc mortalibus usquam
intemerata fides, oro, miserere laborum
tantorum, miserere animi non digna ferentis.'

His lacrimis uitam damus, et miserescimus ultro.   145
Ipse uiro primus manicas atque arta leuari
uincla iubet Priamus, dictisque ita fatur amicis:
'Quisquis es, amissos hinc iam obliuiscere Graios;
noster eris, mihique haec edissere uera roganti:

Quo molem hanc immanis equi statuere? Quis auctor?   150
Quidue petunt? Quae religio, aut quae machina belli?'
Dixerat. Ille, dolis instructus et arte Pelasga,
sustulit exutas uinclis ad sidera palmas:
'Vos, aeterni ignes, et non uiolabile uestrum

testor numen' ait 'uos arae ensesque nefandi,   155
quos fugi, uittaeque deum, quas hostia gessi:
fas mihi Graiorum sacrata resoluere iura,
fas odisse uiros, atque omnia ferre sub auras,
si qua tegunt; teneor patriae nec legibus ullis.

Tu modo promissis maneas, seruataque serues   160
Troia fidem, si uera feram, si magna rependam.
Omnis spes Danaum et coepti fiducia belli
Palladis auxiliis semper stetit. Impius ex quo
Tydides sed enim scelerumque inuentor Ulixes,

fatale adgressi sacrato auellere templo   165
Palladium, caesis summae custodibus arcis,
corripuere sacram effigiem, manibusque cruentis
uirgineas ausi diuae contingere uittas,
ex illo fluere ac retro sublapsa referri

L'espoir des Danaéens, leurs forces brisées, l'esprit de la déesse hostile.
Et par d'indubitables prodiges la Tritonienne[116] le signifia.
A peine eut-on placé la statue dans le camp que brillèrent d'ardentes
Flammes dans ses yeux relevés, que ses membres (d'une sueur) salée
Furent parcourus, et que trois fois d'elle-même — ô merveille — du sol

Elle bondit, à la fois brandissant son bouclier et agitant sa lance.
Aussitôt Calchas vaticina qu'il fallait s'employer à fuir par la mer,
Pergame ne pouvant être anéantie par les armes argiennes,
A moins de reconsulter les augures à Argos, et ramener leur faveur
Qu'ils avaient amenée avec eux par la mer dans leurs nefs incurvées.

Et à présent, ayant gagné au gré du vent leur Mycènes natale,
Ils s'arment et s'assurent la faveur des dieux et, la mer retraversée,
Ils reviendront à l'improviste : Calchas interprète ainsi les présages.
Prévenus à propos du Palladium et de la volonté divine offensée, cette
Statue ils ont érigée, afin de d'expier leur funeste impiété.

Toutefois, Calchas (a ordonné) d'ériger cette immense masse
De poutres de chêne assemblées et de l'élever jusqu'au ciel,
Afin qu'elle ne pût passer par les portes, ni être introduite intramuros,
Et mettre le peuple sous la protection d'une antique croyance[117].
Mais, en revanche, que votre main vienne à violer l'offrande à Minerve,

Alors une grande ruine (que les dieux plutôt sur lui-même ce présage
Retournent !) s'ensuivra pour le règne de Priam et pour les Phrygiens ;
Mais si par vos mains elle vient à monter dans votre cité,
L'Asie, en une guerre grandiose, même jusqu'aux remparts de Pélops[118]
Est destinée à venir, et c'est le sort qui attendra nos descendants. »

---

[116] Pallas, compagne d'Athéna accidentellement tuée par celle-ci, est la fille du dieu marin Triton. Athéna, déplorant sa mort, lui fit une statue à sa ressemblance, le Palladium.
[117] Le palladium était censé protéger les lieux qui l'abritaient.
[118] Ancêtre des Atrides à Mycènes.

spes Danaum, fractae uires, auersa deae mens.   170
Nec dubiis ea signa dedit Tritonia monstris.
Vix positum castris simulacrum, arsere coruscae
luminibus flammae arrectis, salsusque per artus
sudor iit, terque ipsa solo -- mirabile dictu –

emicuit, parmamque ferens hastamque trementem.   175
Extemplo temptanda fuga canit aequora Calchas,
nec posse Argolicis exscindi Pergama telis,
omina ni repetant Argis, numenque reducant,
quod pelago et curuis secum auexere carinis.

Et nunc, quod patrias uento petiere Mycenas,   180
arma deosque parant comites, pelagoque remenso
improuisi aderunt: ita digerit omina Calchas.
Hanc pro Palladio moniti, pro numine laeso
effigiem statuere, nefas quae triste piaret.

Hanc tamen immensam Calchas attollere molem   185
roboribus textis caeloque educere iussit,
ne recipi portis, aut duci in moenia possit,
neu populum antiqua sub religione tueri.
Nam si uestra manus uiolasset dona Mineruae,

tum magnum exitium (quod di prius omen in ipsum   190
conuertant!) Priami imperio Phrygibusque futurum;
sin manibus uestris uestram ascendisset in urbem,
ultro Asiam magno Pelopea ad moenia bello
uenturam, et nostros ea fata manere nepotes.'

C'est par de tels pièges et par l'astuce du perfide Sinon
Que la chose est crue, que sont pris par la ruse et touchés par les pleurs
Ceux que ni le fils de Tydée, ni Achille de Larissa,
Ni dix années, ni mille vaisseaux n'ont domptés.
Alors autre chose, plus grand et beaucoup plus terrible, les malheureux

Frappe davantage, et trouble leurs poitrines[119] aveuglées.
Laocoon, tiré au sort pour officier en tant que prêtre de Neptune,
Etait en train d'immoler un taureau énorme sur l'autel sacré.
Et voilà que de Ténédos, dans les eaux calmes du large, deux —
Je suis horrifié en le relatant — serpents aux immenses anneaux

Se jettent dans la mer, et ensemble vers le rivage se dirigent ;
Leurs poitrines dressées au sein des vagues et leurs crêtes
Couleur de sang dépassent des flots ; le reste (de leur corps) la mer
Derrière eux effleure, incurvant les spires de leurs immenses échines.
On entend gronder le flot écumant ; déjà ils touchaient terre,

Les yeux ardents injectés de sang et de feu,
Et de leurs langues vibrantes léchaient leurs gueules sifflantes.
A la vue de cela nous nous dispersâmes, blêmes : eux droit
Sur Laocoon ils se dirigent ; et d'abord les petits (corps) de ses deux
Enfants ayant étreint, l'un et l'autre des deux serpents

Autour d'eux s'enroule et de ses dents déchire leurs pauvres membres ;
Ensuite lui-même, qui accourt à leur aide muni de ses armes,
Ils le saisissent et dans leurs énormes anneaux l'enserrent ; et déjà
Les deux l'ayant étreint par le milieu, autour de son cou leurs écailleuses
Echines ayant enroulé, ils le dominent de la tête et du col.

Lui simultanément tend les mains pour briser ses entraves,
Ses bandelettes inondées de venin et de noir poison,
Tout en lançant vers le ciel d'horribles clameurs :
A l'instar (du taureau) blessé qui s'enfuit de l'autel après avoir meuglé
Et secoué de son cou la hache mal assurée.

---

[119] Rappelons que la poitrine est le siège de l'esprit.

Talibus insidiis periurique arte Sinonis   195
credita res, captique dolis lacrimisque coactis,
quos neque Tydides, nec Larisaeus Achilles,
non anni domuere decem, non mille carinae.
Hic aliud maius miseris multoque tremendum

obicitur magis, atque improuida pectora turbat.   200
Laocoon, ductus Neptuno sorte sacerdos,
sollemnis taurum ingentem mactabat ad aras.
Ecce autem gemini a Tenedo tranquilla per alta --
horresco referens -- immensis orbibus angues

incumbunt pelago, pariterque ad litora tendunt;   205
pectora quorum inter fluctus arrecta iubaeque
sanguineae superant undas; pars cetera pontum
pone legit, sinuatque immensa uolumine terga.
Fit sonitus spumante salo; iamque arua tenebant,

ardentisque oculos suffecti sanguine et igni,   210
sibila lambebant linguis uibrantibus ora.
Diffugimus uisu exsangues: illi agmine certo
Laocoonta petunt; et primum parua duorum
corpora natorum serpens amplexus uterque

implicat, et miseros morsu depascitur artus;   215
post ipsum auxilio subeuntem ac tela ferentem
corripiunt, spirisque ligant ingentibus; et iam
bis medium amplexi, bis collo squamea circum
terga dati, superant capite et ceruicibus altis.

Ille simul manibus tendit diuellere nodos,   220
perfusus sanie uittas atroque ueneno,
clamores simul horrendos ad sidera tollit:
qualis mugitus, fugit cum saucius aram
taurus, et incertam excussit ceruice securim.

Mais les deux serpents en rampant vers les sanctuaires d'en haut
S'enfuient et gagnent la citadelle de la farouche Tritonienne,
Et se cachent aux pieds de la déesse[120], sous l'orbe de son bouclier.
Alors véritablement dans leurs poitrines tremblantes à tous une nouvelle
Crainte s'insinue, et que (Laocoon) a bien mérité d'expier son crime

Ils considèrent, lui qui de sa pique le bois sacré
Aura blessé et fiché sa lance scélérate dans ses flancs.
Qu'on amène la statue à sa place et qu'on implore de la déesse
Les ordres ils réclament à haute voix.
Nous faisons une brèche et ouvrons les remparts de la cité.

Tous se mettent au travail, et sous les pieds des patins
Roulants ils introduisent, et des cordes de chanvre au cou
Ils passent : la machine fatale franchit la muraille,
Grosse de soldats. Des garçons et des jeunes filles tout autour
Chantent des hymnes, se réjouissant de toucher les cordages de la main.

Elle monte, et s'introduit en glissant, menaçante, au milieu de la cité.
O ma patrie, ô demeure des dieux d'Ilion, et par la guerre illustres
Remparts Dardanéens, par quatre fois au seuil même de la porte
Elle s'arrêta, et dans ses entrailles quatre fois les armes résonnèrent :
Nous persistons cependant dans notre inconscience, notre aveugle folie,

Et installons le funeste monstre dans la citadelle sacrée.
Même Cassandre, alors, à propos du destin futur, prend
La parole, elle que, par ordre du dieu[121], les Teucriens n'ont jamais crue.
Nous, les malheureux pour qui (ce jour) allait être le dernier, les temples
(Des dieux) nous décorons de guirlandes de feuilles à travers la cité.

Entretemps le ciel bascule et de l'océan surgit la nuit,
Dans une grande obscurité plongeant la terre, les cieux
Et les ruses des Myrmidons ; dispersés sur les remparts, les Teucriens
Se sont calmés, le sommeil enveloppe leurs membres fatigués :
Et déjà l'armée argienne naviguant en ordre de bataille avançait

---

[120] Il y avait donc une deuxième statue d'Athéna, en plus du palladium ?
[121] Apollon, à qui Cassandre s'est refusée.

At gemini lapsu delubra ad summa dracones   225
effugiunt saeuaeque petunt Tritonidis arcem,
sub pedibusque deae clipeique sub orbe teguntur.
Tum uero tremefacta nouus per pectora cunctis
insinuat pauor, et scelus expendisse merentem

Laocoonta ferunt, sacrum qui cuspide robur   230
laeserit, et tergo sceleratam intorserit hastam.
Ducendum ad sedes simulacrum orandaque diuae
numina conclamant.
Diuidimus muros et moenia pandimus urbis.

Accingunt omnes operi, pedibusque rotarum   235
subiciunt lapsus, et stuppea uincula collo
intendunt: scandit fatalis machina muros,
feta armis. Pueri circum innuptaeque puellae
sacra canunt, funemque manu contingere gaudent.

Illa subit, mediaeque minans inlabitur urbi.   240
O patria, O diuom domus Ilium, et incluta bello
moenia Dardanidum, quater ipso in limine portae
substitit, atque utero sonitum quater arma dedere:
instamus tamen inmemores caecique furore,

et monstrum infelix sacrata sistimus arce.   245
Tunc etiam fatis aperit Cassandra futuris
ora, dei iussu non umquam credita Teucris.
Nos delubra deum miseri, quibus ultimus esset
ille dies, festa uelamus fronde per urbem.

Vertitur interea caelum et ruit oceano nox,   250
inuoluens umbra magna terramque polumque
Myrmidonumque dolos; fusi per moenia Teucri
conticuere, sopor fessos complectitur artus:
et iam Argiua phalanx instructis nauibus ibat

Depuis Ténédos, dans le silence complice de la lune silencieuse,
Se dirigeant vers les rivages familiers, quand le navire royal des flammes
Emit, et (Sinon), protégé par l'injuste destin imposé par les dieux,
(Libère) en cachette les Danaéens enfermés dans les entrailles,
Ouvrant les trappes en bois de pin. Grand ouvert, à l'air libre

Le cheval (les) remet, et sont heureux de s'extraire de la cavité de bois
En premier Thessandre et Sthénélos, et l'horrible Ulysse,
Se glissant le long d'une corde pendante, ainsi qu'Acamas, Thoas,
Néoptolème[122] le Pélide, et le grand Machaon[123],
Et Ménélas, et le constructeur de la ruse lui-même, Epéos.

Ils envahissent la cité, plongée dans le sommeil et le vin ;
Les gardes sont massacrés, par toutes les portes grandes ouvertes
Ils accueillent leurs compagnons et rallient les rangs de leurs comparses.
C'était le moment où le premier repos aux mortels éprouvés
Arrive et, don des dieux le plus agréable, en eux s'insinue.

Dans mon sommeil, voilà que devant mes yeux Hector, très triste,
Semble se présenter à moi, et verser d'abondantes larmes,
Comme l'autre fois, traîné par des chars, noir de sang
Et de poussière, ses pieds tuméfiés traversés par des courroies.
Ah, comment il était ! combien différait-il de cet

Hector, qui revint après avoir revêtu l'armure d'Achille,
Ou après avoir lancé les feux phrygiens sur les navires des Danaéens,
La barbe râpeuse et les cheveux agglomérés par le sang
Et portant ces innombrables blessures qu'autour des remparts
De sa patrie il avait reçues. Bien plus, moi-même, pleurant, je semblais

M'adresser à cet homme et prononcer de tristes paroles :
« O lumière de la Dardanie, ô des Teucriens le plus sûr espoir,
Quels si grands obstacles t'ont retardé ? De quels confins, ô Hector
Qu'on attend, viens-tu ? Comme, après bien (des massacres) des tiens,
Après toutes sortes d'épreuves des hommes et de la cité,

---

[122] Encore appelé Pyrrhus, le fils d'Achille.
[123] Chirurgien de l'armée grecque, soignant notamment Ménélas.

a Tenedo tacitae per amica silentia lunae   255
litora nota petens, flammas cum regia puppis
extulerat, fatisque deum defensus iniquis
inclusos utero Danaos et pinea furtim
laxat claustra Sinon. Illos patefactus ad auras

reddit equus, laetique cauo se robore promunt   260
Thessandrus Sthenelusque duces, et dirus Ulixes,
demissum lapsi per funem, Acamasque, Thoasque,
Pelidesque Neoptolemus, primusque Machaon,
et Menelaus, et ipse doli fabricator Epeos.

Inuadunt urbem somno uinoque sepultam;   265
caeduntur uigiles, portisque patentibus omnis
accipiunt socios atque agmina conscia iungunt.
Tempus erat, quo prima quies mortalibus aegris
incipit, et dono diuom gratissima serpit.

In somnis, ecce, ante oculos maestissimus Hector   270
uisus adesse mihi, largosque effundere fletus,
raptatus bigis, ut quondam, aterque cruento
puluere, perque pedes traiectus lora tumentis.
Ei mihi, qualis erat, quantum mutatus ab illo

Hectore, qui redit exuuias indutus Achilli,   275
uel Danaum Phrygios iaculatus puppibus ignis,
squalentem barbam et concretos sanguine crinis
uolneraque illa gerens, quae circum plurima muros
accepit patrios. Ultro flens ipse uidebar

Compellare uirum et maestas expromere uoces: 280
'O lux Dardaniae, spes O fidissima Teucrum,
quae tantae tenuere morae? Quibus Hector ab oris
exspectate uenis? Ut te post multa tuorum
funera, post uarios hominumque urbisque labores

Épuisés nous te regardons ! Quelle raison indigne ton serein
Visage a défiguré ? Et pourquoi vois-je ces blessures ? »
Lui (ne répond) rien, ni ne prête attention à mes vaines questions,
Mais tirant péniblement une plainte du fond de sa poitrine,
« Hélas, fuis, fils de déesse, et sauve-toi, dit-il, de ces flammes.

L'ennemi tient les remparts ; Troie tombe du haut de sa grandeur.
Il a été assez donné à Priam et à son pays : si Pergame par la dextre
Pouvait être défendue, par elle elle l'eût été.
Troie te confie ses objets sacrés et ses Pénates :
Prends-les comme compagnons de ton destin, cherche-leur des remparts

Elevés, que tu finiras par édifier, après avoir parcouru les mers. »
Ainsi parla-t-il, et dans ses mains la puissante Vesta avec ses bandelettes
Et le feu perpétuel il emporte du plus profond de la maison.
Entretemps les remparts sont troublés par des lamentations de tous côtés,
Et de plus en plus, bien qu'en un lieu retiré (la maison) de mon père

Anchise soit située, et protégée par les arbres,
Les bruits augmentent, et l'horreur des combats fait irruption.
Je me réveille en sursaut, et sur le faîte du toit
Je grimpe, et m'y tiens en prêtant l'oreille :
Ainsi, quand une flamme, poussée par l'Auster furieux, dans les blés

S'embrase, ou que le courant impétueux d'un torrent de montagne
Dévaste les champs, les heureuses moissons et le travail des bœufs,
Entraînant les arbres abattus, (le berger) surpris est stupéfié, (entendant)
(Du haut) de la montagne le fracas des rochers.
Alors la vérité se manifeste à moi, apparaissent clairement des Danaéens

defessi aspicimus! Quae causa indigna serenos 285
foedauit uoltus? Aut cur haec uolnera cerno?'
Ille nihil, nec me quaerentem uana moratur,
sed grauiter gemitus imo de pectore ducens,
'Heu fuge, nate dea, teque his, ait, eripe flammis.

Hostis habet muros; ruit alto a culmine Troia. 290
Sat patriae Priamoque datum: si Pergama dextra
defendi possent, etiam hac defensa fuissent.
Sacra suosque tibi commendat Troia penatis:
hos cape fatorum comites, his moenia quaere

magna, pererrato statues quae denique ponto.' 295
Sic ait, et manibus uittas Vestamque potentem
aeternumque adytis effert penetralibus ignem.
Diuerso interea miscentur moenia luctu,
et magis atque magis, quamquam secreta parentis

Anchisae domus arboribusque obtecta recessit, 300
clarescunt sonitus, armorumque ingruit horror.
Excutior somno, et summi fastigia tecti
ascensu supero, atque arrectis auribus adsto:
in segetem ueluti cum flamma furentibus austris

incidit, aut rapidus montano flumine torrens 305
sternit agros, sternit sata laeta boumque labores,
praecipitisque trahit siluas, stupet inscius alto
accipiens sonitum saxi de uertice pastor.
Tum uero manifesta fides, Danaumque patescunt

Les pièges. Déjà la vaste (maison) de Déiphobe[124] s'est écroulée
Sous l'emprise de Vulcain[125] ; déjà, la plus proche, brûle (celle)
D'Ucalégon[126] ; les larges détroits sigéens[127] resplendissent de feu.
S'élèvent à la fois les clameurs des hommes et le bruit des trompettes.
Je prends mes armes sans réfléchir ; ce n'est pas très raisonnable,

Mais de réunir une troupe pour combattre et courir ensemble à la citadelle
Avec mes compagnons, mon esprit brûle ; la folie et la colère ma raison
Abattent, et je songe qu'il est beau de mourir en combattant.
Mais voilà Panthée, échappé aux flèches des Achéens,
Panthée le fils d'Othrys, le prêtre de Phébus dans la citadelle,

Tenant des objets sacrés et ses dieux vaincus, et son jeune petit-fils
Avec lui traînant, qui accourt, paniqué, dans l'entrée.
« Où en est-on, Panthée ? Quelle position tenons-nous ? »
A peine avais-je dit cela qu'il répondit en gémissant :
« Le jour final est arrivé, ainsi que ce moment inéluctable

Pour la Dardanie : il y eut les Troyens, il y eut Ilion et l'insigne
Gloire des Teucriens ; l'impitoyable Jupiter à Argos tout
A transféré ; les Danaéens sont les maîtres de la cité incendiée.
Là-haut, se dressant au milieu des remparts, des soldats
Le cheval déverse et, victorieux, Sinon répand les incendies

En nous outrageant ; certains se pressent aux portes grandes ouvertes,
Des milliers qui un jour sont venus de la grande Mycènes ;
D'autres ont bloqué de leurs armes les passages étroits des rues,
Barrant le chemin ; pointes d'épées brillantes, se dressent leurs rangs
Compacts, prêts au carnage ; les premiers, s'efforcent de combattre

---

[124] Un des fils de Priam.
[125] Le dieu du feu.
[126] Vieillard compagnon de Priam.
[127] Le cap Sigée est situé en Troade, à l'embouchure du Scamandre.

insidiae. Iam Deiphobi dedit ampla ruinam 310
Volcano superante domus; iam proxumus ardet
Ucalegon; Sigea igni freta lata relucent.
Exoritur clamorque uirum clangorque tubarum.
Arma amens capio; nec sat rationis in armis,

sed glomerare manum bello et concurrere in arcem 315
cum sociis ardent animi; furor iraque mentem
praecipitant, pulchrumque mori succurrit in armis.
Ecce autem telis Panthus elapsus Achiuom,
Panthus Othryades, arcis Phoebique sacerdos,

sacra manu uictosque deos paruumque nepotem 320
ipse trahit, cursuque amens ad limina tendit.
'Quo res summa, loco, Panthu? Quam prendimus arcem?'
Vix ea fatus eram, gemitu cum talia reddit:
'Venit summa dies et ineluctabile tempus

Dardaniae: fuimus Troes, fuit Ilium et ingens 325
gloria Teucrorum; ferus omnia Iuppiter Argos
transtulit; incensa Danai dominantur in urbe.
Arduus armatos mediis in moenibus adstans
fundit equus, uictorque Sinon incendia miscet

insultans; portis alii bipatentibus adsunt, 330
milia quot magnis umquam uenere Mycenis;
obsedere alii telis angusta uiarum
oppositi; stat ferri acies mucrone corusco
stricta, parata neci; uix primi proelia temptant

Les gardes aux portes, résistant en un combat aveugle. »
Par de telles paroles du fils d'Othrys et par la volonté des dieux
Je suis emporté dans les flammes et les combats, là où la triste Erinye[128],
Là où le vacarme et la clameur élevée vers les cieux m'appellent.
Se joignent à moi comme compagnons Rhipée et le plus grand guerrier

Epytée, apparus à la lumière de la lune, et Hypanée et Dymas,
Et à nos côtés ils se regroupent, ainsi que le jeune Corèbe,
Fils de Mygdon : en ces jours à Troie par hasard il
Etait venu, enflammé d'un amour fou pour Cassandre[129],
Et le fiancé apportait son aide à Priam et aux Phrygiens,

Le malheureux, qui les conseils de sa promise possédée
N'aura pas écouté.
Quand je les vis rassemblés, prêts à en découdre,
Je rajoute ces paroles : « Jeunes gens, qui en vain êtes les plus braves
Des cœurs, si pour vous le désir de (me suivre) dans mes ultimes audaces

Est indéniable, vous voyez comment se présentent les choses :
Ils se sont tous retirés, ayant quitté les sanctuaires et les autels,
Nos dieux, sur lesquels ce royaume reposait ; la cité que vous secourez
Est en flammes ; fonçons en pleine bataille et mourons.
Aux vaincus il n'est qu'un seul salut, c'est de n'espérer aucun salut. »

Ainsi aux jeunes de l'ardeur au combat est insufflée : alors, tels des loups
Prédateurs dans les noires ténèbres, qu'une (furieuse) et cruelle faim
A fait sortir, aveugles, et que leurs petits abandonnés
Attendent avec les mâchoires sèches, à travers les lignes ennemies
Nous avançons vers une mort certaine, empruntant du centre

De la cité le chemin ; la nuit noire nous entoure de son ombre profonde.
Qui le désastre de cette nuit, qui les massacres, par des paroles
Pourrait décrire, ou en pleurant en égaler les tourments ?
La cité antique s'effondre, après avoir régné de nombreuses années ;
Partout de multiples (corps) sans vie jonchent les rues,

---

[128] Furie vengeresse.
[129] Fille de Priam.

portarum uigiles, et caeco Marte resistunt.'   335
Talibus Othryadae dictis et numine diuom
in flammas et in arma feror, quo tristis Erinys,
quo fremitus uocat et sublatus ad aethera clamor.
Addunt se socios Rhipeus et maximus armis

Epytus oblati per lunam Hypanisque Dymasque,   340
et lateri adglomerant nostro, iuuenisque Coroebus,
Mygdonides: illis ad Troiam forte diebus
uenerat, insano Cassandrae incensus amore,
et gener auxilium Priamo Phrygibusque ferebat,

infelix, qui non sponsae praecepta furentis   345
audierit.
Quos ubi confertos ardere in proelia uidi,
incipio super his: 'Iuuenes, fortissima frustra
pectora, si uobis audentem extrema cupido

certa sequi, quae sit rebus fortuna uidetis: 350
excessere omnes, adytis arisque relictis,
di, quibus imperium hoc steterat; succurritis urbi
incensae; moriamur et in media arma ruamus.
Una salus uictis, nullam sperare salutem.'

Sic animis iuuenum furor additus: inde, lupi ceu   355
raptores atra in nebula, quos improba uentris
exegit caecos rabies, catulique relicti
faucibus exspectant siccis, per tela, per hostis
uadimus haud dubiam in mortem, mediaeque tenemus

urbis iter; nox atra caua circumuolat umbra.   360
Quis cladem illius noctis, quis funera fando
explicet, aut possit lacrimis aequare labores?
Urbs antiqua ruit, multos dominata per annos;
plurima perque uias sternuntur inertia passim

Les maisons et des dieux les saintes
Enceintes. Les Teucriens ne sont pas les seuls à payer un tribut de sang ;
Parfois même dans le cœur des vaincus le courage renaît
Et les Danaéens victorieux tombent : impitoyable et omniprésente
Souffrance, omniprésente terreur, et partout le spectacle de la mort.

Le premier, accompagné d'une grande bande de Danaéens,
Androgée se présente à nous, nous prenant pour une troupe amie
Par erreur, et spontanément nous adresse ces paroles amicales :
« Dépêchez-vous, les gars : ne tardez pas tant, quelle est donc
Cette nonchalance ? D'autres pillent et dévalisent la (citadelle) en feu ;

Et vous, vous descendez seulement maintenant de vos hauts navires. »
Dit-il, et aussitôt, n'ayant pas reçu de réponses
Suffisamment sûres, il réalisa qu'il était tombé au milieu de l'ennemi.
Il en fut abasourdi, eut un mouvement de recul et poussa un cri :
Comme celui qui à l'improviste dans des ronces piquantes un serpent

Ecrase par terre, et soudain se sauve en tremblant devant
Celui-ci, qui se soulève avec colère, gonflant son cou de couleur bleue ;
Pas autrement Androgée, terrorisé par la vue, se sauvait.
Nous fonçons dans le tas et les encerclons par un mur d'armes,
Et, ignorants qu'ils sont de l'endroit et pris de panique, de tous côtés

Nous les abattons ; la fortune favorise d'abord notre entreprise.
Et ici, content de cette victoire et de l'ardeur des siens, Corèbe :
« O mes compagnons, là où d'abord » dit-il « la fortune pour notre salut
Nous montre la voie, et aussi se révèle propice, par-là poursuivons,
Changeons nos boucliers, et des insignes des Danaéens (équipons)-nous :

Qui, confronté à l'ennemi, chercherait à distinguer la ruse du courage ?
Eux-mêmes nous fournirons des armes. » Cela dit, de l'empanaché
Casque d'Androgée et de son glorieux bouclier
Il s'équipe, et s'accroche au côté l'épée argienne.
Cela Rhipée, Dymas lui-même, et toute la jeunesse,

corpora, perque domos et religiosa deorum 365
limina. Nec soli poenas dant sanguine Teucri;
quondam etiam uictis redit in praecordia uirtus
uictoresque cadunt Danai: crudelis ubique
luctus, ubique pauor, et plurima mortis imago.

Primus se, Danaum magna comitante caterua, 370
Androgeos offert nobis, socia agmina credens
inscius, atque ultro uerbis compellat amicis:
'Festinate, uiri: nam quae tam sera moratur
segnities? Alii rapiunt incensa feruntque

Pergama; uos celsis nunc primum a nauibus itis.' 375
Dixit, et extemplo, neque enim responsa dabantur
fida satis, sensit medios delapsus in hostis.
Obstipuit, retroque pedem cum uoce repressit:
inprouisum aspris ueluti qui sentibus anguem

pressit humi nitens, trepidusque repente refugit 380
attollentem iras et caerula colla tumentem;
haud secus Androgeos uisu tremefactus abibat.
Inruimus, densis et circumfundimur armis,
ignarosque loci passim et formidine captos

sternimus: adspirat primo fortuna labori. 385
Atque hic successu exsultans animisque Coroebus,
'O socii, qua prima' inquit 'fortuna salutis
monstrat iter, quoque ostendit se dextra, sequamur
mutemus clipeos, Danaumque insignia nobis

aptemus: dolus an uirtus, quis in hoste requirat? 390
Arma dabunt ipsi.' Sic fatus, deinde comantem
Androgei galeam clipeique insigne decorum
induitur, laterique Argiuum accommodat ensem.
Hoc Rhipeus, hoc ipse Dymas omnisque iuuentus

Le font avec joie ; tous s'arment des dépouilles récemment gagnées.
Nous avançons au milieu des Danaéens, à l'aveugle,
Et tombant sur de nombreux soldats à travers l'obscurité de la nuit,
Nous livrons bataille, expédiant beaucoup de Danaéens à Orcus[130].
D'autres se dispersent, fuyant vers les navires et, courant, le rivage

Protecteur cherchent à gagner : une partie, fous de panique, sur l'énorme
Cheval regrimpent et s'enferment dans la cavité familière.
Hélas, on ne peut rien attendre des dieux contre leur volonté !
Voici qu'on traînait la fille vierge de Priam, les (cheveux) dénoués,
Cassandre, hors du temple et du sanctuaire de Minerve,

Dirigeant vainement vers le ciel ses yeux ardents, —
Ses yeux, car ses délicates mains étaient entravées par des liens.
Corèbe ne put supporter ce spectacle, fou de rage
Il se jeta au milieu de la troupe, au risque de sa vie.
Nous le suivons tous et en rangs serrés leur fonçons dedans.

Ici d'abord, de tout en haut du sanctuaire, par les flèches
Des nôtres nous sommes assaillis, un carnage lamentable naît
D'une erreur du fait de l'aspect de nos armes et des panaches grecs.
Puis les Danaéens, criant et furieux de la vierge qu'on leur arrachait,
De partout convergent et font irruption, l'impitoyable Ajax,

Les deux Atrides, et toute la troupe des Dolopes ;
Comme lorsque, parfois, éclatant en une tempête, les vents contraires
S'entrechoquent, le Zéphyr, le Notus et le joyeux (Eurus)
Aux chevaux (venus d'orient) ; les forêts hurlent, de son trident fait rage
L'écumant Nérée, agitant les eaux depuis leur tréfonds.

Et eux, s'il en est que, à la faveur des ténèbres d'une nuit obscure
Nous anéantîmes par notre ruse et par toute la cité harcelâmes,
Il en vient (encore) ; d'abord les boucliers et les armes mensongères
Ils reconnaissent, puis remarquent notre langage sonnant différemment.
Nous voilà submergés sous le nombre ; et, le premier, Corèbe

---

[130] Dieu des Enfers.

laeta facit; spoliis se quisque recentibus armat.   395
Vadimus immixti Danais haud numine nostro,
multaque per caecam congressi proelia noctem
conserimus, multos Danaum demittimus Orco.
Diffugiunt alii ad nauis, et litora cursu

fida petunt: pars ingentem formidine turpi   400
scandunt rursus equum et nota conduntur in aluo.
Heu nihil inuitis fas quemquam fidere diuis!
Ecce trahebatur passis Priameia uirgo
crinibus a templo Cassandra adytisque Mineruae,

ad caelum tendens ardentia lumina frustra, --   405
lumina, nam teneras arcebant uincula palmas.
Non tulit hanc speciem furiata mente Coroebus,
et sese medium iniecit periturus in agmen.
Consequimur cuncti et densis incurrimus armis.

Hic primum ex alto delubri culmine telis   410
nostrorum obruimur, oriturque miserrima caedes
armorum facie et Graiarum errore iubarum.
Tum Danai gemitu atque ereptae uirginis ira
undique collecti inuadunt, acerrimus Aiax,

et gemini Atridae, Dolopumque exercitus omnis;   415
aduersi rupto ceu quondam turbine uenti
confligunt, Zephyrusque Notusque et laetus Eois
Eurus equis; stridunt siluae, saeuitque tridenti
spumeus atque imo Nereus ciet aequora fundo.

Illi etiam, si quos obscura nocte per umbram   420
fudimus insidiis totaque agitauimus urbe,
apparent; primi clipeos mentitaque tela
adgnoscunt, atque ora sono discordia signant.
Ilicet obruimur numero; primusque Coroebus

Par la dextre de Pénélée devant l'autel de la déesse armée[131]
Succombe ; tombe également Rhipée, le plus juste
Qui fût parmi les Teucriens, et le plus intègre :
Les dieux le voyaient autrement ; périssent aussi Hypanée et Dymas
Solidaires de leurs compagnons ; et, toi non plus, Panthée, ni ton insigne

Piété, ni les bandelettes sacrées d'Apollon, ne t'ont protégé de la chute.
Par les cendres d'Ilion, et des miens l'ultime flamme
Je jure que dans votre ruine ni les armes, ni aucun
Danger je n'ai esquivés, et si le destin l'avait voulu,
J'aurais mérité de tomber de la main des Danaéens. Nous nous arrachons,

Iphitos et Pélias avec moi, desquels Iphitos par l'âge
Est déjà alourdi et Pélias retardé par une blessure infligée par Ulysse ;
Sans désemparer, à la résidence de Priam des cris nous appellent.
Ici véritablement de gigantesques combats, tels que nulle part ailleurs
Dans toute la cité il n'y en avait, avec autant de morts,

Pareils à Mars l'indomptable, les Danaéens se ruant sur les toits
Nous voyons, et l'entrée barricadée par une formation en tortue[132].
Aux murs sont adossées des échelles, au niveau de la porte elle-même
Ils tâchent de les escalader, leurs boucliers sur le bras gauche aux flèches
Ils opposent pour se protéger, et avec le bras droit saisissent les saillies.

En face, les Dardanéens les tours et des maisons tous
Les faîtages détruisent ; avec ces (armes), puisqu'ils voient la fin,
Déjà au seuil de la mort, ils s'apprêtent à se défendre ;
Et les poutres dorées, sublimes ornements de leurs vénérables aïeux,
Ils font tomber ; d'autres, l'épée dégainée, d'en bas

Ont bloqué la porte ; ils la gardent en formation serrée.
Nos esprits se raniment à l'idée de secourir les appartements du roi,
Apporter notre aide à ses hommes, et renforcer le moral des vaincus.
Il y avait une entrée et une porte dérobée donnant accès
Aux différents appartements de Priam, et une porte donnant

---

[131] Athéna.
[132] Soldats alignés côte à côte protégés par leurs boucliers jointifs ?

Penelei dextra diuae armipotentis ad aram 425
procumbit; cadit et Rhipeus, iustissimus unus
qui fuit in Teucris et seruantissimus aequi:
dis aliter uisum; pereunt Hypanisque Dymasque
confixi a sociis; nec te tua plurima, Panthu,

labentem pietas nec Apollinis infula texit. 430
Iliaci cineres et flamma extrema meorum,
testor, in occasu uestro nec tela nec ullas
uitauisse uices Danaum, et, si fata fuissent
ut caderem, meruisse manu. Diuellimur inde,

Iphitus et Pelias mecum, quorum Iphitus aeuo 435
iam grauior, Pelias et uolnere tardus Ulixi;
protinus ad sedes Priami clamore uocati.
Hic uero ingentem pugnam, ceu cetera nusquam
bella forent, nulli tota morerentur in urbe,

Sic Martem indomitum, Danaosque ad tecta ruentis 440
cernimus, obsessumque acta testudine limen.
Haerent parietibus scalae, postisque sub ipsos
nituntur gradibus, clipeosque ad tela sinistris
protecti obiciunt, prensant fastigia dextris.

Dardanidae contra turris ac tota domorum 445
culmina conuellunt; his se, quando ultima cernunt,
extrema iam in morte parant defendere telis;
auratasque trabes, ueterum decora alta parentum,
deuoluunt; alii strictis mucronibus imas

obsedere fores; has seruant agmine denso. 450
Instaurati animi, regis succurrere tectis,
auxilioque leuare uiros, uimque addere uictis.
Limen erat caecaeque fores et peruius usus
tectorum inter se Priami, postesque relicti

Sur l'arrière, par laquelle, du temps de la royauté, la malheureuse
Andromaque[133] avait fréquemment coutume de venir seule
Voir ses beaux-parents, amenant au grand-père le petit Astyanax.
Je grimpe tout en haut du toit, d'où
Les malheureux Teucriens lançaient à la main d'inutiles traits.

Une tour dressée au bord de l'abîme, avec un toit montant sous les cieux
Erigée, d'où l'on voyait toute la cité de Troie
Et d'habitude les navires des Danaéens et le camp des Achéens,
Après l'avoir attaquée avec des épées là où les niveaux supérieurs
Présentaient des jonctions fragiles, nous l'arrachons de ses hautes

Bases, et la poussons ; du côté où elle a été poussée soudain
Avec fracas elle s'effondre et en plein sur les rangs des Danaéens
Elle tombe : mais d'autres arrivent en dessous, et ni les pierres, ni aucun
Genre de projectiles entretemps ne cessent de voler.
Devant l'entrée elle-même et sur le premier seuil Pyrrhus

Exulte, resplendissant de l'airain de ses armes ;
Comme lorsqu'à la lumière le serpent, nourri de mauvaises herbes,
Que le froid hiver maintenait caché, tout gonflé de colère, sous terre,
A présent, venant de déposer ses écailles et rayonnant de jeunesse,
Fait onduler son échine glissante, la poitrine arrogante,

Dressé vers le soleil, faisant frétiller sa langue trifide hors de sa gueule.
Avec lui l'immense Périphas et le conducteur de chevaux d'Achille,
L'écuyer Automédon, avec lui toute la jeunesse de Scyros[134]
S'engouffrent dans la maison, lançant des brandons vers les faîtages.
Lui-même, parmi les premiers, ayant saisi une hache à double tranchant,

Fracassa la robuste barrière, et de ses gonds arracha la porte
Plaquée de bronze ; ayant enlevé une planche, il troua le solide
Bois, et y pratiqua une énorme ouverture béante.
L'intérieur de la demeure apparaît, et les longues salles s'ouvrent à lui ;
Se révèlent les appartements de Priam et des anciens rois,

---

[133] Epouse d'Hector et mère d'Astyanax.
[134] Ile de la mer Egée, proche de l'île d'Eubée, patrie de Pyrrhus.

a tergo, infelix qua se, dum regna manebant,   455
saepius Andromache ferre incomitata solebat
ad soceros, et auo puerum Astyanacta trahebat.
Euado ad summi fastigia culminis, unde
tela manu miseri iactabant inrita Teucri.

Turrim in praecipiti stantem summisque sub astra   460
eductam tectis, unde omnis Troia uideri
et Danaum solitae naues et Achaia castra,
adgressi ferro circum, qua summa labantis
iuncturas tabulata dabant, conuellimus altis

sedibus, impulimusque; ea lapsa repente ruinam   465
cum sonitu trahit et Danaum super agmina late
incidit: ast alii subeunt, nec saxa, nec ullum
telorum interea cessat genus.
Vestibulum ante ipsum primoque in limine Pyrrhus

exsultat, telis et luce coruscus aena;   470
qualis ubi in lucem coluber mala gramina pastus
frigida sub terra tumidum quem bruma tegebat,
nunc, positis nouus exuuiis nitidusque iuuenta,
lubrica conuoluit sublato pectore terga

arduus ad solem, et linguis micat ore trisulcis.   475
Una ingens Periphas et equorum agitator Achillis,
armiger Automedon, una omnis Scyria pubes
succedunt tecto, et flammas ad culmina iactant.
Ipse inter primos correpta dura bipenni

limina perrumpit, postisque a cardine uellit   480
aeratos; iamque excisa trabe firma cauauit
robora, et ingentem lato dedit ore fenestram.
Adparet domus intus, et atria longa patescunt;
adparent Priami et ueterum penetralia regum,

Ils voient des hommes armés debout dans la première entrée.
Mais l'intérieur du palais de gémissements et d'un pitoyable vacarme
Est troublé, du plus profond des chambres des lamentations
De femmes résonnent ; les clameurs portent jusqu'aux étoiles d'or.
Il y a aussi des matrones effrayées qui errent par les immenses salles,

Etreignant les montants de portes et les couvrant de baisers.
Pyrrhus s'active avec la force de son père[135] ; ni les verrous, ni même
Les gardes ne peuvent résister ; sous les coups de bélier répétés vacille
La porte, et ses battants dégondés s'écroulent.
Ils passent en force ; ils se ruent dans l'entrée, (les Danaéens) massacrent

(Ce qui vient), une fois introduits, et de soldats remplissent tous les lieux.
Le fleuve écumant, qui a rompu ses digues,
Et a débordé, submergé de ses remous les barrages,
Ne déboule pas (aussi) rageur dans les champs, ni par toute la plaine
N'entraîne le gros bétail hors des étables. J'ai vu moi-même, pris de folie

Meurtrière, Néoptolème et les deux Atrides dans l'entrée ;
J'ai vu Hécube et cent femmes[136], ainsi que Priam en travers de l'autel
Polluant de son sang les flammes que lui-même avait consacrées.
Ces cinquante chambres, si grand espoir de descendance,
Aux portes ornées de dorures barbares et fières de leurs dépouilles,

S'écroulèrent ; les Danaéens prennent ce que le feu épargne.
Peut-être demanderas-tu aussi quel fut le sort de Priam.
Quand il vit la chute de la cité conquise et arrachées
Les portes des appartements, et l'ennemi dans l'intimité des lieux,
De sa cuirasse depuis longtemps inutilisée le vieillard (ses épaules

---

[135] Pyrrhus, alias Néoptolème, est le fils d'Achille.
[136] D'après Homère, Priam avait cinquante fils et une quinzaine de filles, il devait donc héberger l'équivalent d'un harem dans son palais.

armatosque uident stantis in limine primo. 485
At domus interior gemitu miseroque tumultu
miscetur, penitusque cauae plangoribus aedes
femineis ululant; ferit aurea sidera clamor.
Tum pauidae tectis matres ingentibus errant

amplexaeque tenent postis atque oscula figunt. 490
Instat ui patria Pyrrhus; nec claustra, neque ipsi
custodes sufferre ualent; labat ariete crebro
ianua, et emoti procumbunt cardine postes.
Fit uia ui; rumpunt aditus, primosque trucidant

immissi Danai, et late loca milite complent. 495
Non sic, aggeribus ruptis cum spumeus amnis
exiit, oppositasque euicit gurgite moles,
fertur in arua furens cumulo, camposque per omnis
cum stabulis armenta trahit. Vidi ipse furentem

caede Neoptolemum geminosque in limine Atridas; 500
uidi Hecubam centumque nurus, Priamumque per aras
sanguine foedantem, quos ipse sacrauerat, ignis.
Quinquaginta illi thalami, spes tanta nepotum,
barbarico postes auro spoliisque superbi,

procubuere; tenent Danai, qua deficit ignis. 505
Forsitan et Priami fuerint quae fata requiras.
Urbis uti captae casum conuolsaque uidit
limina tectorum et medium in penetralibus hostem,
arma diu senior desueta trementibus aeuo

Tremblantes par l'âge) inutilement revêt, et de son épée en vain
Se ceint, et prêt à mourir se porte dans les denses rangs de l'ennemi.
Au milieu des appartements et à l'air libre
Se trouvait un énorme autel, et à côté un vénérable laurier,
Incliné vers l'autel et enveloppant les Pénates de son ombre.

Ici Hécube et ses filles autour de l'autel en vain (se tenaient),
La tête basse, pareilles à des colombes dans une noire tempête,
Entassées et embrassant les statues des dieux.
Mais quand Priam en personne, revêtu de l'armure de sa jeunesse,
Elle vit, « Quelle idée si funeste, ô mon très infortuné époux,

T'a poussé à te ceindre de cette arme ? Et où cours-tu ? » dit-elle ;
« Ni de tels secours ni de pareils défenseurs
L'heure ne requiert, non, même si mon Hector lui-même était là.
Ici enfin retire-toi ; cet autel nous protègera tous,
Ou alors tu mourras avec nous. » Avec ces paroles elle (le) tira

A soi, et installa le vieillard à l'emplacement sacré.
Mais voici que, rescapé du massacre de Pyrrhus, Politès,
Un des fils de Priam, au travers les flèches de l'ennemi
Le long des portiques s'enfuit, et traverse les salles inoccupées,
Blessé : Pyrrhus, excité par la blessure infligée,

Le poursuit, et déjà l'agrippe et le presse de son javelot.
Quand enfin il arriva en fuyant devant les yeux et à la face de ses parents,
Il s'écroula, et perdit la vie dans un bain de sang.
Ici Priam, bien que déjà à moitié dans les bras de la mort,
Ne se retint pas pour autant, ni ne réfréna ses cris et sa colère :

« Que pour ton crime, » s'exclame-t-il, « que pour de tels méfaits,
Les dieux, s'il est au ciel quelque justice ayant cure de telles choses,
Te récompensent dignement et te rendent le prix
Dû, toi qui m'as (fait) voir en face la mort de mon fils,
Et par un meurtre as souillé le visage d'un père.

circumdat nequiquam umeris, et inutile ferrum 510
cingitur, ac densos fertur moriturus in hostis.
Aedibus in mediis nudoque sub aetheris axe
ingens ara fuit iuxtaque ueterrima laurus,
incumbens arae atque umbra complexa Penatis.

Hic Hecuba et natae nequiquam altaria circum, 515
praecipites atra ceu tempestate columbae,
condensae et diuom amplexae simulacra sedebant.
Ipsum autem sumptis Priamum iuuenalibus armis
ut uidit, 'Quae mens tam dira, miserrime coniunx,

impulit his cingi telis? Aut quo ruis?' inquit; 520
'Non tali auxilio nec defensoribus istis
tempus eget, non, si ipse meus nunc adforet Hector.
Huc tandem concede; haec ara tuebitur omnis,
aut moriere simul.' Sic ore effata recepit

ad sese et sacra longaeuum in sede locauit. 525
Ecce autem elapsus Pyrrhi de caede Polites,
unus natorum Priami, per tela, per hostis
porticibus longis fugit, et uacua atria lustrat
saucius: illum ardens infesto uolnere Pyrrhus

insequitur, iam iamque manu tenet et premit hasta. 530
Ut tandem ante oculos euasit et ora parentum,
concidit, ac multo uitam cum sanguine fudit.
Hic Priamus, quamquam in media iam morte tenetur,
non tamen abstinuit, nec uoci iraeque pepercit:

'At tibi pro scelere,' exclamat, 'pro talibus ausis, 535
di, si qua est caelo pietas, quae talia curet,
persoluant grates dignas et praemia reddant
debita, qui nati coram me cernere letum
fecisti et patrios foedasti funere uoltus.

Mais lui, Achille, dont tu te prétends faussement le descendant,
Ne fut pas à ce point hostile à Priam ; car les lois et la loyauté
Envers un suppliant il respecta, et à sa sépulture le corps exsangue
D'Hector il rendit, et me renvoya dans mon royaume. »
Ayant ainsi parlé, le vieillard son javelot inoffensif sans force

Lança, lequel aussitôt par l'air avec un bruit assourdi fut amorti,
Et s'accrocha, sans effet, à la pointe de l'umbo[137] du bouclier.
Pyrrhus lui dit : « Vas donc rapporter cela et l'annoncer
A mon père le fils de Pélée ; à lui mes sinistres méfaits
Et la dégénérescence de Néoptolème n'oublie pas de raconter.

A présent meurs. » Disant cela, à l'autel même, tout tremblant
Il le traîna, pataugeant dans l'abondant sang de son fils,
Enroula ses cheveux sur sa main gauche, et de la droite sa brillante
Epée sortit, et dans le flanc la lui enfonça jusqu'à la garde.
Ainsi s'acheva le destin de Priam ; cette fin le

Conduisit, c'était sa destinée, à voir Troie incendiée, et anéantie
La Citadelle, lui jadis de tant de peuples et de terres le superbe
Souverain d'Asie. Sur le rivage gît son tronc énorme,
La tête arrachée à ses épaules, corps anonyme.
Et alors pour la première fois une horreur immense m'étreignit.

Je restais abasourdi ; la vision de mon cher père m'apparut
Quand je vis le roi, du même âge, à cause d'une cruelle blessure
Exhalant sa vie ; m'apparurent Créuse[138] abandonnée,
Ma maison pillée, et la mort de mon petit Julus.
Je jette un regard derrière, compte de combien d'effectifs je suis entouré.

---

[137] Pièce bombée, ici probablement en cuir, protégeant le centre du bouclier de
bronze, derrière laquelle se logeait le poing tenant celui-ci.
[138] Epouse d'Enée, fille de Priam, et mère d'Ascagne, alias Julus.

At non ille, satum quo te mentiris, Achilles 540
talis in hoste fuit Priamo; sed iura fidemque
supplicis erubuit, corpusque exsangue sepulchro
reddidit Hectoreum, meque in mea regna remisit.'
Sic fatus senior, telumque imbelle sine ictu

coniecit, rauco quod protinus aere repulsum 545
et summo clipei nequiquam umbone pependit.
Cui Pyrrhus: 'Referes ergo haec et nuntius ibis
Pelidae genitori; illi mea tristia facta
degeneremque Neoptolemum narrare memento.

Nunc morere.' Hoc dicens altaria ad ipsa trementem 550
traxit et in multo lapsantem sanguine nati,
implicuitque comam laeua, dextraque coruscum
extulit, ac lateri capulo tenus abdidit ensem.
Haec finis Priami fatorum; hic exitus illum

sorte tulit, Troiam incensam et prolapsa uidentem 555
Pergama, tot quondam populis terrisque superbum
regnatorem Asiae. Iacet ingens litore truncus,
auolsumque umeris caput, et sine nomine corpus.
At me tum primum saeuus circumstetit horror.

Obstipui; subiit cari genitoris imago, 560
ut regem aequaeuum crudeli uolnere uidi
uitam exhalantem; subiit deserta Creusa,
et direpta domus, et parui casus Iuli.
Respicio, et quae sit me circum copia lustro.

Tous avaient abandonné, fatigués, et en sautant leurs corps
Au sol avaient écrasé, ou livré abîmés aux flammes.
Si bien que je me retrouvais seul, lorsque dans l'entrée de Vesta[139]
Se tenant, et se cachant silencieusement en cet endroit reculé,
J'aperçois la fille de Tyndare[140] : il faisait très clair à cause des incendies

Pour moi qui errais partout et scrutais toute chose.
Elle, (redoutant) l'hostilité des Teucriens à cause de Pergame renversée,
Les châtiments des Danaéens et la colère d'un époux abandonné,
Les Erinyes[141] communes à Troie et à sa patrie,
S'était dissimulée et se trouvait assise, invisible, auprès de l'autel.

Mon esprit s'enflamma ; la colère monta en moi, pour (venger)
Ma patrie (en ruine) et (lui) infliger un châtiment impie.
« Se peut-il que cette femme, indemne, Sparte et sa patrie de Mycènes
Contemple, marche en tant que reine du triomphe qu'elle a suscité,
Voie son époux, sa maison, ses parents et ses enfants,

Accompagnée d'une foule de femmes d'Ilion et de serviteurs Phrygiens ?
Alors que Priam aura péri par le fer, que Troie sera consumée par le feu ?
Que le rivage des Dardanéens tant de fois aura transpiré le sang ?
Il n'en sera pas ainsi : même s'il n'est aucune gloire digne de mémoire
A châtier une femme et que pareille victoire n'est pas à louer,

Cependant pour avoir anéanti une abomination et infligé un mérité
Châtiment je serai loué, et ce sera une joie d'avoir assouvi mon esprit
D'une soif de vengeance, et d'avoir contenté les cendres des miens. »
Je lançais de telles imprécations, emporté par une rage folle :
Lorsqu'à moi, avec une clarté à mes yeux inconnue jusqu'ici,

---

[139] L'autel de Vesta, déesse du foyer, dont la présence était symbolisée par le feu sacré entretenu par les esclaves domestiques.
[140] Hélène, fille de Léda, elle-même femme de Tyndare, roi de Sparte. En fait Hélène est la fille de Zeus qui s'était transformé en cygne pour séduire Léda.
[141] Divinités persécutrices des criminels pendant leur vivant.

Deseruere omnes defessi, et corpora saltu 565
ad terram misere aut ignibus aegra dedere.
Iamque adeo super unus eram, cum limina Vestae
seruantem et tacitam secreta in sede latentem
Tyndarida aspicio: dant clara incendia lucem

erranti passimque oculos per cuncta ferenti. 570
Illa sibi infestos euersa ob Pergama Teucros
et poenas Danaum et deserti coniugis iras
praemetuens, Troiae et patriae communis Erinys,
abdiderat sese atque aris inuisa sedebat.

Exarsere ignes animo; subit ira cadentem 575
ulcisci patriam et sceleratas sumere poenas.
'Scilicet haec Spartam incolumis patriasque Mycenas
aspiciet, partoque ibit regina triumpho,
coniugiumque, domumque, patres, natosque uidebit,

Iliadum turba et Phrygiis comitata ministris? 580
Occiderit ferro Priamus, Troia arserit igni?
Dardanium totiens sudarit sanguine litus?
Non ita: namque etsi nullum memorabile nomen
feminea in poena est, nec habet uictoria laudem,

extinxisse nefas tamen et sumpsisse merentis 585
laudabor poenas, animumque explesse iuuabit
ultricis flammae, et cineres satiasse meorum.'
Talia iactabam, et furiata mente ferebar:
cum mihi se, non ante oculis tam clara, uidendam

Se montra, resplendissant dans la nuit d'une blanche lumière,
Ma mère nourricière, se manifestant en déesse, telle que la voient
D'habitude les dieux, aussi grande, et dans sa dextre fermement
Me maintenant, de ses lèvres rosées ajouta ces paroles :
« Mon fils, quelle insigne douleur en toi soulève cette farouche colère ?

Pourquoi enrages-tu, où est passée ta confiance en ma sollicitude ?
Ne vas-tu pas plutôt voir là où ton père, fatigué par les ans,
Anchise, tu as abandonné ; si vont survivre ton épouse Créuse
Et ton garçon Ascagne ? Eux que de tous côtés des Grecs toutes
Les troupes environnent, et que, sans ma persévérante sollicitude,

Les flammes auraient déjà emportés et l'épée ennemie saignés.
Ce n'est pas la face de la Tyndaride de Lacédémone[142], que tu hais,
Ni le blâmable Pâris, c'est la rigueur des dieux, des dieux,
Qui a détruit ces richesses et mis à bas Troie à son apogée.
Regarde — car tout (le nuage) à présent répandu, et qui à l'observateur

Mortel que tu es obscurcit la vue et tout autour dans le flou
La plonge, je vais le dissiper ; de ta mère quel que soit
L'ordre, ne crains pas ni ne refuse d'obéir à ses commandements : —
Là où des fortifications disloquées et des pierres les unes
Des autres disjointes tu vois, et de la fumée flotter, chargée de poussière,

C'est Neptune qui de son grand trident les remparts et leurs
Fondations (ébranlées) secoue, et la cité entière de ses bases
Arrache ; ici Junon la très cruelle les portes Scées[143]
La première occupe et, rageuse, les troupes alliées de leurs navires,
Ceinte d'une épée, appelle.

Vois, déjà Pallas la Tritonienne en haut de la citadelle
S'est installée, fulgurant de son nuage et de la cruelle Gorgone[144].
Mon père lui-même aux Danaéens l'esprit et la force propice
Apporte, et lui-même encourage les dieux contre l'armée dardanéenne.
Prends la fuite, mon fils, et mets une fin à tes épreuves.

---

[142] Autre nom de Sparte.
[143] Porte de l'enceinte par laquelle les troupes grecques ont pénétré dans la cité.
[144] Nuage et Gorgone font allusion à l'égide, bouclier-cuirasse d'Athéna.

obtulit et pura per noctem in luce refulsit 590
alma parens, confessa deam, qualisque uideri
caelicolis et quanta solet, dextraque prehensum
continuit, roseoque haec insuper addidit ore:
'Nate, quis indomitas tantus dolor excitat iras?

Quid furis, aut quonam nostri tibi cura recessit? 595
Non prius aspicies, ubi fessum aetate parentem
liqueris Anchisen; superet coniunxne Creusa,
Ascaniusque puer? Quos omnes undique Graiae
circum errant acies, et, ni mea cura resistat,

iam flammae tulerint inimicus et hauserit ensis. 600
Non tibi Tyndaridis facies inuisa Lacaenae
culpatusue Paris, diuom inclementia, diuom,
has euertit opes sternitque a culmine Troiam.
Aspice -- namque omnem, quae nunc obducta tuenti

mortalis hebetat uisus tibi et umida circum 605
caligat, nubem eripiam; tu ne qua parentis
iussa time, neu praeceptis parere recusa: --
hic, ubi disiectas moles auolsaque saxis
saxa uides mixtoque undantem puluere fumum,

Neptunus muros magnoque emota tridenti 610
fundamenta quatit, totamque a sedibus urbem
eruit; hic Iuno Scaeas saeuissima portas
prima tenet, sociumque furens a nauibus agmen
ferro accincta uocat.

Iam summas arces Tritonia, respice, Pallas 615
insedit, nimbo effulgens et Gorgone saeua.
Ipse pater Danais animos uiresque secundas
sufficit, ipse deos in Dardana suscitat arma.
Eripe, nate, fugam, finemque impone labori.

Je serai là partout, et à l'abri t'installerai dans tes murs ancestraux. »
Ayant dit cela, elle disparut dans l'ombre épaisse de la nuit.
M'apparaissent des visages terribles et, hostiles à Troie,
Les grandes figures des dieux.
Alors véritablement je vis sombrer dans les flammes tout

Ilion, et depuis ses fondements se renverser la Troie neptunienne[145] ;
Il en va de même du vénérable orne en haut de la montagne,
Que (des paysans) ont attaqué par le fer, à coups de hache répétés
Rivalisant pour l'abattre, — il menace constamment ruine
Et, secoué, fait osciller sa frondaison depuis sa cime ébranlée,

Jusqu'à ce que, petit à petit succombant à ses blessures, il finisse
Avec fracas par s'écrouler de tout son long, arraché aux sommets.
Je descends et, guidé par la déesse, entre les flammes et l'ennemi
Je me fraie un chemin ; les armes livrent passage, les flammes s'écartent.
Et quand, déjà parvenu sur le seuil de la maison de mes ancêtres,

Vénérable demeure, mon père, que d'emmener dans la haute
Montagne en priorité j'avais prévu, et que j'allais chercher en premier,
Refuse, Troie détruite, de continuer à vivre
Et d'endurer l'exil. « O vous qui, par votre âge, d'un (sang) neuf, »
Dit-il « et de forces vigoureuses et autonomes disposez,

Hâtez-vous de fuir :
Si les occupants du ciel avaient voulu que je prolonge ma vie,
Ils m'auraient gardé cette demeure. Il est plus que suffisant qu'une seule
Destruction de la cité j'aie vue, et aie surmonté sa prise[146].
Laissez-là mon corps, là où il est, et partez, vous dis-je.

Je trouverais bien à mourir de quelque main ; l'ennemi aura pitié
Et voudra avoir mes dépouilles ; renoncer à une sépulture est facile.
Depuis longtemps déjà je suis haï des dieux et des années inutiles
Je prolonge, depuis le temps où le père des dieux et le roi des hommes
M'a frappé du vent de sa foudre et atteint de son feu. »

---

[145] Les remparts troyens auraient été relevés par Neptune et Apollon.
[146] Allusion à la destruction de Troie lors de l'expédition d'Hercule, du temps de Laomédon, père de Priam.

Nusquam abero, et tutum patrio te limine sistam.' 620
Dixerat, et spissis noctis se condidit umbris.
Adparent dirae facies inimicaque Troiae
numina magna deum.
Tum uero omne mihi uisum considere in ignis

Ilium et ex imo uerti Neptunia Troia; 625
ac ueluti summis antiquam in montibus ornum
cum ferro accisam crebrisque bipennibus instant
eruere agricolae certatim, -- illa usque minatur
et tremefacta comam concusso uertice nutat,

uolneribus donec paulatim euicta, supremum 630
congemuit, traxitque iugis auolsa ruinam.
Descendo, ac ducente deo flammam inter et hostis
expedior; dant tela locum, flammaeque recedunt.
Atque ubi iam patriae peruentum ad limina sedis

antiquasque domos, genitor, quem tollere in altos 635
optabam primum montis primumque petebam,
abnegat excisa uitam producere Troia
exsiliumque pati. 'Vos O, quibus integer aeui
sanguis,' ait 'solidaeque suo stant robore uires,

uos agitate fugam: 640
me si caelicolae uoluissent ducere uitam,
has mihi seruassent sedes. Satis una superque
uidimus exscidia et captae superauimus urbi.
Sic O, sic positum adfati discedite corpus.

Ipse manu mortem inueniam; miserebitur hostis 645
exuuiasque petet; facilis iactura sepulcri.
Iam pridem inuisus diuis et inutilis annos
demoror, ex quo me diuom pater atque hominum rex
fulminis adflauit uentis et contigit igni.'

Il persistait à parler ainsi, et restait résolu.
En face de nous, étaient en larmes et mon épouse Créuse
Et Ascagne, et toute la maison, craignant que (tout) renverser avec lui
Et se résigner au destin qui l'accablait mon père ne voulût.
Il refuse et persiste dans son dessein et dans sa position.

A nouveau je me porte vers mes armes, choisissant, infortuné, de mourir :
Car qu'y avait-il maintenant à entreprendre ou à espérer ?
« Que je puisse m'en aller et t'abandonner, père,
As-tu pensé, une telle horreur a-t-elle pu échapper à ta bouche de père ?
Si aux dieux il plaît que rien ne subsiste d'une si grande cité,

Que cela est établi dans ton esprit, et qu'ajouter à Troie vouée à la mort
Toi-même et les tiens te réjouit, la porte à cette mort est grande ouverte,
Et bientôt sera là Pyrrhus, inondé du sang de Priam,
Qui un fils à la face de son père, un père devant l'autel, massacre.
Est-ce pour cela, mère nourricière, qu'aux flèches, aux flammes

Tu me soustrais, afin que l'ennemi au plus profond de notre maison,
Qu'Ascagne et mon père, et Créuse à côté,
Massacrés l'un dans le sang de l'autre je voie ?
Aux armes, mes gens, aux armes ; le jour ultime appelle les vaincus.
Livrez-moi aux Danaéens ; permettez que je revoie derechef

Les combats : jamais ce jour nous ne mourrons tous sans être vengés. »
Alors je me ceins à nouveau de mon épée, dans mon bouclier mon bras
(Gauche) insérant, et sortais de la maison.
Mais voilà que sur le seuil ma femme tombée à mes pieds
Les enlaçait, tendant le petit Julus à son père :

« Si tu t'en vas pour mourir, prends-nous aussi avec toi ;
Mais si, en homme averti, tu nourris quelque espoir en prenant les armes,
Protège d'abord cette maison. A qui le petit Julus,
Ton père et moi, jadis déclarée ton épouse, sommes-nous livrés ? »
Criant de telles choses, elle emplissait toute la maison de lamentations,

Talia perstabat memorans, fixusque manebat.   650
Nos contra effusi lacrimis, coniunxque Creusa
Ascaniusque omnisque domus, ne uertere secum
cuncta pater fatoque urguenti incumbere uellet.
Abnegat, inceptoque et sedibus haeret in isdem.

Rursus in arma feror, mortemque miserrimus opto: 655
nam quod consilium aut quae iam fortuna dabatur?
'Mene efferre pedem, genitor, te posse relicto
sperasti, tantumque nefas patrio excidit ore?
Si nihil ex tanta Superis placet urbe relinqui,

et sedet hoc animo, perituraeque addere Troiae   660
teque tuosque iuuat, patet isti ianua leto,
iamque aderit multo Priami de sanguine Pyrrhus,
natum ante ora patris, patrem qui obtruncat ad aras.
Hoc erat, alma parens, quod me per tela, per ignis

eripis, ut mediis hostem in penetralibus, utque   665
Ascanium patremque meum iuxtaque Creusam
alterum in alterius mactatos sanguine cernam?
Arma, uiri, ferte arma; uocat lux ultima uictos.
Reddite me Danais; sinite instaurata reuisam

proelia: Numquam omnes hodie moriemur inulti.'   670
Hinc ferro accingor rursus clipeoque sinistram
insertabam aptans, meque extra tecta ferebam.
Ecce autem complexa pedes in limine coniunx
haerebat, paruumque patri tendebat Iulum:

'Si periturus abis, et nos rape in omnia tecum;   675
sin aliquam expertus sumptis spem ponis in armis,
hanc primum tutare domum. Cui paruus Iulus,
cui pater et coniunx quondam tua dicta relinquor?'
Talia uociferans gemitu tectum omne replebat,

Lorsque soudain, ô merveille, un prodige se produit.
Car dans les bras et à la face de ses parents affligés
Voici qu'est apparue au sommet de la tête du frêle Julus
Une auréole de lumière, avec (une flamme) inoffensive au toucher
Effleurant sa chevelure (soyeuse) et flottant autour de ses tempes.

Et nous, effrayés, de trembler de crainte, et la chevelure en flammes
De secouer, et d'éteindre à la fontaine les feux sacrés.
Mais mon père Anchise, se réjouissant, les yeux vers les étoiles
Leva, et tendit ses mains vers le ciel en criant :
« Jupiter tout puissant, s'il est une prière capable de te fléchir,

Regarde-nous ; cela seulement, et si par notre piété nous le méritons,
Accorde-le : aide-nous, père, et confirme ces présages. »
A peine le vieillard avait-il dit cela qu'un fracas soudain
Retentit sur la gauche[147], et du ciel, glissant à travers les ténèbres,
Une étoile tomba comme un trait de feu, dans une explosion de lumière.

Nous la (vîmes), glissant au-dessus du toit de la maison,
S'ensevelir, brillante, dans la forêt de l'Ida,
En marquant son parcours ; ensuite en une longue traînée le sillon
S'illumine, et loin alentour les lieux respirent le soufre.
Alors, vaincu par la vérité, mon père se soulève,

Et s'adresse aux dieux en invoquant l'étoile sainte.
« Vite, plus de temps à perdre ; je vous suis et où vous allez, là je vais.
Dieux ancestraux préservez ma maison, préservez mon petit-fils.
Cet augure est le vôtre, en votre pouvoir se trouve Troie.
Je pars moi aussi, mon fils, et ne refuse pas de t'accompagner. »

Il venait de parler ; et déjà à travers les murs le feu plus clairement
Se fait entendre, la chaleur et les flammes en tourbillons se rapprochent.
« Alors viens, cher père, mets-toi sur mes épaules ;
Moi-même je te porterai sur le dos, et cette charge ne me pèsera pas :
Quoi qu'il arrive, le danger sera unique et commun à nous deux,

---

[147] Augure favorable chez les Romains.

cum subitum dictuque oritur mirabile monstrum. 680
Namque manus inter maestorumque ora parentum
ecce leuis summo de uertice uisus Iuli
fundere lumen apex, tactuque innoxia mollis
lambere flamma comas et circum tempora pasci.

Nos pauidi trepidare metu, crinemque flagrantem 685
excutere et sanctos restinguere fontibus ignis.
At pater Anchises oculos ad sidera laetus
extulit, et caelo palmas cum uoce tetendit:
'Iuppiter omnipotens, precibus si flecteris ullis,

aspice nos; hoc tantum, et, si pietate meremur, 690
da deinde auxilium, pater, atque haec omina firma.'
Vix ea fatus erat senior, subitoque fragore
intonuit laeuum, et de caelo lapsa per umbras
stella facem ducens multa cum luce cucurrit.

Illam, summa super labentem culmina tecti, 695
cernimus Idaea claram se condere silua
signantemque uias; tum longo limite sulcus
dat lucem, et late circum loca sulphure fumant.
Hic uero uictus genitor se tollit ad auras,

adfaturque deos et sanctum sidus adorat. 700
'Iam iam nulla mora est; sequor et qua ducitis adsum.
Di patrii, seruate domum, seruate nepotem.
Vestrum hoc augurium, uestroque in numine Troia est.
Cedo equidem, nec, nate, tibi comes ire recuso.'

Dixerat ille; et iam per moenia clarior ignis 705
auditur, propiusque aestus incendia uoluunt.
'Ergo age, care pater, ceruici imponere nostrae;
ipse subibo umeris, nec me labor iste grauabit:
quo res cumque cadent, unum et commune periclum,

Il n'y aura qu'un seul salut pour nous deux. Que le petit Julus
M'accompagne, et que ma femme suive nos pas à distance :
Vous, serviteurs, prêtez attention à ce que je vais dire.
Une fois sortis de la cité, il y a sur une éminence un ancien temple
De la Cérès solitaire, et à côté un vieux cyprès

Que par piété nos pères gardent depuis de nombreuses années.
Là nous nous regrouperons en venant de différentes directions.
Toi, père, prends à la main les objets sacrés et les Pénates ancestraux ;
Moi, de si grands combats et d'un récent massacre revenu,
Il m'est défendu de les toucher, avant que dans l'eau vive d'une rivière

Je ne me sois purifié. »
Ayant dit cela, mes larges épaules et mon cou baissé
Je revêts de la peau fauve d'un lion,
Et endosse ma charge ; le petit Julus à ma main droite
S'agrippe et suit son père à pas inégaux ;

Derrière vient ma femme : nous passons par des endroits sombres ;
Et moi qui il y a peu de temps encore par aucun projectile n'étais effrayé,
Ni par des Grecs s'opposant à moi en rangs serrés,
A présent tous les souffles me terrifient, tout bruit m'alarme,
Inquiet et craignant pareillement pour mon compagnon et mon fardeau.

Déjà j'approchais des portes, et il me semblait
Avoir parcouru (tout) le trajet, quand soudain à mes oreilles
Sembla parvenir un bruit de pas (répétés), et mon père, l'obscurité
Scrutant, s'exclame : « Mon fils, sauve-toi, mon fils, ils approchent.
Des boucliers brillants et des airains luisants je distingue ! » —

Alors, dans mon agitation, je ne sais quelle maligne puissance divine
M'enlève et m'embrouille l'esprit. Car, alors qu'un parcours hors chemin
J'emprunte, et me tiens à l'écart des itinéraires bien connus,
Hélas, à l'infortuné que je suis, par le destin Créuse est ravie :
S'arrêta-t-elle, se trompa-t-elle de chemin, ou bien fatiguée tomba,

una salus ambobus erit. Mihi paruus Iulus 710
sit comes, et longe seruet uestigia coniunx:
uos, famuli, quae dicam, animis aduertite uestris.
Est urbe egressis tumulus templumque uetustum
desertae Cereris, iuxtaque antiqua cupressus

religione patrum multos seruata per annos. 715
Hanc ex diuerso sedem ueniemus in unam.
Tu, genitor, cape sacra manu patriosque Penatis;
me, bello e tanto digressum et caede recenti,
attrectare nefas, donec me flumine uiuo

abluero.' 720
Haec fatus, latos umeros subiectaque colla
ueste super fuluique insternor pelle leonis,
succedoque oneri; dextrae se paruus Iulus
implicuit sequiturque patrem non passibus aequis;

pone subit coniunx: ferimur per opaca locorum; 725
et me, quem dudum non ulla iniecta mouebant
tela neque aduerso glomerati examine Grai,
nunc omnes terrent aurae, sonus excitat omnis
suspensum et pariter comitique onerique timentem.

Iamque propinquabam portis, omnemque uidebar 730
euasisse uiam, subito cum creber ad auris
uisus adesse pedum sonitus, genitorque per umbram
prospiciens 'Nate' exclamat, 'fuge nate, propinquant.
Ardentis clipeos atque aera micantia cerno!' –

Hic mihi nescio quod trepido male numen amicum 735
confusam eripuit mentem. Namque auia cursu
dum sequor, et nota excedo regione uiarum,
heu, misero coniunx fatone erepta Creusa
substitit, errauitne uia, seu lassa resedit,

La chose est incertaine ; et depuis elle ne réapparut pas à mes yeux.
Et je ne me retournai pas vers la manquante, ni ne m'en rendis compte,
Avant (d'arriver) sur la butte et la demeure sacrée de la vénérable Cérès ;
Là, de tous ceux qui s'étaient enfin regroupés, une seule
Manquait, ayant échappé à ses compagnons, son fis et son mari.

Qui, des hommes et des dieux, n'ai-je pas accusé, hors de moi,
Ou que ne vis-je pas de plus cruel dans la cité renversée ?
Ascagne, mon père Anchise et mes Pénates Teucriens
A mes compagnons je confie, et dans une vallée encaissée je les cache ;
Moi-même je regagne la cité et me ceins de mes armes étincelantes.

Il me reste à renouer avec tous les malheurs, revenir sur mes pas partout
Dans Troie, et derechef exposer ma tête aux dangers.
D'abord les remparts et les obscures entrées des portes
Par où j'étais sorti je retrouve, et les traces de pas en arrière
Observant et remontant je scrute dans la nuit.

Partout, la peur, tout comme le silence lui-même, me terrifient l'esprit.
Et de là chez moi, au cas où (elle) y aurait conduit ses pas,
Je retourne : les Danaéens s'y étaient rués, et occupaient toute la maison.
C'en est fini, un feu vorace vers le sommet des faîtages par le vent
Est entraîné, les flammes dépassent tout, le brasier fait rage dans les airs.

Je poursuis et reviens au palais de Priam et à la citadelle.
Ici déjà, sous les portiques déserts, à la protection du temple de Junon
Gardiens préposés, Phoenix et le sinistre Ulysse,
Veillaient sur le butin. Ici de partout les trésors de Troie
Ravis aux sanctuaires incendiés, des tables d'offrandes aux dieux,

Et des cratères en or massif, des vêtements pris à l'ennemi
S'entassent ; des enfants et des mères apeurées en longues files
Se tiennent tout autour.
Allant même jusqu'à oser pousser des cris dans la pénombre,
Je remplis les rues de clameurs, tristement Créuse

incertum; nec post oculis est reddita nostris. 740
Nec prius amissam respexi animumque reflexi,
quam tumulum antiquae Cereris sedemque sacratam
uenimus; hic demum collectis omnibus una
defuit, et comites natumque uirumque fefellit.

Quem non incusaui amens hominumque deorumque, 745
aut quid in euersa uidi crudelius urbe?
Ascanium Anchisenque patrem Teucrosque Penatis
commendo sociis et curua ualle recondo;
ipse urbem repeto et cingor fulgentibus armis.

Stat casus renouare omnis, omnemque reuerti 750
per Troiam, et rursus caput obiectare periclis.
Principio muros obscuraque limina portae,
qua gressum extuleram, repeto, et uestigia retro
obseruata sequor per noctem et lumine lustro.

Horror ubique animo, simul ipsa silentia terrent. 755
Inde domum, si forte pedem, si forte tulisset,
me refero: inruerant Danai, et tectum omne tenebant.
Ilicet ignis edax summa ad fastigia uento
uoluitur; exsuperant flammae, furit aestus ad auras.

Procedo et Priami sedes arcemque reuiso. 760
Et iam porticibus uacuis Iunonis asylo
custodes lecti Phoenix et dirus Ulixes
praedam adseruabant. Huc undique Troia gaza
incensis erepta adytis, mensaeque deorum,

crateresque auro solidi, captiuaque uestis 765
congeritur; pueri et pauidae longo ordine matres
stant circum.
Ausus quin etiam uoces iactare per umbram
impleui clamore uias, maestusque Creusam

Appelant encore et encore, insistant vainement.
Alors que sans désemparer je prospecte, rageur, les maisons de la cité,
La vaine figure et l'ombre de Créuse en personne
A mes yeux apparurent, sous une forme plus grande que d'habitude.
Stupéfait, mes cheveux se dressèrent, ma voix s'étrangla dans ma gorge.

Alors elle s'adresse à moi et par ces paroles me délivre de mon souci :
« Pourquoi prends-tu un tel plaisir à te livrer à une douleur insensée,
O mon doux époux ? Non sans la volonté des dieux ces choses
Surviennent ; et dorénavant emmener Créuse comme compagne
Tu ne peux, et celui qui règne en haut de l'Olympe ne le permet pas.

Un long exil t'attend, et labourer la vaste plaine marine il te faudra,
Avant d'arriver en terre d'Hespérie, où (le Tibre) lydien[148]
Traverse de son cours paisible les opulents champs des hommes :
Là-bas des choses réjouissantes, un royaume et une épouse royale
Te sont réservés. Refoule tes larmes pour ta Créuse bien-aimée.

Des Myrmidons ou des Dolopes les fières demeures je ne vais pas
Avoir sous les yeux, ou aller servir les matrones Grecques,
Moi une Dardanéenne, de la déesse Vénus la belle-fille.
Mais la Grande Déesse, Mère des dieux[149], sur ces rivages me retient :
A présent adieu, et à notre fils commun garde ton amour. »

Quand elle eut prononcé ces paroles, alors que je pleurais et voulais
Dire (bien des choses), elle me laissa, et s'éloigna dans un souffle aérien.
Trois fois j'essayai alors de lui enlacer le cou :
Trois fois vainement saisie, sa forme à mes mains se déroba,
Pareille à une brise légère, ressemblant fort à un rêve fugace.

C'est ainsi qu'enfin je retrouve mes compagnons à la nuit finissante.
Et là (une quantité) énorme de nouveaux compagnons qui ont afflué
Je retrouve à ma grande surprise, des mères et leurs époux,
Des jeunes rassemblés pour l'exil, foule misérable,
Venus de partout, prêts mentalement et physiquement

---

[148] Les Etrusques étaient considérés, selon Hérodote, originaires de Lydie.
[149] Cybèle, divinité phrygienne, vénérée à Rome sous le nom de Mère de l'Ida.

nequiquam ingeminans itcrumque iterumque uocaui. 770
Quaerenti et tectis urbis sine fine furenti
infelix simulacrum atque ipsius umbra Creusae
uisa mihi ante oculos et nota maior imago.
Obstipui, steteruntque comae et uox faucibus haesit.

Tum sic adfari et curas his demere dictis : 775
'Quid tantum insano iuuat indulgere dolori,
O dulcis coniunx? Non haec sine numine diuom
eueniunt; nec te hinc comitem asportare Creusam
fas, aut ille sinit superi regnator Olympi.

Longa tibi exsilia, et uastum maris aequor arandum, 780
et terram Hesperiam uenies, ubi Lydius arua
inter opima uirum leni fluit agmine Thybris:
illic res laetae regnumque et regia coniunx
parta tibi. Lacrimas dilectae pelle Creusae.

Non ego Myrmidonum sedes Dolopumue superbas 785
aspiciam, aut Graiis seruitum matribus ibo,
Dardanis, et diuae Veneris nurus.
Sed me magna deum genetrix his detinet oris:
iamque uale, et nati serua communis amorem.'

Haec ubi dicta dedit, lacrimantem et multa uolentem 790
dicere deseruit, tenuisque recessit in auras.
Ter conatus ibi collo dare bracchia circum:
ter frustra comprensa manus effugit imago,
par leuibus uentis uolucrique simillima somno.

Sic demum socios consumpta nocte reuiso. 795
Atque hic ingentem comitum adfluxisse nouorum
inuenio admirans numerum, matresque uirosque,
collectam exsilio pubem, miserabile uolgus.
Undique conuenere, animis opibusque parati,

A prendre la mer et coloniser toute terre que je souhaiterais.
Maintenant que Lucifer[150] se levait au-dessus des crêtes de l'Ida,
Amenant le jour avec soi, et que les Danaéens bloquaient
Les entrées des portes, il n'y avait plus aucun espoir de secours ;
Je retraitai, et, portant mon père, gagnai la montagne.

---

[150] L'étoile du matin, Vénus, annonçant le lever du jour.

in quascumque uelim pelago deducere terras.   800
Iamque iugis summae surgebat Lucifer Idae
ducebatque diem, Danaique obsessa tenebant
limina portarum, nec spes opis ulla dabatur;
cessi, et sublato montes genitore petiui.

CHANT III

CHANT III

Après que (les dieux eurent décidé) de détruire l'Etat d'Asie
(Et la race de Priam) qui ne l'avait pas mérité, que tomba la fière
Ilion, et que de toute la Troie Neptunienne les décombres fumèrent,
A rechercher des terres d'exil lointaines et inoccupées

Nous sommes poussés par les augures divins, et une flotte au pied même
D'Antandros[151] et des monts de la Phrygienne Ida nous construisons,
Sans savoir où le destin nous porterait, où nous pourrions bien nous fixer,
Et des hommes nous rassemblons. A peine l'été était-il arrivé
Que mon père Anchise ordonnait de confier nos voiles au destin ;

En pleurant je quitte alors les rivages de ma patrie, ses ports
Et ses plaines où Troie se dressait : je suis emporté au large, exilé,
Avec mes compagnons, mon fils et mes grands dieux Pénates.
La terre de Mars[152], située au loin dans de vastes plaines,
Cultivée par les Thraces, jadis gouvernée par le rude Lycurgue, (est une)

Antique terre d'accueil pour Troie, aux dieux Pénates alliés des nôtres,
Tant que la Fortune était propice. Je suis emporté là-bas, et dans la baie
Je localise les premiers remparts, sous des auspices défavorables,
Et lui donne le nom d'Enéa d'après mon propre nom.
J'exécutais les rites sacrés pour ma mère, la fille de Dioné[153], et les dieux

Pour qu'ils protègent les travaux entrepris, et (à l'éminent)
Roi des dieux j'immolais sur le rivage un taureau (au poil luisant).
Il se trouve qu'à côté se dressait une butte plantée de cornouillers
Buissonnants et d'un myrte hérissé de nombreuses pointes.
Je m'en approchai, (pour essayer) d'arracher du sol l'arbuste vert

---

[151] Cité située au pied du mont Ida.
[152] La Thrace, aux peuples belliqueux, était traditionnellement associée à Mars.
[153] Considérée parfois comme la mère d'Aphrodite.

LIBER III

Postquam res Asiae Priamique euertere gentem
immeritam uisum Superis, ceciditque superbum
Ilium, et omnis humo fumat Neptunia Troia,
diuersa exsilia et desertas quaerere terras

auguriis agimur diuom, classemque sub ipsa   5
Antandro et Phrygiae molimur montibus Idae,
incerti, quo fata ferant, ubi sistere detur,
contrahimusque uiros. Vix prima inceperat aestas,
et pater Anchises dare fatis uela iubebat;

litora cum patriae lacrimans portusque relinquo   10
et campos, ubi Troia fuit: feror exsul in altum
cum sociis natoque Penatibus et magnis dis.
Terra procul uastis colitur Mauortia campis,
Thraces arant, acri quondam regnata Lycurgo,

hospitium antiquum Troiae sociique Penates,   15
dum Fortuna fuit. Feror huc, et litore curuo
moenia prima loco, fatis ingressus iniquis,
Aeneadasque meo nomen de nomine fingo.
Sacra Dionaeae matri diuisque ferebam

auspicibus coeptorum operum, superoque nitentem   20
caelicolum regi mactabam in litore taurum.
Forte fuit iuxta tumulus, quo cornea summo
uirgulta et densis hastilibus horrida myrtus.
Accessi, uiridemque ab humo conuellere siluam

Afin de recouvrir de ses rameaux feuillus l'autel,
Et je vois un prodige horrible et étonnant.
En effet, à peine l'arbuste avec ses racines du sol
Est arraché, il en coule des gouttes de sang noir,
Souillant la terre de sanie. Un frisson d'horreur me

Secoue les membres, et mon sang se glace de terreur.
Et derechef, d'arracher le pied coriace d'un autre (arbuste)
J'entreprends, afin d'essayer d'élucider le mystère :
A nouveau un sang noir s'écoule de son écorce.
Perplexe, je priais les nymphes champêtres[154],

Et le père Gradivus[155], qui règne sur les champs des Gètes[156],
Afin qu'ils daignent rendre propices ces visions et allègent ce présage.
Mais lorsqu'à la troisième tige avec un plus grand effort
Je m'attaque, et que je lutte à genoux contre les sables qui résistent —
Dois-je parler ou me taire ? — un poignant gémissement des profondeurs

De la butte on entend, et cette voix me revient en écho aux oreilles :
« Pourquoi, Enée, déchires-tu un malheureux ? Epargne donc un enterré ;
Epargne à tes pieuses mains une profanation. A toi Troie ne m'a
Pas conduit en étranger, et ce n'est pas de la tige que ce sang coule.
Hélas, fuis ces terres cruelles, fuis ce rivage ingrat :

Je suis Polydore[157] ; ici me recouvrit, transpercé, une impitoyable
Pluie de javelots, qui poussa en des dards pointus. »
Alors, l'esprit doublement saisi de panique, véritablement
Stupéfait, mes cheveux se dressèrent, ma voix s'étrangla dans ma gorge.
Ce Polydore naguère avec une grande quantité d'or

---

[154] Les Hamadryades, nymphes des arbres.
[155] Autre appellation de Mars, dieu de la grêle et des semences.
[156] Peuplade vivant au nord de la Thrace.
[157] Le plus jeune fils de Priam, victime d'un complot lorsqu'il se réfugia en Thrace ; une autre version le fait tuer par Achille durant la guerre de Troie.

conatus, ramis tegerem ut frondentibus aras,   25
horrendum et dictu uideo mirabile monstrum.
Nam, quae prima solo ruptis radicibus arbos
uellitur, huic atro liquuntur sanguine guttae,
et terram tabo maculant. Mihi frigidus horror

membra quatit, gelidusque coit formidine sanguis.   30
Rursus et alterius lentum conuellere uimen
insequor, et causas penitus temptare latentis:
ater et alterius sequitur de cortice sanguis.
Multa mouens animo nymphas uenerabar agrestis

Gradiuumque patrem, Geticis qui praesidet aruis,   35
rite secundarent uisus omenque leuarent.
Tertia sed postquam maiore hastilia nisu
adgredior, genibusque aduersae obluctor harenae---
eloquar, an sileam?---gemitus lacrimabilis imo

auditur tumulo, et uox reddita fertur ad auris: 40
'Quid miserum, Aenea, laceras? Iam parce sepulto;
parce pias scelerare manus. Non me tibi Troia
externum tulit, aut cruor hic de stipite manat.
Heu, fuge crudelis terras, fuge litus auarum:

nam Polydorus ego; hic confixum ferrea texit   45
telorum seges et iaculis increuit acutis.'
Tum uero ancipiti mentem formidine pressus
obstipui, steteruntque comae et uox faucibus haesit.
Hunc Polydorum auri quondam cum pondere magno

Par le malheureux Priam avait été confié secrètement en subsistance
Au roi de Thrace, lorsque déjà Priam avait perdu confiance en les armes
De la Dardanie, et qu'il voyait la cité bloquée par le siège.
Le Thrace, une fois brisées les forces des Teucriens et la Fortune partie,
Prenant le parti d'Agamemnon et de ses armes victorieuses,

Viole toutes les lois ; il décapite Polydore, et de son or
Par la force s'empare. A quoi ne contrains-tu pas les cœurs mortels,
Funeste soif de l'or ? Après que la peur eut quitté mes os,
A des notables choisis parmi le peuple et en premier à mon père
Je relate ces prodiges des dieux, et leur demande leur avis.

Tous sont d'avis de quitter ces terres impies,
D'abandonner ce refuge souillé, et de confier la flotte à l'auster.
Et donc nous organisons des funérailles à Polydore, et une énorme
Masse de terre est entassée sur la butte ; un autel aux Mânes[158] est dressé,
Triste avec ses bandelettes sombres et son noir cyprès,

Entouré des femmes d'Ilion aux cheveux dénoués selon la coutume ;
Nous offrons des coupes de lait tiède et écumeux,
Des patères de sang venant du sacrifice, l'âme dans sa sépulture
Nous enfermons, et à grands cris nous l'appelons[159] pour la dernière fois.
Alors, dès que nous pouvons faire confiance aux flots et que les vents

(Ont apaisé) la mer, que le doux bruit de l'auster au large nous invite,
Mes compagnons lancent les navires à la mer et remplissent le littoral :
Nous sommes poussés hors du port, les terres et les cités s'éloignent.
Au milieu de la mer se trouve une terre sacrée des plus agréables
A la mère des Néréides[160] et à Neptune l'Egéen[161],

---

[158] Les âmes des morts.
[159] Rite funéraire romain de l'*inclamatio* ou *acclamatio*.
[160] L'Océanide Doris, mère des cinquante Néréides. Neptune avait épousé l'une d'elles, Salacia-Amphitrite.
[161] Neptune-Poséidon possédait des sanctuaires connus à Egées en Achaïe et sur l'île d'Eubée.

infelix Priamus furtim mandarat alendum   50
Threicio regi, cum iam diffideret armis
Dardaniae, cingique urbem obsidione uideret.
Ille, ut opes fractae Teucrum, et Fortuna recessit,
res Agamemnonias uictriciaque arma secutus,

fas omne abrumpit; Polydorum obtruncat, et auro   55
ui potitur. Quid non mortalia pectora cogis,
auri sacra fames? Postquam pauor ossa reliquit,
delectos populi ad proceres primumque parentem
monstra deum refero, et quae sit sententia posco.

Omnibus idem animus, scelerata excedere terra,   60
linqui pollutum hospitium, et dare classibus austros.
Ergo instauramus Polydoro funus, et ingens
aggeritur tumulo tellus; stant Manibus arae,
caeruleis maestae uittis atraque cupresso,

et circum Iliades crinem de more solutae;   65
inferimus tepido spumantia cymbia lacte
sanguinis et sacri pateras, animamque sepulchro
condimus, et magna supremum uoce ciemus.
Inde, ubi prima fides pelago, placataque uenti

dant maria et lenis crepitans uocat Auster in altum,   70
deducunt socii nauis et litora complent:
prouehimur portu, terraeque urbesque recedunt.
Sacra mari colitur medio gratissima tellus
Nereidum matri et Neptuno Aegaeo,

Que le reconnaissant Archer, alors qu'autour des côtes et des rivages
Cette terre errait, amarra à l'imposante Mykonos et à Gyaros[162],
La rendant immobile et contemptrice des vents.
Là je suis porté ; cette terre des plus paisibles, en son port abrité, épuisés
Nous accueille : une fois débarqués, nous honorons la cité d'Appolon.

Le roi Anios[163], à la fois roi des hommes et prêtre de Phébus,
Ses tempes sacrées couronnées de bandelettes et de laurier,
Accourt à notre rencontre ; il reconnut son vieil ami Anchise.
En signe d'hospitalité nous joignons nos dextres, et allons chez lui.
Je priais aux temples du dieu construits en pierres anciennes :

« Donne-nous, ô Thymbrien[164], notre propre demeure ; et des remparts
(Accorde aux épuisés), une race et une cité pérenne ; à Troie réserve
(Une seconde) Pergame, rescapée des Danaéens et du féroce Achille.
Qui suivre ? Et où nous commandes-tu d'aller ? Où nous installer ?
Donne-nous, père, un oracle, et insuffle-le dans nos esprits. »

A peine avais-je prononcé ces mots que tout sembla soudain trembler,
L'entrée et aussi le laurier du dieu, ainsi que toute
La montagne à l'entour, et mugir le trépied dans le sanctuaire ouvert.
Prosternés, nous nous jetons contre terre, et une voix se fait entendre :
« Rudes Dardanides, (la terre) qui depuis l'origine de vos ancêtres

La première vous porta, celle-là même en son sein fertile
Vous accueillera, une fois revenus. Recherchez votre ancienne mère :
Là la maison d'Enée dominera tous les pays,
Ainsi que les fils de vos fils, et ceux qui naîtront d'eux. »
Ainsi parla Phébus ; de la confusion ambiante jaillit une immense

---

[162] Apollon l'Archer est né sur l'île de Délos qu'il fit émerger des flots et, en guise de reconnaissance, l'amarra aux îles voisines de Mykonos et Gyaros pour l'empêcher de dériver indéfiniment.
[163] Fils et prêtre d'Apollon.
[164] Apollon avait un temple à Thymbrée, cité de Troade.

quam pius arquitenens oras et litora circum 75
errantem Mycono e celsa Gyaroque reuinxit,
immotamque coli dedit et contemnere uentos.
Huc feror; haec fessos tuto placidissima portu
accipit: egressi ueneramur Apollinis urbem.

Rex Anius, rex idem hominum Phoebique sacerdos 80
uittis et sacra redimitus tempora lauro,
occurrit; ueterem Anchisen adgnouit amicum.
Iungimus hospitio dextras, et tecta subimus.
Templa dei saxo uenerabar structa uetusto:

'Da propriam, Thymbraee, domum; da moenia fessis 85
et genus et mansuram urbem; serua altera Troiae
Pergama, reliquias Danaum atque immitis Achilli.
Quem sequimur? Quoue ire iubes? Ubi ponere sedes?
Da, pater, augurium, atque animis inlabere nostris.'

Vix ea fatus eram: tremere omnia uisa repente, 90
liminaque laurusque dei, totusque moueri
mons circum, et mugire adytis cortina reclusis.
Submissi petimus terram, et uox fertur ad auris:
'Dardanidae duri, quae uos a stirpe parentum

prima tulit tellus, eadem uos ubere laeto 95
accipiet reduces. Antiquam exquirite matrem:
hic domus Aeneae cunctis dominabitur oris,
et nati natorum, et qui nascentur ab illis.'
Haec Phoebus; mixtoque ingens exorta tumultu

Joie, et tous demandent quels peuvent être ces remparts,
Où Phébus peut-il convoquer les errants et leur ordonner de retourner ?
Alors mon père, se remémorant les souvenirs des anciens,
« Ecoutez, ô nobles gens » dit-il « et apprenez ce qui vous attend :
Au milieu de la mer se trouve Crète, l'île du grand Jupiter[165] ;

Là se trouvent le mont Ida et le berceau de notre race.
Ils habitent dans cent grandes cités, un royaume des plus fertiles ;
De là, si je me souviens bien de ce qu'on dit, notre aïeul le plus éminent,
Teucer, a d'abord débarqué sur les rivages du Rhétée[166],
Et choisi un endroit pour son royaume. Ilion et la citadelle

De Pergame n'étaient (pas encore) là ; ils habitaient au fond de vallées.
De là (viennent) la mère du Cybèle[167], les airains des Corybantes[168]
Et la forêt sacrée de l'Ida ; de là les mystères sacrés de son culte,
Et les lions attelés devançant le char de leur maîtresse.
Donc en route, et là où les ordres des dieux nous mènent, allons ;

Apaisons les vents, et gagnons le royaume de Cnossos.
Il n'est pas très éloigné ; pour peu que Jupiter nous assiste,
Le troisième jour amènera notre flotte sur les rivages crétois. »
Ayant dit cela, sur l'autel par des sacrifices dignes d'eux il honore
Neptune avec un taureau, et toi, bel Apollon, avec un taureau,

La Tempête avec un mouton noir, le propice Zéphyr avec un blanc.
Le bruit court que de son royaume ancestral s'est retiré, chassé,
Le roi Idoménée[169], et que les rivages de Crète sont abandonnés,
Que les maisons sont vides d'ennemis, et les habitations disponibles.
Nous quittons les ports d'Ortygie[170] et volons sur la mer,

---

[165] L'île a abrité la naissance et l'enfance de Jupiter-Zeus.
[166] Promontoire de Troade sur l'Hellespont.
[167] Montagne de Phrygie où vivait Cybèle, la Déesse mère.
[168] Danseurs accompagnant le char de Cybèle lors des défilés consacrés à son culte. Ils étaient revêtus d'armures et simulaient des combats. Ces cérémonies étaient censées rappeler le souvenir de Jupiter bébé protégé par les Curètes dans sa caverne du mont Ida en Crète.
[169] Chassé pour avoir sacrifié son fils à son retour de la guerre de Troie.
[170] Ancien nom de Délos, à ne pas confondre avec l'Ortygie syracusaine.

laetitia, et cuncti quae sint ea moenia quaerunt, 100
quo Phoebus uocet errantis iubeatque reuerti?
Tum genitor, ueterum uoluens monumenta uirorum,
'Audite, O proceres' ait 'et spes discite uestras:
Creta Iouis magni medio iacet insula ponto;

mons Idaeus ubi, et gentis cunabula nostrae. 105
Centum urbes habitant magnas, uberrima regna;
maximus unde pater, si rite audita recordor,
Teucrus Rhoeteas primum est aduectus in oras,
optauitque locum regno. Nondum Ilium et arces

Pergameae steterant; habitabant uallibus imis. 110
hinc mater cultrix Cybeli Corybantiaque aera
Idaeumque nemus; hinc fida silentia sacris,
et iuncti currum dominae subiere leones.
Ergo agite, et, diuom ducunt qua iussa, sequamur;

placemus uentos et Gnosia regna petamus. 115
Nec longo distant cursu; modo Iuppiter adsit,
tertia lux classem Cretaeis sistet in oris.'
Sic fatus, meritos aris mactauit honores,
taurum Neptuno, taurum tibi, pulcher Apollo

nigram Hiemi pecudem, Zephyris felicibus albam. 120
Fama uolat pulsum regnis cessisse paternis
Idomenea ducem, desertaque litora Cretae
hoste uacare domos, sedesque adstare relictas.
Linquimus Ortygiae portus, pelagoque uolamus,

Naxos avec ses montagnes à Bacchantes[171], la verte Donoussa[172],
Oliaros[173], Paros[174] pure comme neige, et éparpillées sur la plaine marine
Les Cyclades, et des détroits densément plantés de terres, nous longeons.
Les cris des marins se dépassant entre eux retentissent ;
Mes compagnons se stimulent : « Vers la Crète et nos aïeux, en avant ! »

Le vent venant de l'arrière escorte les voyageurs
Et nous finissons par aborder les antiques rivages des Curètes.
Alors avec ardeur j'entreprends (de ceindre) de murs une cité à l'endroit
(Choisi), je l'appelle Pergame, et mes gens enchantés de ce nom
J'exhorte à aimer leurs (nouveaux) foyers et se bâtir une citadelle.

Les navires venaient à peine d'être amenés à sec sur le rivage,
La jeunesse se consacrait aux mariages et à la préparation des champs,
Je légiférais et attribuais les maisons, quand soudain, infectant les corps
Par une contamination des airs, et funeste aussi
Aux arbres et aux semis, (survinrent) une peste et une saison mortifère.

Ils s'éteignaient doucement, ou traînaient (leurs corps) malades ;
Et alors Sirius[175] brûlait et stérilisait leurs champs ;
La végétation se desséchait, et le sol malade refusait de les nourrir.
Derechef (à consulter) l'oracle d'Ortygie et Phébus, en reparcourant
La mer, mon père (m') exhorte, et à implorer sa grâce :

Quel terme mettrait-il à nos tribulations ; face à ces épreuves, où
Commanderait-il de rechercher une assistance ; vers où nous tourner ?
C'était la nuit, et le sommeil enveloppait les vivants sur terre :
Les statues sacrées des dieux Pénates phrygiens,
Qu'avec moi de Troie et du sein de la citée en feu

---

[171] Le culte de Dionysos était très pratiqué à Naxos.
[172] Petite île à l'est de Naxos.
[173] Aujourd'hui Antiparos
[174] Le marbre de Paros est célèbre pour sa pureté et sa finesse.
[175] Etoile de la constellation du Chien, synonyme de canicule.

bacchatamque iugis Naxon uiridemque Donysam,   125
Olearon, niueamque Paron, sparsasque per aequor
Cycladas, et crebris legimus freta consita terris.
Nauticus exoritur uario certamine clamor;
hortantur socii: "Cretam proauosque petamus!"

Prosequitur surgens a puppi uentus euntis   130
et tandem antiquis Curetum adlabimur oris.
Ergo auidus muros optatae molior urbis,
Pergameamque uoco, et laetam cognomine gentem
hortor amare focos arcemque attollere tectis.

Iamque fere sicco subductae litore puppes,   135
conubiis aruisque nouis operata iuuentus,
iura domosque dabam: subito cum tabida membris,
corrupto caeli tractu, miserandaque uenit
arboribusque satisque lues et letifer annus.

Linquebant dulcis animas, aut aegra trahebant   140
corpora; tum sterilis exurere Sirius agros;
arebant herbae, et uictum seges aegra negabat.
Rursus ad oraclum Ortygiae Phoebumque remenso
hortatur pater ire mari, ueniamque precari:

quam fessis finem rebus ferat; unde laborum   145
temptare auxilium iubeat; quo uertere cursus.
Nox erat, et terris animalia somnus habebat:
effigies sacrae diuom Phrygiique Penates,
quos mecum a Troia mediisque ex ignibus urbis

J'avais sorties, m'apparurent debout devant mes yeux plongés
Dans le sommeil, se manifestant clairement en pleine lumière là où
La lune pleine se déversait par les fenêtres pratiquées dans le mur ;
Alors ils s'adressent à moi et par ces paroles me délivrent de mon souci :
« Ce qu'Apollon va te dire quand tu te seras transporté à Ortygie,

Il le prédit ici, et à ta porte voici que spontanément il nous envoie.
Nous qui, la Dardanie incendiée, te suivîmes, toi et tes armes,
Nous qui, en dessous de toi dans tes nefs, parcourûmes la mer houleuse,
De même nous porterons aux nues ta progéniture à venir,
Et à ta cité donnerons un empire : pour les Grands[176] (de grands)

Remparts prépare, et ne renonce pas aux longues épreuves de ton exil.
Il te faut changer de demeure : ce ne sont pas ces côtes que t'a conseillées
Apollon le Délien, et il ne t'a pas ordonné de t'établir en Crète.
Il est un endroit que les Grecs appellent Hespérie,
Terre antique, puissante en guerriers et abondante en terres,

Que les Œnôtres ont habitée ; on dit à présent que leurs successeurs
Ont appelé la région Italie du nom de leur chef :
Là sont nos propres demeures ; de là Dardanos est originaire,
Ainsi que notre père Iasion[177], de qui notre race est issue.
Allez, lève-toi, et à ton vieux père joyeusement ces paroles

Indubitables rapporte : qu'il recherche Corythos[178] et les terres
Des Ausones[179] ; Jupiter te refuse les plaines du Dicté[180]. »
Abasourdi par ces visions et par la voix des dieux —
Je ne dormais pas, car face à moi (il me sembla) reconnaître leurs faces
Avec leurs cheveux sous un voile et leurs visages en personne ;

---

[176] Les grands dieux : les dieux Pénates.
[177] Fils de Zeus et de la Pléiade Electre, frère de Dardanos.
[178] Fils lui aussi de Zeus et d'Electre, époux de sa mère, père putatif de Iasion et de Dardanos, il fonda une cité portant son nom en Etrurie (aujourd'hui Cortone), que ses fils quittèrent pour s'installer l'un à Samothrace (Iasion) et l'autre en Troade (Dardanos).
[179] Peuplade du nord de la Campanie et des îles Lipari.
[180] Montagne de Crète où naquit Zeus.

extuleram, uisi ante oculos adstare iacentis   150
in somnis, multo manifesti lumine, qua se
plena per insertas fundebat luna fenestras;
tum sic adfari et curas his demere dictis:
'Quod tibi delato Ortygiam dicturus Apollo est,

hic canit, et tua nos en ultro ad limina mittit.   155
Nos te, Dardania incensa, tuaque arma secuti,
nos tumidum sub te permensi classibus aequor,
idem uenturos tollemus in astra nepotes,
imperiumque urbi dabimus: tu moenia magnis

magna para, longumque fugae ne linque laborem.   160
Mutandae sedes: non haec tibi litora suasit
Delius, aut Cretae iussit considere Apollo.
Est locus, Hesperiam Grai cognomine dicunt,
terra antiqua, potens armis atque ubere glaebae;

Oenotri coluere uiri; nunc fama minores   165
Italiam dixisse ducis de nomine gentem:
hae nobis propriae sedes; hinc Dardanus ortus,
Iasiusque pater, genus a quo principe nostrum.
Surge age, et haec laetus longaeuo dicta parenti

haud dubitanda refer: Corythum terrasque requirat   170
Ausonias; Dictaea negat tibi Iuppiter arua.'
Talibus attonitus uisis et uoce deorum---
nec sopor illud erat, sed coram adgnoscere uoltus
uelatasque comas praesentiaque ora uidebar;

Alors, une sueur glacée inondant tout mon corps,
Je me lève en sursaut de ma couche, tends (mes mains) tournées
Vers le ciel en parlant à voix haute, et offre des libations
Pures sur le foyer[181]. Heureux de l'honneur qui m'a été fait,
Je mets Anchise au courant, et lui expose les choses dans l'ordre.

Il reconnaît la descendance ambigüe et les deux filiations,
Et s'être récemment trompé à propos d'anciennes implantations.
Il se rappelle alors : « Mon fils, toi que tourmente le destin d'Ilion,
Seule Cassandre me prophétisait de telles calamités.
A présent je me (la) remémore annonçant qu'à notre race était dû

Ce royaume, que souvent elle appelait Hespérie, ou royaume d'Italie.
Mais que les Teucriens aux rivages d'Hespérie pourraient parvenir,
(Qui) pouvait le croire, et qui la devine Cassandre pouvait alors remuer ?
Obéissons à Phébus et continuons, avertis de meilleures perspectives. »
Ainsi parla-t-il, et tous en jubilant nous obéissons à son injonction.

Ce séjour aussi nous le quittons et, laissant quelques-uns (des nôtres),
Nous mettons les voiles et lançons nos nefs creuses sur la vaste mer.
Une fois les navires en haute mer, et plus aucune
Terre n'étant en vue, avec de tous côtés le ciel et la mer,
Au-dessus de ma tête se présenta un sombre nuage de pluie

Apportant la nuit et la tempête, et les flots se ridèrent de ténèbres.
Les vents constamment chamboulent la mer, se lèvent de grandes
Lames d'eau ; nous sommes ballottés par d'énormes remous ;
Les nuages enveloppèrent le jour et par la nuit humide le jour
Fut chassé ; les éclairs redoublent dans les nuages déchirés.

Nous sommes déviés de notre route, et errons sur les flots aveugles.
(Palinure[182]) lui-même ne peut distinguer le jour de la nuit dans le ciel,
Ni retrouver son cap au milieu des flots.
Trois jours durant, qu'obscurcit un épais brouillard,
Et autant de nuits sans une étoile, nous errons sur la mer.

---

[181] Le feu sacré brûlant devant l'autel des dieux Pénates.
[182] Le pilote de la flotte d'Enée.

tum gelidus toto manabat corpore sudor   175
corripio e stratis corpus, tendoque supinas
ad caelum cum uoce manus, et munera libo
intemerata focis. Perfecto laetus honore
Anchisen facio certum, remque ordine pando.

Adgnouit prolem ambiguam geminosque parentes,   180
seque nouo ueterum deceptum errore locorum.
Tum memorat: 'Nate, Iliacis exercite fatis,
sola mihi talis casus Cassandra canebat.
Nunc repeto haec generi portendere debita nostro,

et saepe Hesperiam, saepe Itala regna uocare.   185
Sed quis ad Hesperiae uenturos litora Teucros
crederet, aut quem tum uates Cassandra moueret?
Cedamus Phoebo, et moniti meliora sequamur.'
Sic ait, et cuncti dicto paremus ouantes.

Hanc quoque deserimus sedem, paucisque relictis   190
uela damus, uastumque caua trabe currimus aequor.
Postquam altum tenuere rates, nec iam amplius ullae
adparent terrae, caelum undique et undique pontus,
tum mihi caeruleus supra caput adstitit imber,

noctem hiememque ferens, et inhorruit unda tenebris.   195
Continuo uenti uoluunt mare, magnaque surgunt
aequora; dispersi iactamur gurgite uasto;
inuoluere diem nimbi, et nox umida caelum
abstulit; ingeminant abruptis nubibus ignes.

Excutimur cursu, et caecis erramus in undis.   200
Ipse diem noctemque negat discernere caelo,
nec meminisse uiae media Palinurus in unda.
Tris adeo incertos caeca caligine soles
erramus pelago, totidem sine sidere noctes.

Le quatrième jour enfin la terre pour la première fois se profiler
Nous vîmes, et apparaître au loin des montagnes, et des volutes de fumée.
On amène les voiles, nous appuyons sur les rames ; sans tarder les marins
Avec énergie pétrissent l'écume et balaient les eaux sombres.
Sauvé des eaux, les côtes des Strophades[183] sont les premières à me

Recueillir ; les Strophades, ainsi appelées en grec, situées
Dans la grande mer Ionienne, sont des îles que la terrible Céléno
Et les autres Harpies habitent, après que (la maison) de Phinée[184]
Leur fut fermée, et que de crainte elles quittèrent leurs tables précédentes.
Il n'est pas de créature plus malfaisante qu'elles, ni de plus cruel

Fléau, colère des dieux remontée des eaux du Styx[185].
Oiseaux aux visages de jeunes filles, aux corps produisant d'affreuses
Déjections, aux mains crochues, et toujours pâles
De figure parce qu'affamés.
Entraînés là, nous entrâmes dans le port, et voici

Que partout dans la plaine nous voyons de beaux troupeaux de bovins,
Et un troupeau de chèvres sans aucune surveillance dans un pré.
Nous fonçons avec nos épées et invitons les dieux et (Jupiter) lui-même
A partager notre butin ; puis sur le rivage de la baie
Nous nous confectionnons des lits de table, et festoyons copieusement.

Mais soudain en un vol horrible arrivent des montagnes
Les Harpies, battant des ailes avec de grands glapissements,
Elles déchirent les victuailles, et souillent tout par leur contact
Impur ; alors leur voix sinistre (retentit) dans l'atmosphère empestée.
De nouveau, dans un abri sous roche profondément enfoncé,

---

[183] Deux petites îles situées au large de la Messénie (sud-ouest du Péloponnèse).
[184] Roi de Thrace que les Harpies tourmentaient en s'emparant des mets disposés sur sa table ou en les souillant. Il les fit chasser jusqu'aux Strophades par ses deux beaux-frères ailés, les fils de Borée.
[185] Zeus avait sorti les Harpies des Enfers pour tourmenter Phinée.

Quarto terra die primum se attollere tandem   205
uisa, aperire procul montis, ac uoluere fumum.
Vela cadunt, remis insurgimus; haud mora nautae
adnixi torquent spumas et caerula uerrunt.
Seruatum ex undis Strophadum me litora primum

accipiunt; Strophades Graio stant nomine dictae,   210
insulae Ionio in magno, quas dira Celaeno
Harpyiaeque colunt aliae, Phineia postquam
clausa domus, mensasque metu liquere priores.
Tristius haud illis monstrum, nec saeuior ulla

pestis et ira deum Stygiis sese extulit undis.   215
Virginei uolucrum uoltus, foedissima uentris
proluuies, uncaeque manus, et pallida semper
ora fame.
Huc ubi delati portus intrauimus, ecce

laeta boum passim campis armenta uidemus,   220
caprigenumque pecus nullo custode per herbas.
Inruimus ferro, et diuos ipsumque uocamus
in partem praedamque Iouem; tum litore curuo
exstruimusque toros, dapibusque epulamur opimis.

At subitae horrifico lapsu de montibus adsunt   225
Harpyiae, et magnis quatiunt clangoribus alas,
diripiuntque dapes, contactuque omnia foedant
immundo; tum uox taetrum dira inter odorem.
Rursum in secessu longo sub rupe cauata,

Derrière un cercle d'arbres et d'ombres effrayantes,
Nous préparons les tables et rallumons l'autel :
De nouveau, (venue) du côté opposé du ciel et de cachettes invisibles,
Une multitude bruyante aux pieds crochus tournoie autour du butin,
Pollue les victuailles de ses déjections. Alors mes compagnons aux armes

J'appelle, afin de livrer bataille à cette funeste engeance.
Ils ne se font pas prier et, les cachant dans l'herbe,
Ils préparent leurs épées, et dissimulent leurs boucliers.
Et donc quand en descendant elles font retentir de leurs cris
La baie, Misène[186] de son haut observatoire donne le signal

Avec son cor d'airain. Mes compagnons tentent une nouvelle attaque,
Pour anéantir par l'épée ces horribles oiseaux de la mer[187] :
Mais aucun coup sur leurs plumes ni blessure sur le dos
Elles ne reçoivent, et sous les étoiles dans leur fuite rapide envolées,
Elles laissent leur butin à moitié mangé et des traces horribles.

Seule sur un rocher proéminent se pose Céléno,
La sinistre prophétesse, et de sa poitrine éructe ces paroles :
« Pour des vaches massacrées et des génisses abattues, même la guerre,
O fils de Laomédon[188], la guerre vous apprêtez-vous à faire,
Et de leur royaume ancestral à expulser les innocentes Harpies ?

Recevez donc et mettez-vous dans la tête mes paroles,
Que le père tout-puissant à Phébus, et Phébus-Apollon à moi
A annoncées, moi la plus grande des Furies je vous les révèle.
Vous cherchez à joindre rapidement l'Italie et invoquez les vents,
Vous irez en Italie, et pourrez entrer dans ses ports ;

Mais vous ne ceinturerez pas de remparts la cité qui vous est donnée
Avant qu'une terrible faim et notre injuste massacre ne vous
Contraignent à dévorer vos tables en les rongeant dans vos mâchoires. »
Elle parla et, emportée par ses ailes, se réfugia dans la forêt.
Alors, du fait d'une terreur subite, le sang de mes compagnons se glaça

---

[186] Compagnon d'Enée, sonneur de cor.
[187] Les Harpies sont nées de divinités marines ou aquatiques.
[188] Roi mythique de Troie et père de Priam.

arboribus clausam circum atque horrentibus umbris,   230
instruimus mensas arisque reponimus ignem:
rursum ex diuerso caeli caecisque latebris
turba sonans praedam pedibus circumuolat uncis,
polluit ore dapes. Sociis tunc, arma capessant,

edico, et dira bellum cum gente gerendum.   235
Haud secus ac iussi faciunt, tectosque per herbam
disponunt enses et scuta latentia condunt.
Ergo ubi delapsae sonitum per curua dedere
litora, dat signum specula Misenus ab alta

aere cauo. Inuadunt socii, et noua proelia temptant,   240
obscenas pelagi ferro foedare uolucres:
sed neque uim plumis ullam nec uolnera tergo
accipiunt, celerique fuga sub sidera lapsae
semesam praedam et uestigia foeda relinquunt.

Una in praecelsa consedit rupe Celaeno,   245
infelix uates, rumpitque hanc pectore uocem:
'Bellum etiam pro caede boum stratisque iuuencis,
Laomedontiadae, bellumne inferre paratis,
et patrio Harpyias insontis pellere regno?

Accipite ergo animis atque haec mea figite dicta,   250
quae Phoebo pater omnipotens, mihi Phoebus Apollo
praedixit, uobis Furiarum ego maxuma pando.
Italiam cursu petitis, uentisque uocatis
ibitis Italiam, portusque intrare licebit;

sed non ante datam cingetis moenibus urbem,   255
quam uos dira fames nostraeque iniuria caedis
ambesas subigat malis absumere mensas.'
Dixit, et in siluam pennis ablata refugit.
At sociis subita gelidus formidine sanguis

Dans leurs veines ; ils perdirent le moral, et non plus par les armes,
Mais par des vœux et des prières ils m'ordonnèrent de demander la paix,
Qu'elles fussent déesses, ou horribles et obscènes oiseaux.
Et mon père Anchise, ouvrant les mains depuis le rivage,
Invoque leur grande puissance, prescrivant de les honorer dignement :

« Dieux, empêchez ces menaces ; dieux, détournez de nous pareil fléau,
Et apaisés sauvez des hommes pieux ! » Alors sur le rivage les aussières
Il nous commande de détacher, et de relâcher les écoutes des voiles.
Le Notus gonfle les voiles ; nous fuîmes sur les vagues écumeuses,
Là où à la fois le vent et le barreur orientaient notre course.

Déjà au milieu des flots apparaît Zacynthe[189] la boisée,
Et Doulichion, Samé et Nérite[190] aux rochers abrupts.
Nous fuyons les récifs d'Ithaque, le royaume de Laërte,
Et maudissons la terre nourricière du féroce Ulysse.
Bientôt apparaissent et les sommets nuageux du mont Leucate[191]

Et, redouté des marins, (le temple) d'Apollon.
Nous nous y dirigeons, épuisés, et gagnons une petite cité ;
Des proues on jette l'ancre, les navires sont au mouillage sur la côte.
Et donc, ayant enfin pris possession de la terre ferme inespérée,
Nous nous purifions pour honorer Jupiter, allumant l'autel pour sacrifier,

Et sur les rivages Actiaques[192] célébrons les jeux Iliens.
Enduits d'huile, s'entraînent aux exercices physiques ancestraux
Mes compagnons déshabillés ; on se réjouit d'avoir esquivé tant de cités
Argiennes, et d'avoir réussi à fuir au milieu des ennemis.
Entretemps le soleil accomplit une révolution d'une grande année,

---

[189] Aujourd'hui Zante, île de la mer Ionienne.
[190] Dépendances de l'île de Céphalonie, la plus grande et la plus accidentée des îles Ioniennes, ou d'Ithaque, la patrie d'Ulysse, le fils de Laërte.
[191] Sur l'île de Leucade, à une vingtaine de kilomètres au nord d'Ithaque.
[192] Actium, situé au nord de Leucade, est connu pour la victoire navale d'Octave, le futur empereur Auguste, sur Marc Antoine en 31 av. JC. En mémoire de sa victoire, Auguste transféra les jeux « Actiaques » à Rome où ils se célébraient tous les cinq ans.

deriguit; cecidere animi, nec iam amplius armis, 260
sed uotis precibusque iubent exposcere pacem,
siue deae, seu sint dirae obscenaeque uolucres.
Et pater Anchises passis de litore palmis
numina magna uocat, meritosque indicit honores:

'Di, prohibete minas; di, talem auertite casum, 265
et placidi seruate pios!' Tum litore funem
deripere, excussosque iubet laxare rudentes.
Tendunt uela Noti; fugimus spumantibus undis,
qua cursum uentusque gubernatorque uocabat.

Iam medio adparet fluctu nemorosa Zacynthos 270
Dulichiumque Sameque et Neritos ardua saxis.
Effugimus scopulos Ithacae, Laertia regna,
et terram altricem saeui exsecramur Ulixi.
Mox et Leucatae nimbosa cacumina montis

et formidatus nautis aperitur Apollo. 275
Hunc petimus fessi et paruae succedimus urbi;
ancora de prora iacitur, stant litore puppes.
Ergo insperata tandem tellure potiti,
lustramurque Ioui uotisque incendimus aras,

Actiaque Iliacis celebramus litora ludis. 280
Exercent patrias oleo labente palaestras
nudati socii; iuuat euasisse tot urbes
Argolicas, mediosque fugam tenuisse per hostis.
Interea magnum sol circumuoluitur annum,

Et l'hiver ride les flots glacés de ses vents aquilons.
Un bouclier d'airain bombé, arme du grand Abas,
Je fixe sur une porte adverse, en y gravant un vers :
ENEE A PRIS CETTE ARME AUX DANAEENS VICTORIEUX.
J'ordonne alors de quitter le port et de prendre place sur les bancs[193] :

Mes compagnons rivalisent pour battre la mer et balayer les flots.
Sans nous arrêter, nous dépassons les sommets aériens des Phéaciens[194],
Et longeons les côtes d'Epire, montons jusqu'au port
De Chaonie[195], et atteignons l'éminente cité de Buthrote[196].
Ici une incroyable histoire parvient à mes oreilles,

Que Hélénos, le fils de Priam, règne sur les cités grecques,
S'étant emparé de l'épouse et du sceptre de l'Eacide Pyrrhus,
Et qu'Andromaque de nouveau à un mari de son pays avait échu[197].
Je fus stupéfait, brûlant d'un extraordinaire désir
D'apostropher l'homme et m'informer de si grands désastres.

J'avance (en venant) du port, quittant ma flotte et le rivage,
Et il se trouve que justement des mets sacrés et de tristes offrandes
Devant la cité, dans un bois au bord d'un Simoïs trompeur,
Andromaque était en train de dédier aux cendres, convoquant les Mânes
D'Hector à sa tombe vide et (à l'autel jumeau[198]), qu'avec de la verdure

Elle avait consacrés, objets de ses larmes.
Quand elle me vit venir et, tout autour, (les armes) troyennes
Aperçut, paniquée, terrifiée par ces grands prodiges
Elle se figea dans sa vision, et la chaleur abandonna son corps ;
Elle défaille, et après un long moment finit par dire péniblement :

---

[193] Les bancs des rameurs.
[194] Les montagnes de Corcyre, aujourd'hui Corfou.
[195] Au sud de l'Albanie actuelle.
[196] Aujourd'hui Butrint, à la frontière gréco-albanaise.
[197] Hélénos est le frère jumeau de Cassandre, et a comme elle le don de prophétie. Avec Andromaque (femme d'Hector), il échoit à Pyrrhus, le fils d'Achille, après la chute de Troie. S'étant attiré les bonnes grâces de ce dernier, il reçoit Andromaque comme épouse, ainsi que le royaume d'Epire en héritage.
[198] Les autels élevés aux Mânes allaient toujours par paire.

et glacialis hiemps aquilonibus asperat undas. 285
Aere cauo clipeum, magni gestamen Abantis,
postibus aduersis figo, et rem carmine signo:
AENEAS HAEC DE DANAIS VICTORIBVS ARMA.
Linquere tum portus iubeo et considere transtris:

certatim socii feriunt mare et aequora uerrunt. 290
Protinus aerias Phaeacum abscondimus arces,
litoraque Epiri legimus portuque subimus
Chaonio, et celsam Buthroti accedimus urbem.
Hic incredibilis rerum fama occupat auris,

Priamiden Helenum Graias regnare per urbes, 295
coniugio Aeacidae Pyrrhi sceptrisque potitum,
et patrio Andromachen iterum cessisse marito.
Obstipui, miroque incensum pectus amore,
compellare uirum et casus cognoscere tantos.

Progredior portu, classis et litora linquens, 300
sollemnis cum forte dapes et tristia dona
ante urbem in luco falsi Simoentis ad undam
libabat cineri Andromache, Manisque uocabat
Hectoreum ad tumulum, uiridi quem caespite inanem

et geminas, causam lacrimis, sacrauerat aras. 305
Ut me conspexit uenientem et Troia circum
arma amens uidit, magnis exterrita monstris
deriguit uisu in medio, calor ossa reliquit;
labitur, et longo uix tandem tempore fatur:

« Te présentes-tu à moi comme une vraie figure, un vrai messager,
O fils de déesse ? Es-tu vivant ou, si la lumière bienfaisante t'a quitté,
Où est Hector ? » Ce disant, elle fondit en larmes et tout
L'endroit emplit de ses cris. A peine quelques mots à la possédée
Je lance, et troublé je bredouille quelques rares paroles :

« Je vis en effet, et traîne ma vie par tous les confins ;
N'en doute pas, car tu vois la réalité.
Las, d'un tel époux dépossédée, quel sort
T'est échu, et quel revers de fortune assez digne de toi affecte
L'Andromaque d'Hector ? Es-tu toujours l'épouse de Pyrrhus ? »

Elle baissa les yeux et à voix basse parla :
« O bienheureuse la fille de Priam[199], la seule à qui, avant les autres,
Devant une tombe ennemie sous les hautes murailles de Troie
On a ordonné de mourir, qui n'eut à supporter aucun tirage au sort,
Ni, captive, à charmer la couche d'un maître vainqueur !

Moi, une fois ma patrie incendiée, emmenée sur différentes mers,
L'arrogance de l'engeance d'Achille et sa fière jeunesse
J'ai porté en esclave zélée : lui ensuite, ayant suivi
Hermione, la descendante de Léda, et convolant à Lacédémone[200],
M'a remise comme servante à son serviteur Hélénos.

Mais, brûlant d'un grand amour (pour sa fiancée) enlevée,
Oreste, torturé par les Furies[201] en raison de ses crimes,
Le surprend et l'immole devant l'autel de ses ancêtres.
Avec la mort de Néoptolème (une partie) du royaume échut
A Hélénos, qui qualifia les plaines de Chaoniennes

---

[199] Une tradition rapporte que Polyxène, fille de Priam et sœur cadette de Cassandre, fut immolée sur la tombe d'Achille par son fils Néoptolème-Pyrrhus.
[200] Pyrrhus a laissé tomber Andromaque pour vivre avec Hermione, fille d'Hélène (elle-même fille de Zeus et Léda) et du roi de Sparte Ménélas, au grand désespoir de son fiancé Oreste qui finit par le tuer.
[201] Les Erinyes qui tourmentèrent Oreste pour avoir assassiné sa mère Clytemnestre et son amant Egisthe.

'Verane te facies, uerus mihi nuntius adfers, 310
nate dea? Viuisne, aut, si lux alma recessit,
Hector ubi est?' Dixit, lacrimasque effudit et omnem
impleuit clamore locum. Vix pauca furenti
subicio, et raris turbatus uocibus hisco:

'uiuo equidem, uitamque extrema per omnia duco; 315
ne dubita, nam uera uides.
Heu, quis te casus deiectam coniuge tanto
excipit, aut quae digna satis fortuna reuisit
Hectoris Andromachen? Pyrrhin' conubia seruas?'

Deiecit uoltum et demissa uoce locuta est: 320
'O felix una ante alias Priameia uirgo,
hostilem ad tumulum Troiae sub moenibus altis
iussa mori, quae sortitus non pertulit ullos,
nec uictoris eri tetigit captiua cubile!

nos, patria incensa, diuersa per aequora uectae, 325
stirpis Achilleae fastus iuuenemque superbum,
seruitio enixae, tulimus: qui deinde, secutus
Ledaeam Hermionen Lacedaemoniosque hymenaeos,
me famulo famulamque Heleno transmisit habendam.

Ast illum, ereptae magno inflammatus amore 330
coniugis et scelerum Furiis agitatus, Orestes
excipit incautum patriasque obtruncat ad aras.
Morte Neoptolemi regnorum reddita cessit
pars Heleno, qui Chaonios cognomine campos

Et l'ensemble du pays de Chaonie, du nom du Troyen Chaon,
Et qui bâtit sur les crêtes cette citadelle troyenne, Pergame.
Mais toi, quels vents, quel destin orientèrent ton voyage ?
Et quel dieu t'a amené sans que tu le saches sur nos côtes ?
Qu'en est-il du petit Ascagne ? est-il toujours vivant ?

Lui que Troie déjà t'a — [202]
Mais le garçon s'inquiète-t-il de sa mère disparue ?
Et vers l'antique vertu et l'esprit viril
Son père Enée et son oncle Hector ne le poussent-ils pas ? »
Ainsi s'épanchait-elle, pleurant et poussant de longues

Et vaines lamentations lorsque, venant des remparts, le grand homme
Hélénos, fils de Priam, accompagné d'une nombreuse suite, se présente,
Reconnaît les siens, et nous conduit, tout heureux, aux portes,
Versant quantité de larmes entrecoupées de quelques paroles.
J'avance, une petite Troie et, semblable à la grande,

Une citadelle, ainsi qu'un ruisseau desséché du nom de Xanthe
Je découvre, et j'embrasse le seuil d'une porte Scée.
Et mes Teucriens ne sont pas en reste pour apprécier la cité alliée :
Le roi les recevait sous ses vastes portiques ;
Au milieu de l'atrium ils faisaient des libations de vin dans des coupes,

Et tenaient des patères en or chargées de victuailles.
Les jours passaient l'un après l'autre, et les souffles de vent
Appellent les voiles, dont la toile se gonfle à l'auster qui se lève.
J'aborde le devin avec ces paroles et le questionne ainsi :
« Fils de Troie, intermédiaire des dieux, toi qui la volonté de Phébus,

Les trépieds, les lauriers du Clarien[203], toi qui les étoiles ressens,
Ainsi que le langage des oiseaux et les présages de leur vol devines,
Dis-moi — car un heureux voyage m'ont prédit tous les
Signes divins, et tous les dieux m'ont convaincu qu'ils voulaient
Que je me dirige vers l'Italie et recherche ses terres lointaines :

---

[202] Lacune.
[203] Apollon, qui avait un sanctuaire oraculaire à Claros, en Asie Mineure.

Chaoniamque omnem Troiano a Chaone dixit,   335
Pergamaque Iliacamque iugis hanc addidit arcem.
Sed tibi qui cursum uenti, quae fata dedere?
Aut quisnam ignarum nostris deus appulit oris?
Quid puer Ascanius? superatne et uescitur aura,

quem tibi iam Troia---   340
Ecqua tamen puero est amissae cura parentis?
Ecquid in antiquam uirtutem animosque uirilis
et pater Aeneas et auunculus excitat Hector?'
Talia fundebat lacrimans longosque ciebat

incassum fletus, cum sese a moenibus heros   345
Priamides multis Helenus comitantibus adfert,
adgnoscitque suos, laetusque ad limina ducit,
et multum lacrimas uerba inter singula fundit.
Procedo, et paruam Troiam simulataque magnis

Pergama, et arentem Xanthi cognomine riuum   350
adgnosco, Scaeaeque amplector limina portae.
Nec non et Teucri socia simul urbe fruuntur:
illos porticibus rex accipiebat in amplis;
aulai medio libabant pocula Bacchi,

impositis auro dapibus paterasque tenebant.   355
Iamque dies alterque dies processit, et aurae
uela uocant tumidoque inflatur carbasus austro.
His uatem adgredior dictis ac talia quaeso:
'Troiugena, interpres diuom, qui numina Phoebi,

qui tripodas, Clarii lauros, qui sidera sentis,   360
et uolucrum linguas et praepetis omina pennae,
fare age---namque omnem cursum mihi prospera dixit
religio, et cuncti suaserunt numine diui
Italiam petere et terras temptare repostas:

Seule la Harpie Céléno un extraordinaire, impie à dire,
Prodige me chante, et annonce de funestes colères,
Et une faim répugnante — d'abord comment éviter ce danger ?
Et si je poursuis, pourrais-je surmonter tant d'épreuves ? »
Alors Hélénos, ayant d'abord, selon la coutume, immolé des génisses,

Implore la bienveillance des dieux, dénoue les bandelettes
De sa tête sacrée, et à ta porte, Phébus,
Lui-même (me) conduit par la main, suspendu à ton bon vouloir,
Et ensuite le prêtre de sa bouche de devin prophétise ces choses :
« Fils de déesse, — en effet, pour traverser la haute mer, aux plus grands

Auspices clairement tu te fieras : le roi des dieux les destinées
Tire au sort, et en déroule la succession ; tel est l'ordre des choses —
Un peu de ces nombreuses choses, afin que plus sûrement tu parcoures
Les mers (étrangères) et puisses te poser dans un port ausonien,
Je vais t'exposer en paroles ; en effet les Parques interdisent

A Hélénos de savoir (le reste) et Junon la Saturnienne défend d'en parler.
D'abord, l'Italie que tu penses déjà proche,
Et dont tu t'apprêtes, ignorant, à envahir les ports voisins,
Un long et impraticable parcours t'en sépare de nos terres bien lointaines.
Et il te faut plier la rame dans les flots de Trinacrie,

Et avec tes navires passer par la plaine marine ausonienne[204],
Et les lacs infernaux[205], l'île de Circé l'Eéenne[206],
(Avant) de pouvoir établir une cité en lieu sûr :
Je vais te donner un indice, à garder caché dans ton esprit :
Lorsque, inquiet, au bord des flots d'une rivière lointaine,

---

[204] La mer Tyrrhénienne.
[205] Le lac Averne, au nord de la Campanie, aux émanations délétères.
[206] La déesse ou magicienne Circé, originaire de l'île d'Eéa, aurait fondé Circaeum, aujourd'hui Monte Circeo, sur une île devenue presqu'île, au sud du Latium.

sola nouum dictuque nefas Harpyia Celaeno   365
prodigium canit, et tristis denuntiat iras,
obscenamque famem---quae prima pericula uito?
Quidue sequens tantos possim superare labores?'
Hic Helenus, caesis primum de more iuuencis

exorat pacem diuom, uittasque resoluit   370
sacrati capitis, meque ad tua limina, Phoebe,
ipse manu multo suspensum numine ducit,
atque haec deinde canit diuino ex ore sacerdos:
'Nate dea,---nam te maioribus ire per altum

auspiciis manifesta fides: sic fata deum rex   375
sortitur, uoluitque uices; is uertitur ordo---
pauca tibi e multis, quo tutior hospita lustres
aequora et Ausonio possis considere portu,
expediam dictis; prohibent nam cetera Parcae

scire Helenum farique uetat Saturnia Iuno.   380
Principio Italiam, quam tu iam rere propinquam
uicinosque, ignare, paras inuadere portus,
longa procul longis uia diuidit inuia terris.
Ante et Trinacria lentandus remus in unda,

et salis Ausonii lustrandum nauibus aequor,   385
infernique lacus, Aeaeaeque insula Circae,
quam tuta possis urbem componere terra:
signa tibi dicam, tu condita mente teneto:
cum tibi sollicito secreti ad fluminis undam

Une énorme truie sous les chênes-verts de la berge,
Ayant mis bas trente petits, (tu trouveras) couchée,
Blanche, reposant sur le sol, avec ses blancs nouveau-nés tétant autour,
Là seront l'emplacement de la cité et un repos assuré dans tes épreuves.
Et ne t'effraie pas d'avoir à manger des tables :

Le destin y apportera une issue, et Apollon invoqué se présentera.
Mais ces terres, ces confins des côtes italiennes[207],
Que les flots de notre mer baignent à proximité immédiate,
Fuis-les ; tous leurs remparts sont habités par de méchants Grecs.
Ici les Naryciens[208] ont édifié les remparts de Locres,

Et les plaines Salentines[209] ont été occupées par les soldats
D'Idoménée de Lyctos[210] ; ici du chef Mélibéen (Philoctète[211])
(Se trouve) la petite Pétilie, confiante en ses murailles.
Et lorsque tes navires ayant traversé la mer y stationneront,
Et que, l'autel dressé, sur le rivage tu déchargeras déjà les offrandes,

Que tes cheveux soient recouverts d'un voile couleur pourpre,
Afin qu'au milieu des flammes sacrées en l'honneur des dieux
N'apparaisse pas une figure hostile, brouillant les auspices.
Cette façon de sacrifier, tes compagnons et toi-même préservez-la :
Que vos descendants maintiennent pieusement cette pratique religieuse.

Mais quand, une fois parti[212], des rivages siciliens te rapprochera
Le vent, et que s'ouvriront les barrières de l'étroit Pélorée[213],
Dirige-toi vers la terre (et la plaine marine) à bâbord en un long
Détour : fuis la côte et les flots à tribord.
Ces lieux jadis séparés de force et par une terrible catastrophe —

---

[207] Les côtes de la Grande Grèce, à une centaine de kilomètres des côtes épirotes.
[208] Colons grecs venus de Narycie en Locride, patrie d'Ajax « le petit ».
[209] Dans le talon de la botte italienne.
[210] Cité crétoise (cf. vers 122 supra).
[211] Compagnon d'Hercule originaire de Thessalie ; les flèches qu'il tenait d'Hercule blessèrent mortellement Pâris et permirent aux Grecs de prendre Troie. Après la guerre il s'installa en Calabre et fonda la cité de Pétilie.
[212] Des côtes italiennes.
[213] Géant éponyme du cap Peloro à l'entrée nord du détroit de Messine.

litoreis ingens inuenta sub ilicibus sus   390
triginta capitum fetus enixa iacebit,
alba, solo recubans, albi circum ubera nati,
is locus urbis erit, requies ea certa laborum.
Nec tu mensarum morsus horresce futuros:

fata uiam inuenient, aderitque uocatus Apollo.   395
Has autem terras, Italique hanc litoris oram,
proxuma quae nostri perfunditur aequoris aestu,
effuge; cuncta malis habitantur moenia Grais.
Hic et Narycii posuerunt moenia Locri,

et Sallentinos obsedit milite campos   400
Lyctius Idomeneus; hic illa ducis Meliboei
parua Philoctetae subnixa Petelia muro.
Quin, ubi transmissae steterint trans aequora classes,
et positis aris iam uota in litore solues,

purpureo uelare comas adopertus amictu,   405
ne qua inter sanctos ignis in honore deorum
hostilis facies occurrat et omina turbet.
Hunc socii morem sacrorum, hunc ipse teneto:
hac casti maneant in religione nepotes.

Ast ubi digressum Siculae te admouerit orae   410
uentus, et angusti rarescent claustra Pelori,
laeua tibi tellus et longo laeua petantur
aequora circuitu: dextrum fuge litus et undas.
Haec loca ui quondam et uasta conuolsa ruina---

Telle est la capacité de bouleversement de ces temps très anciens —
Ont été fendus, dit-on, puisque d'un seul tenant l'une et l'autre terre
Etaient ; la mer s'introduisit violemment entre elles et de ses flots
Sépara le côté hespérien (du côté) sicilien, et (baigne) les plaines et cités
Sur la côte de part et d'autre par un étroit courant.

Le côté droit par Scylla, le gauche par l'implacable Charybde
Sont occupés ; celle-ci du fond de l'abîme par trois fois dans ses remous
Engouffre d'énormes masses d'eau, qu'elle (rejette) à l'air
Les unes après les autres, fouettant les étoiles de ses vagues.
Et une grotte dans une obscure retraite retient Scylla,

Exhibant ses gueules, et attirant les navires sur les écueils.
En haut un visage humain, jeune fille à la belle poitrine
Jusqu'à la taille, en bas un monstre marin au corps immense,
Ventres de loups assemblés à des queues de dauphins.
Il est préférable de virer aux bornes du Pachynum[214] Trinacrien

En prenant son temps, et de faire un long détour,
Plutôt que d'avoir vu une fois pour toutes sous son vaste antre l'informe
Scylla, et les rochers résonnants de ses chiens couleur bleu marine.
Par ailleurs, s'il est quelque sagesse en Hélénos, si dans le prophète
Il y a quelque crédibilité, si de vérités Apollon a rempli son esprit,

A toi, fils de déesse, cette seule chose, en lieu et place de toutes,
Je vais te prêcher et, la répétant sans désemparer, te prévenir :
La puissance de la grande Junon en premier par la prière invoque ;
A Junon chante des hymnes de bon cœur, et la puissante maîtresse
Par tes offrandes de suppliant convaincs : ainsi enfin victorieux

Après avoir quitté la Trinacrie tu seras dirigé vers les confins italiens.
Une fois arrivé là, tu aborderas la cité de Cumes,
Et les lacs miraculeux, les Avernes aux forêts pleines de bruit,
Tu verras la folle prophétesse, qui au fond d'une anfractuosité
Prophétise les destins, inscrivant des signes et des noms sur des feuilles.

---

[214] A la pointe sud de la Sicile, où se trouve aujourd'hui la commune de Pachino.

tantum aeui longinqua ualet mutare uetustas--- 415
dissiluisse ferunt, cum protinus utraque tellus
una foret; uenit medio ui pontus et undis
Hesperium Siculo latus abscidit, aruaque et urbes
litore diductas angusto interluit aestu.

Dextrum Scylla latus, laeuum implacata Charybdis 420
obsidet, atque imo barathri ter gurgite uastos
sorbet in abruptum fluctus, rursusque sub auras
erigit alternos et sidera uerberat unda.
At Scyllam caecis cohibet spelunca latebris,

ora exsertantem et nauis in saxa trahentem. 425
Prima hominis facies et pulchro pectore uirgo
pube tenus, postrema immani corpore pistrix,
delphinum caudas utero commissa luporum.
Praestat Trinacrii metas lustrare Pachyni

cessantem, longos et circumflectere cursus, 430
quam semel informem uasto uidisse sub antro
Scyllam, et caeruleis canibus resonantia saxa.
Praeterea, si qua est Heleno prudentia, uati
si qua fides, animum si ueris implet Apollo,

unum illud tibi, nate dea, proque omnibus unum 435
praedicam, et repetens iterumque iterumque monebo:
Iunonis magnae primum prece numen adora;
Iunoni cane uota libens, dominamque potentem
supplicibus supera donis: sic denique uictor

Trinacria finis Italos mittere relicta. 440
Huc ubi delatus Cumaeam accesseris urbem,
diuinosque lacus, et Auerna sonantia siluis,
insanam uatem aspicies, quae rupe sub ima
fata canit, foliisque notas et nomina mandat.

Tous les vers que la vierge a portés sur les feuilles,
Elle les dispose en ordre, et les abandonne dissimulés dans son antre.
Ils restent immuables à leur place, dans le même ordre ;
En vérité, cependant, quand une brise légère sur ses gonds
A fait tourner la porte et a dérangé les délicates feuilles,

Jamais après (elle ne se soucie) de récupérer, voltigeant dans la caverne,
Les vers, ni de rétablir leurs positions à la suite les uns des autres :
Les sots s'en vont, haïssant le siège de la Sibylle.
Là, aussi importante pour toi que soit la perte de temps, —
Quelles que soient les exhortations de tes compagnons, et la force de

L'appel du large, et la possibilité de gonfler tes voiles propices, —
Ne (va pas) sans consulter la prophétesse et par tes prières supplie-la
De chanter (les oracles) en direct, et daigner les délivrer de sa bouche.
Les peuples (vivant) en Italie et les guerres à venir,
Comment et à qui échapper, et comment endurer tes épreuves

Elle te révèlera et, respectée, un cours des choses propice te procurera.
Voilà ce qu'il m'est permis de te recommander de vive voix.
Va donc et, par tes actions, porte Troie au sommet des nues. »
Après que le devin eut prononcé ces paroles de sa bouche amicale,
De lourds cadeaux en or et en ivoire sculpté

Il commande de porter aux navires, accumule dans les carènes
Une quantité énorme d'argent, des vases en bronze de Dodone[215],
Une cuirasse de mailles entrelacées et triplement tissée d'or,
Et un casque remarquable par son cimier à la crinière bien fournie,
Les armes de Néoptolème ; il y a aussi des présents pour mon père.

Il y ajoute des chevaux, et des pilotes ;
Complète l'équipage ; et fournit aussi des armes à mes compagnons.
Entretemps, d'appareiller la flotte l'ordre était donné par
Anchise, afin de ne pas tarder davantage, le vent étant porteur.
L'interprète de Phébus s'adresse à lui avec un grand respect :

---

[215] Dodone, siège d'un oracle, était proche de la Chaonie.

Quaecumque in foliis descripsit carmina uirgo,   445
digerit in numerum, atque antro seclusa relinquit.
Illa manent immota locis, neque ab ordine cedunt;
uerum eadem, uerso tenuis cum cardine uentus
impulit et teneras turbauit ianua frondes,

numquam deinde cauo uolitantia prendere saxo,   450
nec reuocare situs aut iungere carmina curat:
inconsulti abeunt, sedemque odere Sibyllae.
Hic tibi ne qua morae fuerint dispendia tanti,---
quamuis increpitent socii, et ui cursus in altum

uela uocet, possisque sinus implere secundos,---   455
quin adeas uatem precibusque oracula poscas
ipsa canat, uocemque uolens atque ora resoluat.
Illa tibi Italiae populos uenturaque bella,
et quo quemque modo fugiasque ferasque laborem

expediet, cursusque dabit uenerata secundos.   460
Haec sunt, quae nostra liceat te uoce moneri.
Vade age, et ingentem factis fer ad aethera Troiam.'
Quae postquam uates sic ore effatus amico est,
dona dehinc auro grauia sectoque elephanto

imperat ad nauis ferri, stipatque carinis   465
ingens argentum, Dodonaeosque lebetas,
loricam consertam hamis auroque trilicem,
et conum insignis galeae cristasque comantis,
arma Neoptolemi; sunt et sua dona parenti.

Addit equos, additque duces;   470
remigium supplet; socios simul instruit armis.
Interea classem uelis aptare iubebat
Anchises, fieret uento mora ne qua ferenti.
Quem Phoebi interpres multo compellat honore:

« O Anchise, digne d'être le fier époux de Vénus,
Protégé des dieux, deux fois rescapé des ruines de Pergame,
Vois cette terre d'Ausonie ; fais voile vers elle.
Mais il te faut naviguer au-delà ;
Beaucoup plus loin est la partie d'Ausonie qu'Apollon t'a révélée.

Va » dit-il, « ô bienheureux par la piété de ton fils. Pourquoi davantage
Devrais-je insister, et en parlant retarder l'auster qui se lève ? »
Et Andromaque, tout aussi triste de cette ultime séparation,
Apporte des vêtements décorés de broderies d'or
Et une chlamyde phrygienne pour Ascagne et, tout aussi respectueuse,

(Le) charge de tissus en cadeau, prononçant ces paroles :
« Accepte aussi ces dons, faits de mes mains, en souvenir pour toi,
Mon garçon, et qu'ils témoignent longtemps de l'amour d'Andromaque,
L'épouse d'Hector. Prends des tiens ces derniers cadeaux,
O seule image qui me reste de mon Astyanax[216] :

Il avait les mêmes yeux, les mêmes mains, la même bouche ;
Et à présent comme toi il serait adolescent, ayant le même âge. »
En partant, je m'adressais à ces gens avec les larmes aux yeux :
« Vivez heureux, vous dont le bonheur est acquis
Dès à présent ; nous, nous sommes ballottés d'un destin à l'autre.

A vous le repos est imparti ; aucune plaine marine à labourer,
Pas de champs Ausoniens reculant devant vous en permanence
A rechercher. Vous avez devant les yeux l'image du Xanthe et Troie,
Que vos mains ont bâtie, j'espère, sous de meilleurs
Auspices, pour être moins exposée aux Grecs.

Si un jour jusqu'au Tibre et aux champs bordant le Tibre
J'arrive, et que je vois les remparts donnés à ma race,
Nos (deux) cités parentes aux peuples apparentés,
En Epire, en Hespérie, pareillement de Dardanos issues
Et ayant connu les mêmes malheurs, (un jour) je les ferai une seule

---

[216] Astyanax, fils d'Hector et d'Andromaque, aurait été tué par Néoptolème-
Pyrrhus, ou encore Ulysse, lors du sac de Troie.

'Coniugio, Anchise, Veneris dignate superbo,   475
cura deum, bis Pergameis erepte ruinis,
ecce tibi Ausoniae tellus; hanc arripe uelis.
Et tamen hanc pelago praeterlabare necesse est;
Ausoniae pars illa procul, quam pandit Apollo.

Vade' ait 'O felix nati pietate. Quid ultra   480
prouehor, et fando surgentis demoror austros?'
Nec minus Andromache digressu maesta supremo
fert picturatas auri subtemine uestes
et Phrygiam Ascanio chlamydem nec cedit honore,

textilibusque onerat donis, ac talia fatur: 485
'Accipe et haec, manuum tibi quae monumenta mearum
sint, puer, et longum Andromachae testentur amorem,
coniugis Hectoreae. Cape dona extrema tuorum,
O mihi sola mei super Astyanactis imago:

sic oculos, sic ille manus, sic ora ferebat;   490
et nunc aequali tecum pubesceret aeuo.'
Hos ego digrediens lacrimis adfabar obortis:
'Viuite felices, quibus est fortuna peracta
iam sua; nos alia ex aliis in fata uocamur.

Vobis parta quies; nullum maris aequor arandum,   495
arua neque Ausoniae semper cedentia retro
quaerenda. Effigiem Xanthi Troiamque uidetis
quam uestrae fecere manus, melioribus, opto,
auspiciis, et quae fuerit minus obuia Graiis.

Si quando Thybrim uicinaque Thybridis arua   500
intraro, gentique meae data moenia cernam,
cognatas urbes olim populosque propinquos,
Epiro, Hesperia, quibus idem Dardanus auctor
atque idem casus, unam faciemus utramque

Troie dans l'esprit ; que cette tâche reste à nos descendants[217]. »
La mer nous emporte près des Monts Cérauniens[218] voisins,
D'où le parcours pour aller jusqu'en Italie est extrêmement court.
Entretemps le soleil se couche et les montagnes s'obscurcissent ;
Nous nous étendons sur la plage à l'endroit choisi, à même le sol,

Après avoir réparti les rames, et partout sur le rivage sec
Nous soignons nos corps ; le sommeil se répand dans nos membres las.
La Nuit mue par les Heures[219] n'était pas encore au milieu de son cycle :
Palinure se lève en sursaut de sa couche et tous
Les vents inspecte, prêtant l'oreille aux souffles ;

Il repère toutes les étoiles glissant sur le ciel silencieux,
Arcturus, les pluvieuses Hyades et les Bœufs jumeaux[220],
Et examine Orion[221] avec ses armes en or.
Après avoir vu toutes ces choses bien en place dans le ciel serein,
Il donne depuis son navire un signal claironnant ; nous levons le camp

Et nous mettons en route, déployant les ailes des voiles.
Déjà Aurore rougissait, les étoiles s'étant enfuies,
Lorsqu'au loin nous voyons des collines sombres et, basse sur l'horizon,
L'Italie. « L'Italie » crie le premier Achate,
« L'Italie » saluent par une joyeuse clameur mes compagnons.

Alors mon père Anchise un grand cratère d'une guirlande
Habille, le remplit de vin, et invoque les dieux,
Debout sur la poupe surélevée :
« Dieux de la mer et de la terre, maîtres des tempêtes,
Facilitez-nous le voyage grâce au vent et soufflez favorablement. »

---

[217] Compliment opportuniste à Octave-Auguste qui, après sa victoire d'Actium en 31 av. JC, venait de fonder la cité de Nicopolis non loin de Buthrote.
[218] Chaîne de montagnes longeant la côte orientale du détroit d'Otrante (environ 80 kilomètres de large) qui sépare l'Albanie des Pouilles italiennes.
[219] Déesses personnifiant les divisions du temps.
[220] Cf. vers 744 du Chant I.
[221] Constellation figurant un chasseur ceint d'un baudrier, armé d'une épée, d'une massue, d'un bouclier.

Troiam animis; maneat nostros ea cura nepotes.'   505
Prouehimur pelago uicina Ceraunia iuxta,
unde iter Italiam cursusque breuissimus undis.
Sol ruit interea et montes umbrantur opaci;
sternimur optatae gremio telluris ad undam

sortiti remos, passimque in litore sicco   510
corpora curamus; fessos sopor inrigat artus.
Necdum orbem medium Nox horis acta subibat:
haud segnis strato surgit Palinurus et omnis
explorat uentos, atque auribus aera captat;

sidera cuncta notat tacito labentia caelo,   515
Arcturum pluuiasque Hyadas geminosque Triones,
armatumque auro circumspicit Oriona.
Postquam cuncta uidet caelo constare sereno,
dat clarum e puppi signum; nos castra mouemus,

temptamusque uiam et uelorum pandimus alas.   520
Iamque rubescebat stellis Aurora fugatis,
cum procul obscuros collis humilemque uidemus
Italiam. "Italiam" primus conclamat Achates,
"Italiam" laeto socii clamore salutant.

Tum pater Anchises magnum cratera corona   525
induit, impleuitque mero, diuosque uocauit
stans celsa in puppi:
'Di maris et terrae tempestatumque potentes,
ferte uiam uento facilem et spirate secundi.'

Les vents convoités se renforcent et un port s'ouvre
Déjà à proximité, et un temple apparaît dans la citadelle de Minerve[222].
Mes compagnons amènent les voiles et tournent les proues vers le rivage.
Le port est incurvé comme un arc par les flots venant de l'est,
Avec des récifs devant, couverts d'écume par les embruns salés ;

Lui-même ne se voit pas ; (des falaises couronnées de tours) descendent
(En une double muraille), et le temple (semble) reculer du rivage.
Là, premier présage, je vois dans l'herbe quatre chevaux,
Blancs comme neige, broutant en long et en large dans la plaine.
Et mon père Anchise : « Tu portes la guerre, ô terre étrangère,

Les chevaux sont dressés pour la guerre, ces bêtes appellent la guerre.
Mais pareillement, pourtant, à suivre un chariot parfois sont habitués
Les quadrupèdes, et à supporter harmonieusement d'être sous le joug ;
On peut aussi espérer la paix » dit-il. Alors nous prions le saint pouvoir
De Pallas aux armes sonores, la première à recevoir nos jubilations,

Et devant son autel nous nous couvrons la tête d'un voile phrygien ;
Et selon les prescriptions les plus importantes d'Hélénos, rituellement
Brûlant une offrande, nous rendons les honneurs dus à Junon l'Argienne.
Sans tarder, aussitôt après avoir accompli nos dévotions avec rigueur,
Nous retournons les extrémités des antennes de nos voiles,

Et quittons les demeures des Grecs et leurs champs suspects.
Ensuite, la baie de l'Herculéenne Tarente (si ce qu'on dit est vrai)[223]
On aperçoit ; la déesse Lacinienne[224] se dresse du côté opposé,
Et la citadelle Caulonienne[225] et Scyllacée[226], la briseuse de navires.
Puis, au loin sortant des flots, on aperçoit l'Etna Trinacrien,

---

[222] Castrum Minervae, aujourd'hui sur la commune de Castro dans les Pouilles, tout en bas du talon de la botte italienne.

[223] Taras, le fondateur mythique de Tarente, était parfois considéré comme le fils d'Hercule.

[224] Junon Lacinienne avait son sanctuaire au Cap Colonna, près de Crotone.

[225] Aujourd'hui sur la commune de Caulonia, dans la pointe de la botte italienne.

[226] Aujourd'hui Squillace, à quelque 60 kilomètres avant Caulonia, dans le Bruttium également.

Crebrescunt optatae aurae portusque patescit   530
iam propior, templumque adparet in arce Mineruae.
Vela legunt socii et proras ad litora torquent.
Portus ab Euroo fluctu curuatus in arcum,
obiectae salsa spumant aspargine cautes;

ipse latet; gemino demittunt bracchia muro   535
turriti scopuli, refugitque ab litore templum.
Quattuor hic, primum omen, equos in gramine uidi
tondentis campum late, candore niuali.
Et pater Anchises: 'Bellum, O terra hospita, portas

bello armantur equi, bellum haec armenta minantur.   540
Sed tamen idem olim curru succedere sueti
quadrupedes, et frena iugo concordia ferre;
spes et pacis' ait. Tum numina sancta precamur
Palladis armisonae, quae prima accepit ouantis,

et capita ante aras Phrygio uelamur amictu;   545
praeceptisque Heleni, dederat quae maxima, rite
Iunoni Argiuae iussos adolemus honores.
Haud mora, continuo perfectis ordine uotis,
cornua uelatarum obuertimus antemnarum,

Graiugenumque domos suspectaque linquimus arua.   550
Hinc sinus Herculei (si uera est fama) Tarenti
cernitur; attollit se diua Lacinia contra,
Caulonisque arces et nauifragum Scylaceum.
Tum procul e fluctu Trinacria cernitur Aetna,

Et le grondement énorme de la mer battant les rochers
Nous entendons au loin, ainsi que des bruits atténués sur le rivage,
Les flots bouillonnent, et le sable se mélange au courant.
Et mon père Anchise dit : « C'est sans doute cette Charybde :
Hélénos prédisait ces falaises, ces rochers horribles.

Souquez, ô compagnons, et en cadence appuyez sur les rames ! »
Aussitôt dit aussitôt fait et, le premier, son grinçant
Navire Palinure fait virer à bâbord.
A la voile et à la rame toute la flottille se dirigea à bâbord.
Nous sommes enlevés au ciel par un tourbillon, et de même

Une vague par en dessous nous envoya au tréfonds du séjour des Mânes.
Trois fois les falaises résonnèrent d'un fracas au sein de leurs cavités :
Trois fois nous vîmes l'écume expulsée et les astres ruisseler d'embruns.
Toutefois, le jour finissant, le vent nous abandonna épuisés,
Et, perdus, nous dérivons jusqu'au rivage des Cyclopes.

Le port (lui-même) est à l'abri des vents et immense
Mais l'Etna juste à côté retentit d'horribles craquements ;
Et de temps à autre il propulse dans les airs un nuage sombre
De volutes noires comme de la poix et de cendres incandescentes,
Et projette des boules enflammées qui lèchent les étoiles ;

De temps en temps des blocs et des entrailles arrachées à la montagne
Il vomit, et de la lave fondue dans les airs
Bombarde en mugissant, bouillonnant au plus profond de lui-même.
On dit que le corps d'Encelade[227], à moitié consumé par la foudre,
Est pressé sous cette masse, et qu'au-dessus de l'immense Etna

Dont on l'a écrasé, il exhale ses flammes par des crevasses-cheminées ;
Et toutes les fois que, fatigué, il se retourne, alors tremble
Et gronde (toute) la Trinacrie, et le ciel se voile de fumée.
Cette nuit, abrités sous des arbres, des choses incroyables
Nous vivons, sans voir pour autant ce qui peut produire le bruit.

---

[227] Géant que Zeus écrasa sous l'Etna lors de la Gigantomachie.

et gemitum ingentem pelagi pulsataque saxa 555
audimus longe fractasque ad litora uoces,
exsultantque uada, atque aestu miscentur harenae.
Et pater Anchises: 'Nimirum haec illa Charybdis:
hos Helenus scopulos, haec saxa horrenda canebat.

Eripite, O socii, pariterque insurgite remis!' 560
Haud minus ac iussi faciunt, primusque rudentem
contorsit laeuas proram Palinurus ad undas.
laeuam cuncta cohors remis uentisque petiuit.
Tollimur in caelum curuato gurgite, et idem

subducta ad Manis imos desedimus unda. 565
Ter scopuli clamorem inter caua saxa dedere:
ter spumam elisam et rorantia uidimus astra.
Interea fessos uentus cum sole reliquit,
ignarique uiae Cyclopum adlabimur oris.

Portus ab accessu uentorum immotus et ingens 570
ipse; sed horrificis iuxta tonat Aetna ruinis;
interdumque atram prorumpit ad aethera nubem,
turbine fumantem piceo et candente fauilla,
attollitque globos flammarum et sidera lambit;

interdum scopulos auolsaque uiscera montis 575
erigit eructans, liquefactaque saxa sub auras
cum gemitu glomerat, fundoque exaestuat imo.
Fama est Enceladi semustum fulmine corpus
urgeri mole hac, ingentemque insuper Aetnam

impositam ruptis flammam exspirare caminis; 580
et fessum quotiens mutet latus, intremere omnem
murmure Trinacriam, et caelum subtexere fumo.
Noctem illam tecti siluis immania monstra
perferimus, nec quae sonitum det causa uidemus.

En effet il n'y avait pas d'étoiles, et (le firmament) n'était pas illuminé
Par (l'éther) étoilé, mais des nuages obscurcissaient le ciel,
Et la nuit noire enveloppait la lune.
Le jour suivant déjà se levait avec l'Etoile du matin,
Et Aurore avait chassé du firmament l'humide obscurité,

Lorsque soudain hors du bois, affligée d'une maigreur absolue,
La silhouette insolite d'un inconnu, pitoyablement vêtu,
S'avance, tendant des mains suppliantes vers le rivage.
Nous l'observons : une saleté épouvantable et une barbe hirsute,
Un manteau agrafé avec des épines ; et par ailleurs un Grec,

Qui même avait été envoyé jadis à Troie sous les armes de sa patrie.
Et lui, quand il vit des tenues dardanéennes, et (des armes) troyennes
Au loin, hésita un peu, terrifié par la vue,
Et retint son pas ; il ne tarda pas à se précipiter vers le rivage,
En pleurs et suppliant : « Je vous adjure par les étoiles,

Par les dieux et cette lumière du ciel qui nous fait vivre,
Embarquez-moi, Teucriens ; emmenez-moi n'importe où ;
Je ne demande rien d'autre. J'avoue avoir été de la flotte danaéenne,
Et je reconnais avoir attaqué les dieux Pénates d'Ilion ;
Ce pourquoi, si le tort causé par mon forfait est si grand,

Dispersez-moi dans les flots et noyez-moi dans la vaste mer.
Si je péris, il me sera agréable de périr de main d'homme. »
Ayant dit ces paroles, rampant à genoux, il embrassait les miens
Et s'y agrippait. De révéler qui il est, de quel sang il est issu,
Nous l'exhortons ; (ainsi que) d'avouer quelle vie il avait menée depuis.

Sans tarder, mon père Anchise lui-même sa dextre
Tend au jeune homme, et le rassure par ce gage immédiat.
Lui, enfin délivré de sa frayeur, dit cela :
« Ma patrie est Ithaque, je suis compagnon du malheureux Ulysse,
Je m'appelle Achéménide, et mon père Adamaste étant pauvre[228], à Troie

---

[228] Comme ce fut le cas pour Sinon (cf. Chant II, vers 86 sqq.).

Nam neque erant astrorum ignes, nec lucidus aethra 585
siderea polus, obscuro sed nubila caelo,
et lunam in nimbo nox intempesta tenebat.
Postera iamque dies primo surgebat Eoo,
umentemque Aurora polo dimouerat umbram,

cum subito e siluis, macie confecta suprema, 590
ignoti noua forma uiri miserandaque cultu
procedit, supplexque manus ad litora tendit.
Respicimus: dira inluuies inmissaque barba,
consertum tegumen spinis; at cetera Graius,

et quondam patriis ad Troiam missus in armis. 595
Isque ubi Dardanios habitus et Troia uidit
arma procul, paulum aspectu conterritus haesit,
continuitque gradum; mox sese ad litora praeceps
cum fletu precibusque tulit: 'Per sidera testor,

per superos atque hoc caeli spirabile lumen, 600
tollite me, Teucri; quascumque abducite terras;
hoc sat erit. Scio me Danais e classibus unum,
et bello Iliacos fateor petiisse Penatis;
pro quo, si sceleris tanta est iniuria nostri,

spargite me in fluctus, uastoque inmergite ponto. 605
Si pereo, hominum manibus periisse iuuabit.'
Dixerat, et genua amplexus genibusque uolutans
haerebat. Qui sit, fari, quo sanguine cretus,
hortamur; quae deinde agitet fortuna, fateri.

Ipse pater dextram Anchises, haud multa moratus, 610
dat iuueni, atque animum praesenti pignore firmat.
Ille haec, deposita tandem formidine, fatur:
'Sum patria ex Ithaca, comes infelicis Ulixi,
nomine Achaemenides, Troiam genitore Adamasto

Je suis parti — si seulement notre chance avait pu durer ! —
Ici, alors qu'ils quittaient en tremblant ces cruels parages,
Mes étourdis compagnons dans le vaste antre du Cyclope
M'abandonnèrent. Une demeure avec de la sanie et des mets sanglants,
Obscure à l'intérieur, immense ; lui-même un géant, atteignant les hautes

Etoiles — Dieux, détournez des terres un tel fléau ! —
Ni plaisant d'aspect, ni aimable de parole pour quiconque.
Il se nourrit des entrailles des infortunés et de leur sang noir.
Moi-même je l'ai vu, lorsque les corps de deux des nôtres
Il prit dans ses grandes mains et, penché en arrière au milieu de son antre,

Les brisa contre un rocher, inondant d'éclaboussures de sang
L'entrée ; leurs membres dégoulinant de sang noir je l'ai vu
Dévorer, encore tièdes et frémissant sous ses dents.
Non impunément cependant ; Ulysse ne supporta pas de telles choses,
Et l'Ithaquien ne faillit pas à sa réputation en un moment si critique.

En effet, alors qu'empiffré de nourriture et imbibé de vin
Il laissait retomber sa tête et gisait en travers de son antre,
Immense, vomissant (dans son sommeil) de la sanie et des morceaux
Mélangés à du vin (et du sang), nous, après avoir imploré les grandes
Divinités et tiré au sort, ensemble de partout autour de lui

Nous faisons irruption, et d'un épieu acéré lui perforons l'œil, —
Enorme et qui, unique, se nichait sous son front menaçant,
Pareil à un bouclier argien ou au disque de Phébé[229], —
Et enfin, heureux, nous vengeons les ombres de nos compagnons.
Mais fuyez, ô malheureux, fuyez, et vos amarres du rivage

Rompez.
Car, pareils et aussi grands que Polyphème, qui dans une caverne
Enferme des troupeaux de brebis et presse leurs pis,
Sur ces rives incurvées habitent partout cent autres
Infâmes Cyclopes, errant dans les hautes montagnes.

---

[229] Epithète de Diane, déesse de la Lune.

paupere---mansissetque utinam fortuna!---profectus.   615
Hic me, dum trepidi crudelia limina linquunt,
inmemores socii uasto Cyclopis in antro
deseruere. Domus sanie dapibusque cruentis,
intus opaca, ingens; ipse arduus, altaque pulsat

sidera---Di, talem terris auertite pestem!---   620
nec uisu facilis nec dictu adfabilis ulli.
Visceribus miserorum et sanguine uescitur atro.
Vidi egomet, duo de numero cum corpora nostro
prensa manu magna, medio resupinus in antro,

frangeret ad saxum, sanieque aspersa natarent   625
limina; uidi atro cum membra fluentia tabo
manderet, et tepidi tremerent sub dentibus artus.
Haud impune quidem; nec talia passus Ulixes,
oblitusue sui est Ithacus discrimine tanto.

Nam simul expletus dapibus uinoque sepultus   630
ceruicem inflexam posuit, iacuitque per antrum
immensus, saniem eructans et frusta cruento
per somnum commixta mero, nos magna precati
numina sortitique uices, una undique circum

fundimur, et telo lumen terebramus acuto,---   635
ingens, quod torua solum sub fronte latebat,
Argolici clipei aut Phoebeae lampadis instar,---
et tandem laeti sociorum ulciscimur umbras.
Sed fugite, O miseri, fugite, atque ab litore funem

rumpite.   640
Nam qualis quantusque cauo Polyphemus in antro
lanigeras claudit pecudes atque ubera pressat,
centum alii curua haec habitant ad litora uolgo
infandi Cyclopes, et altis montibus errant.

Déjà trois fois les croissants de lune se sont remplis (depuis que)
(Je traîne) ma vie dans les forêts, au milieu (des tanières et gîtes) retirés
(Des bêtes sauvages), et que (du haut) d'un rocher les énormes Cyclopes
J'observe, et tressaille à la fois au bruit de leurs pas et à leur voix.
Une misérable nourriture, des baies et des cornouilles coriaces,

Me donnent les arbustes, et les plantes me nourrissent de leurs racines.
Scrutant toutes choses, cette flotte pour la première fois sur la côte
Je vis arriver. A elle, quelle qu'elle pût être,
Je m'en remis : c'est assez d'avoir échappé à une race abominable.
A vous plutôt d'anéantir cette âme par une mort, quelle qu'elle soit. »

A peine avait-il dit cela que nous voyons au sommet de la montagne
Se déplacer en personne, massif, au milieu de ses moutons
Le berger Polyphème, à la recherche du littoral familier,
Monstre horrible, informe, énorme, privé de son œil.
Le tronc d'un pin à la main, il dirige et affermit ses pas ;

Les brebis lui tiennent compagnie — voilà le seul plaisir,
Et (le seul) réconfort à son malheur.
Après être arrivé à la mer et avoir atteint les flots profonds,
Il lave le sang coulant de son œil arraché,
De rage grinçant des dents et grondant, et s'avance dans la mer

Déjà moyennement profonde, sans que l'eau ne mouille ses hauts flancs.
Et nous, tremblants, de nous hâter de fuir au loin après avoir recueilli
Un suppliant aussi méritant, et de trancher silencieusement nos amarres ;
Nous dégageons et, courbés, ramons sur les flots à qui mieux mieux.
(Le Cyclope) le sentit et dévia ses pas en direction du bruit ;

Quand il n'a vraiment plus la force de (nous) atteindre avec sa dextre,
Ni ne peut rivaliser à la course avec les vagues de la mer Ionienne,
Il pousse un cri immense, dont la mer et tous
Les flots se mirent à trembler, et au plus profond fut terrorisée
(La terre) d'Italie, et dont l'Etna mugit dans ses cavernes profondes.

Tertia iam lunae se cornua lumine complent,   645
cum uitam in siluis inter deserta ferarum
lustra domosque traho, uastosque ab rupe Cyclopas
prospicio, sonitumque pedum uocemque tremesco.
Victum infelicem, bacas lapidosaque corna,

dant rami et uolsis pascunt radicibus herbae.   650
Omnia conlustrans, hanc primum ad litora classem
conspexi uenientem. Huic me, quaecumque fuisset,
addixi: satis est gentem effugisse nefandam.
Vos animam hanc potius quocumque absumite leto.'

Vix ea fatus erat, summo cum monte uidemus   655
ipsum inter pecudes uasta se mole mouentem
pastorem Polyphemum et litora nota petentem,
monstrum horrendum, informe, ingens, cui lumen ademptum.
Trunca manu pinus regit et uestigia firmat;

lanigerae comitantur oues---ea sola uoluptas   660
solamenque mali.
Postquam altos tetigit fluctus et ad aequora uenit,
luminis effossi fluidum lauit inde cruorem,
dentibus infrendens gemitu, graditurque per aequor

iam medium, necdum fluctus latera ardua tinxit.   665
Nos procul inde fugam trepidi celerare, recepto
supplice sic merito, tacitique incidere funem;
uertimus et proni certantibus aequora remis.
Sensit, et ad sonitum uocis uestigia torsit;

uerum ubi nulla datur dextra adfectare potestas,   670
nec potis Ionios fluctus aequare sequendo,
clamorem immensum tollit, quo pontus et omnes
contremuere undae, penitusque exterrita tellus
Italiae, curuisque immugiit Aetna cauernis.

Mais le peuple des Cyclopes, des forêts et des hautes montagnes
Sorti, se précipite au port et envahit le littoral.
Nous discernons, se présentant vainement l'œil menaçant,
Les frères de l'Etna, portant au ciel leurs têtes haut placées,
Monstrueuse assemblée : tels, sur un haut sommet,

Des chênes aériens ou des cyprès conifères
Plantés, haute forêt de Jupiter ou bois sacré de Diane[230].
Une peur vive (nous) amène précipitamment (à relâcher) les écoutes
(Pour aller n'importe où), et à tendre nos voiles aux vents favorables.
Cependant, les ordres d'Hélénos me rappellent qu'(entre) Scylla et

(Charybde), l'une et l'autre voie menant sans grande différence à la mort,
Je n'aille pas m'engager ; il est décidé d'opérer un demi-tour.
Et voilà que Borée lui aussi, de l'étroite passe du Pélorée[231]
Envoyé, est là. Je double l'estuaire (du Pantagias[232]) hérissé de rochers,
Les baies Mégariennes et les basses terres de Thapsos[233].

Retraçant son errance dans l'autre sens, (Achéménide) nous désignait
Ces côtes, lui le compagnon de l'infortuné Ulysse.
Une île s'étend dans la baie sicane[234], en face
Du tempétueux Plemmyrion ; les anciens l'appelaient
Ortygie. On dit que jusqu'ici Alphée, le fleuve d'Elide,

A fait cheminer un parcours secret sous la mer ; et à présent
Par ta bouche, ô Aréthuse, il se mêle aux flots siciliens[235].
Nous sommes enjoints d'honorer les grandes divinités du lieu ; de là
Je dépasse les terres très fertiles du tranquille Heloros[236].
De là les hautes falaises et les rochers proéminents du Pachynum[237]

---

[230] Les cyprès des cimetières rappellent Diane, déesse du monde souterrain.
[231] Cf. vers 411 supra.
[232] Rivière débouchant dans la baie de Megara Hyblaea, au nord de Syracuse.
[233] Sur la presqu'île de Magnisi, à une dizaine de kilomètres de Syracuse.
[234] La rade de Syracuse, qu'encadrent au nord l'île d'Ortygie et au sud le cap Plemmyrion.
[235] La fontaine Aréthuse est la principale source d'eau douce de l'île d'Ortygie.
[236] Aujourd'hui le Tellaro, petit fleuve côtier se jetant dans la mer près de Noto.
[237] Aujourd'hui sur la commune de Pachino, à la pointe sud de la Sicile.

At genus e siluis Cyclopum et montibus altis   675
excitum ruit ad portus et litora complent.
Cernimus adstantis nequiquam lumine toruo
Aetnaeos fratres, caelo capita alta ferentis,
concilium horrendum: quales cum uertice celso

aeriae quercus, aut coniferae cyparissi   680
constiterunt, silua alta Iouis, lucusue Dianae.
Praecipites metus acer agit quocumque rudentis
excutere, et uentis intendere uela secundis.
Contra iussa monent Heleni Scyllam atque Charybdin

inter, utramque uiam leti discrimine paruo,   685
ni teneam cursus; certum est dare lintea retro.
Ecce autem Boreas angusta ab sede Pelori
missus adest. Viuo praeteruehor ostia saxo
Pantagiae Megarosque sinus Thapsumque iacentem.

Talia monstrabat relegens errata retrorsus   690
litora Achaemenides, comes infelicis Ulixi.
Sicanio praetenta sinu iacet insula contra
Plemyrium undosum; nomen dixere priores
Ortygiam. Alpheum fama est huc Elidis amnem

occultas egisse uias subter mare; qui nunc   695
ore, Arethusa, tuo Siculis confunditur undis.
Iussi numina magna loci ueneramur; et inde
exsupero praepingue solum stagnantis Helori.
Hinc altas cautes proiectaque saxa Pachyni

Nous frôlons, et (Camarine[238]), à qui le destin avait interdit de changer,
Apparaît au loin, ainsi que les plaines du Gelas,
Et Gela[239] la puissante, ainsi nommée d'après le fleuve.
De là le haut perché Acragas[240] exhibe au loin ses imposants
Remparts, d'où sortiront un jour de fiers chevaux ;

Et toi aussi, avec l'aide des vents, je te quitte, Sélinonte et tes palmeraies,
Je longe les dangereux hauts-fonds de Lilybée[241], aux rochers invisibles.
De là le port de Drépanum[242] et ses tristes rivages
M'accueille. Ici, après avoir vécu tant de tempêtes en mer,
Las, (je perds) mon père, lui le réconfort de tout souci et désastre,

Anchise : ici, toi le meilleur des pères, épuisé
Tu m'abandonnes, hélas vainement rescapé de si grands dangers !
Ni le prophète Hélénos, bien qu'il m'eût averti de beaucoup d'horreurs,
Ne m'a prédit ce deuil, ni la terrible Céléno.
Ce fut ma dernière épreuve, le terme de longues pérégrinations.

Une fois parti de là, le dieu m'emporta vers vos rivages. »
Ainsi le père Enée, seul à tous (ses auditeurs) attentifs
Rapportait les arrêts des dieux, et faisait connaître ses voyages.
Il se tut enfin et en resta là, (son récit) terminé.

---

[238] Cette colonie grecque, à proximité de l'actuelle Raguse, fut plusieurs fois détruite et reconstruite pour avoir désobéi à un oracle lui enjoignant de ne pas assécher les marais environnants (qui la défendaient de ses ennemis).
[239] Ancienne colonie grecque, l'actuelle Gela dans la province de Caltanissetta.
[240] Aujourd'hui Agrigente ; la cité était connue pour ses chevaux qui avaient remporté des prix aux jeux olympiques, et à qui on élevait des monuments.
[241] A l'extrémité ouest de la Sicile, aujourd'hui Marsala.
[242] Trapani, aux côtes bordées de salines.

radimus, et fatis numquam concessa moueri   700
adparet Camerina procul campique Geloi,
immanisque Gela fluuii cognomine dicta.
Arduus inde Acragas ostentat maxuma longe
moenia, magnanimum quondam generator equorum;

teque datis linquo uentis, palmosa Selinus,   705
et uada dura lego saxis Lilybeia caecis.
Hinc Drepani me portus et inlaetabilis ora
accipit. Hic, pelagi tot tempestatibus actis,
heu genitorem, omnis curae casusque leuamen,

amitto Anchisen: hic me, pater optume, fessum   710
deseris, heu, tantis nequiquam erepte periclis!
Nec uates Helenus, cum multa horrenda moneret,
hos mihi praedixit luctus, non dira Celaeno.
Hic labor extremus, longarum haec meta uiarum.

Hinc me digressum uestris deus adpulit oris.'   715
Sic pater Aeneas intentis omnibus unus
fata renarrabat diuom, cursusque docebat.
Conticuit tandem, factoque hic fine quieuit.

CHANT IV

CHANT IV

Mais la reine, atteinte depuis un bon moment d'un grave mal d'amour,
Nourrit cette blessure dans ses veines, et brûle d'une secrète flamme.
Lui reviennent fréquemment à l'esprit le grand courage de l'homme,
Ainsi que sa race très glorieuse : en son cœur restent gravés son visage

Et ses paroles, et le mal ne laisse pas ses membres en paix.
Succédant au disque de Phébé, (Aurore) répandait sa lumière sur la terre,
Débarrassant le firmament de son humide obscurité,
Lorsque, mal en point, ainsi elle s'adresse à sa sœur, son alter ego :
« Anne, ma sœur, quelle terrifiante insomnie m'a tenue en éveil !

Quel hôte inaccoutumé ici est venu en notre demeure,
Quel visage il a, quelle poitrine et quelles épaules !
Je crois vraiment, sans mentir, qu'il est de naissance divine.
La crainte trahit les esprits médiocres : hélas, quel destin
L'a (ainsi) ballotté ! Quelles rudes guerres il chantait !

Si je n'avais pas, ancrée et persistante dans mon esprit,
La volonté de ne pas contracter de lien de mariage avec qui que ce soit
Après l'échec de mon premier amour, trompée que je fus par la mort,
Si la chambre et la torche nuptiales ne m'avaient pas été répugnantes,
Pour lui seul peut-être j'aurais pu succomber à la faute.

Anna, je vais l'avouer, après le destin de mon malheureux (époux) Sichée
Et mes Pénates éclaboussés par le meurtre perpétré par mon frère,
Seul cet (homme) a modifié mes sentiments, et (a incité) mon esprit
(A douter) : je reconnais les marques d'une vieille flamme.
Mais je préfèrerais que, soit les profondeurs de la terre m'engloutissent,

LIBER IV

At regina graui iamdudum saucia cura
uolnus alit uenis, et caeco carpitur igni.
Multa uiri uirtus animo, multusque recursat
gentis honos: haerent infixi pectore uoltus

uerbaque, nec placidam membris dat cura quietem.　　　　5
Postera Phoebea lustrabat lampade terras,
umentemque Aurora polo dimouerat umbram,
cum sic unanimam adloquitur male sana sororem:
"Anna soror, quae me suspensam insomnia terrent!

Quis nouus hic nostris successit sedibus hospes,　　　　10
quem sese ore ferens, quam forti pectore et armis!
Credo equidem, nec uana fides, genus esse deorum.
Degeneres animos timor arguit: heu, quibus ille
iactatus fatis! Quae bella exhausta canebat!

Si mihi non animo fixum immotumque sederet,　　　　15
ne cui me uinclo uellem sociare iugali,
postquam primus amor deceptam morte fefellit;
si non pertaesum thalami taedaeque fuisset,
huic uni forsan potui succumbere culpae.

Anna, fatebor enim, miseri post fata Sychaei　　　　20
coniugis et sparsos fraterna caede Penatis,
solus hic inflexit sensus, animumque labantem
impulit: adgnosco ueteris uestigia flammae.
Sed mihi uel tellus optem prius ima dehiscat,

Soit que le Père tout-puissant m'envoie, foudroyée, au pays des ombres,
Des ombres blafardes et dans la nuit profonde de l'Erèbe[243],
Plutôt que, Pudeur[244], je te viole, ou m'affranchisse de tes lois.
Celui qui, le premier, m'a uni à soi, (celui-là) mon amour
A emporté ; qu'il l'ait avec soi et le garde dans la tombe. »

Ayant dit cela, elle se met à pleurer des larmes qui inondent son sein.
Anne répond : « O toi que ta sœur aime plus que la lumière,
Vas-tu seule, affligée, te ronger pendant toute ta jeunesse,
Sans avoir connu de douce descendance, récompense de Vénus ?
Crois-tu que des cendres ou des Mânes enterrés s'en soucient ?

Comme tu voudras : pas un prétendant ne t'a encore sorti de ton chagrin,
Pas en Libye, pas à Tyr auparavant ; tu as dédaigné Iarbas[245]
Et d'autres chefs que la (riche) terre d'Afrique de victoires
Nourrit : et même à un amour charmant tu vas t'opposer ?
Il ne te vient pas à l'esprit chez qui tu t'es établie ?

(Pense aux) cités des Gétules[246], une race insurpassable à la guerre,
Et aux Numides débridés[247] qui t'entourent, aux Syrtes inhospitalières ;
A cette contrée désolée par la sécheresse et, partout sévissant,
A ces Barcéens[248]. Et que dirai-je des guerres avec Tyr,
Et des menaces de ton frère ?

Et je pense même que les auspices divins et Junon dans sa bienveillance
Ont commandé par le vent la course des nefs d'Ilion jusqu'ici.
Quelle sera ta cité, ma sœur, quel royaume tu verras naître
D'un tel mariage ! Accompagnée des armes des Teucriens,
La gloire Punique[249] à quel niveau ne se haussera-t-elle pas !

---

[243] Dieu de l'Enfer.
[244] Divinité gréco-romaine.
[245] Roi de Gétulie à qui Didon acheta le terrain sur lequel elle bâtit Carthage.
[246] La Gétulie était une vaste contrée située au sud de la Numidie.
[247] Conduisant des chevaux sans rênes ?
[248] Peuplades vivant autour de Barce, sur la côte orientale de l'actuelle Lybie.
[249] Carthaginoise.

uel Pater omnipotens adigat me fulmine ad umbras,   25
pallentis umbras Erebi noctemque profundam,
ante, Pudor, quam te uiolo, aut tua iura resoluo.
Ille meos, primus qui me sibi iunxit, amores
abstulit; ille habeat secum seruetque sepulchro."

Sic effata sinum lacrimis impleuit obortis.   30
Anna refert: "O luce magis dilecta sorori,
solane perpetua maerens carpere iuuenta,
nec dulcis natos, Veneris nec praemia noris?
Id cinerem aut Manis credis curare sepultos?

Esto: aegram nulli quondam flexere mariti,   35
non Libyae, non ante Tyro; despectus Iarbas
ductoresque alii, quos Africa terra triumphis
diues alit: placitone etiam pugnabis amori?
Nec uenit in mentem, quorum consederis aruis?

Hinc Gaetulae urbes, genus insuperabile bello,   40
et Numidae infreni cingunt et inhospita Syrtis;
hinc deserta siti regio, lateque furentes
Barcaei. Quid bella Tyro surgentia dicam,
germanique minas?

Dis equidem auspicibus reor et Iunone secunda   45
hunc cursum Iliacas uento tenuisse carinas.
Quam tu urbem, soror, hanc cernes, quae surgere regna
coniugio tali! Teucrum comitantibus armis
Punica se quantis attollet gloria rebus!

Réclame seulement aux dieux leur faveur, tout en sacrifiant
Montre-toi hospitalière, et invente des raisons pour les retarder,
Tant que sur la mer l'hiver et le pluvieux Orion s'acharnent,
Que les navires sont secoués, que le ciel est intraitable. »
Par ces paroles elle activait la flamme d'un amour (déjà) allumé,

Et donnait de l'espoir à un esprit dans le doute en sapant ses scrupules.
D'abord elles visitent les sanctuaires et, sur les autels, de la bienveillance
(Divine) s'enquièrent ; elles immolent, selon la coutume, des bidentées[250]
A Cérès la législatrice, à Phébus, au père Lyaeos[251],
A Junon avant tout, qui veille sur les liens du mariage.

Tenant une patère dans sa dextre, la splendide Didon en personne
La déverse au milieu des cornes d'une vache d'un blanc immaculé,
Ou bien à la face des dieux déambule devant les autels bien garnis,
Et fait durer le jour par ses offrandes, et du bétail aux (poitrines) ouvertes
Avec avidité elle interroge les viscères palpitants.

Hélas, esprits aveugles des devins ! (à quoi servent) des prières
(Pour une folle), des sanctuaires ? La flamme dans ses tendres moelles
S'est introduite, et sa blessure silencieuse couve dans son cœur.
La malheureuse Didon se consume, et erre par toute
La cité, possédée, telle une biche (imprudente) par un trait

De loin transpercée, au milieu d'un bois de Crête, (trait décoché)
Par un berger chassant avec ses flèches, et ayant libéré son fer véloce
Sans le savoir ; elle dans sa fuite traverse les bois et les halliers
Du Dicté ; le dard mortifère est fiché dans son flanc.
Tantôt elle emmène Enée avec elle à l'intérieur de ses remparts,

Et devant lui déploie les richesses de Sidon, une cité toute prête ;
Elle commence à parler, s'arrête au milieu de son discours ;
Tantôt, le jour passant, elle commande le même banquet,
Et d'entendre derechef (parler) des épreuves des hommes d'Ilion
(Avec passion) exige, derechef suspendue aux lèvres de l'orateur.

---

[250] Brebis de deux ans.
[251] Le libérateur : épithète de Bacchus.

Tu modo posce deos ueniam, sacrisque litatis   50
indulge hospitio, causasque innecte morandi,
dum pelago desaeuit hiemps et aquosus Orion,
quassataeque rates, dum non tractabile caelum."
His dictis incensum animum inflammauit amore,

spemque dedit dubiae menti, soluitque pudorem.   55
Principio delubra adeunt, pacemque per aras
exquirunt; mactant lectas de more bidentis
legiferae Cereri Phoeboque patrique Lyaeo,
Iunoni ante omnis, cui uincla iugalia curae.

Ipsa, tenens dextra pateram, pulcherrima Dido   60
candentis uaccae media inter cornua fundit,
aut ante ora deum pinguis spatiatur ad aras,
instauratque diem donis, pecudumque reclusis
pectoribus inhians spirantia consulit exta.

Heu uatum ignarae mentes! quid uota furentem,   65
quid delubra iuuant? Est mollis flamma medullas
interea, et tacitum uiuit sub pectore uolnus.
Uritur infelix Dido, totaque uagatur
urbe furens, qualis coniecta cerua sagitta,

quam procul incautam nemora inter Cresia fixit   70
pastor agens telis, liquitque uolatile ferrum
nescius; illa fuga siluas saltusque peragrat
Dictaeos; haeret lateri letalis arundo.
Nunc media Aenean secum per moenia ducit,

Sidoniasque ostentat opes urbemque paratam;   75
incipit effari, mediaque in uoce resistit;
nunc eadem labente die conuiuia quaerit,
Iliacosque iterum demens audire labores
exposcit, pendetque iterum narrantis ab ore.

Puis, quand ils sont partis, et qu'à son tour sa lumière l'obscure
Lune éteint et que les étoiles qui se couchent au sommeil invitent,
Seule dans sa maison vide, elle s'afflige et sur les tapis délaissés
Elle se couche et absente, absent elle le voit, l'entend ;
Ou bien, captivée par le portrait de son père, dans son giron Ascagne

Retient, dans l'espoir de pouvoir oublier son abominable amour.
Les tours qu'on a commencé à construire sont délaissées, la jeunesse
(Aux combats) ne s'entraîne pas, ni le port ni les bastions pour la guerre
On ne renforce ; les travaux restent en plan, ainsi que les menaçants et
Redoutables remparts et les engins montant jusqu'au ciel.

Aussitôt qu'elle sentit (Didon) possédée d'une telle maladie,
Et que sa réputation n'empêchait pas sa folie, la chère épouse de Jupiter,
La fille de Saturne, en ces termes aborde Vénus :
« Vous remportez vraiment d'insignes louanges et un butin considérable,
Toi et ton fils, un grand renom digne de mémoire,

S'il faut la ruse de deux dieux pour vaincre une seule (et simple) femme !
Et il ne m'échappe pas, tu penses bien, que craignant nos remparts,
Tu aies tenu pour suspectes les demeures de l'éminente Carthage.
Mais où cela s'arrêtera-t-il, et où mèneront de si grandes rivalités ?
Pourquoi une paix éternelle et un mariage arrangé

Nous ne conclurions ? Tu as ce que tu as constamment recherché :
Didon brûle d'amour, et dans ses os a inoculé la folie.
Sur le commun des mortels régnons donc avec les mêmes
Pouvoirs ; qu'il lui soit permis de servir un mari phrygien,
Et de confier à ta dextre les Tyriens en guise de dot. »

A Junon — car elle réalisa qu'elle lui avait parlé sournoisement
Afin de pouvoir détourner l'empire d'Italie vers les rivages libyens —
Vénus commença à parler ainsi : « Qui serait assez fou
Pour refuser (cela), et préférer t'avoir comme ennemie,
Si du moins ce que tu évoques pouvait être favorisé par la fortune.

Post, ubi digressi, lumenque obscura uicissim   80
luna premit suadentque cadentia sidera somnos,
sola domo maeret uacua, stratisque relictis
incubat, illum absens absentem auditque uidetque;
aut gremio Ascanium, genitoris imagine capta,

detinet, infandum si fallere possit amorem.   85
Non coeptae adsurgunt turres, non arma iuuentus
exercet, portusue aut propugnacula bello
tuta parant; pendent opera interrupta, minaeque
murorum ingentes aequataque machina caelo.

Quam simul ac tali persensit peste teneri   90
cara Iouis coniunx, nec famam obstare furori,
talibus adgreditur Venerem Saturnia dictis:
"Egregiam uero laudem et spolia ampla refertis
tuque puerque tuus, magnum et memorabile nomen,

una dolo diuom si femina uicta duorum est!   95
Nec me adeo fallit ueritam te moenia nostra
suspectas habuisse domos Karthaginis altae.
Sed quis erit modus, aut quo nunc certamine tanto?
Quin potius pacem aeternam pactosque hymenaeos

exercemus? Habes, tota quod mente petisti: 100
ardet amans Dido, traxitque per ossa furorem.
Communem hunc ergo populum paribusque regamus
auspiciis; liceat Phrygio seruire marito,
dotalisque tuae Tyrios permittere dextrae."

Olli -- sensit enim simulata mente locutam,   105
quo regnum Italiae Libycas auerteret oras --
sic contra est ingressa Venus: "Quis talia demens
abnuat, aut tecum malit contendere bello,
si modo quod memoras factum fortuna sequatur.

Mais je ne suis pas certaine du destin, si Jupiter une seule
Ville accepterait pour à la fois les Tyriens et les émigrés de Troie,
Et approuverait que ces peuples soient mélangés et des traités conclus.
Toi, son épouse, tu as le droit de sonder son esprit en le suppliant.
Vas-y ; je suivrai. Alors la reine Junon rétorqua ceci :

« Je vais m'en charger : maintenant par quel plan ce qui menace d'arriver
Peut être accompli, en peu de mots, écoute, je vais (te) l'apprendre.
Pour chasser ensemble, Enée et la malheureuse Didon
Se préparent à se rendre dans la forêt, quand demain les premières lueurs
Titan[252] aura fait émerger, et de ses rayons aura éclairé la terre.

Un nuage obscur porteur d'orage et de grêle,
Alors que les rabatteurs font du bruit en encerclant les bois de leur battue,
D'en haut je précipiterai sur eux, et du tonnerre j'ébranlerai tout le ciel.
Leurs accompagnateurs s'égailleront et une nuit noire les recouvrira :
Didon et le chef troyen dans la même caverne

Se retrouveront ; j'y serai et, si je peux compter sur ta bienveillance,
Je les lierai par les fermes liens du mariage et la déclarerai sienne,
Hyménée[253] sera présent. » — Sans s'opposer, à la requérante
La Cythéréenne donna son accord, souriant de cette ruse grossière.
Entretemps Aurore[254] à son lever quitta l'Océan[255].

Sa splendeur apparue, une jeunesse distinguée se rend aux portes ;
Avec des filets à maille lâche ou serrée, des épieux à large pointe ferrée,
Les cavaliers Massyles[256] et la meute des chiens au flair aiguisé foncent.
La reine s'attardant dans sa chambre, dans l'entrée les chefs
Puniques l'attendent et, de pourpre et d'or harnaché, (se tient)

---

[252] Le Titan Hypérion, père d'Hélios, parfois considéré comme le Soleil lui-même.
[253] Le dieu présidant aux mariages.
[254] Déesse ouvrant les portes de l'Orient et avant-courrière du Soleil.
[255] L'Océan désigne toutes les mers qui étaient censées entourer la terre.
[256] Peuples habitant la partie orientale de la Numidie.

Sed fatis incerta feror, si Iuppiter unam 110
esse uelit Tyriis urbem Troiaque profectis,
misceriue probet populos, aut foedera iungi.
Tu coniunx tibi fas animum temptare precando.
Perge; sequar. Tum sic excepit regia Iuno:

"Mecum erit iste labor: nunc qua ratione, quod instat 115
confieri possit, paucis, aduerte, docebo.
Venatum Aeneas unaque miserrima Dido
in nemus ire parant, ubi primos crastinus ortus
extulerit Titan, radiisque retexerit orbem.

His ego nigrantem commixta grandine nimbum, 120
dum trepidant alae, saltusque indagine cingunt,
desuper infundam, et tonitru caelum omne ciebo.
Diffugient comites et nocte tegentur opaca:
speluncam Dido dux et Troianus eandem

deuenient; adero, et, tua si mihi certa uoluntas, 125
conubio iungam stabili propriamque dicabo,
hic Hymenaeus erit." -- Non aduersata petenti
adnuit, atque dolis risit Cytherea repertis.
Oceanum interea surgens Aurora reliquit.

It portis iubare exorto delecta iuuentus; 130
retia rara, plagae, lato uenabula ferro,
Massylique ruunt equites et odora canum uis.
Reginam thalamo cunctantem ad limina primi
Poenorum exspectant, ostroque insignis et auro

Son destrier aux sabots sonores, impétueux, rongeant son frein écumeux.
Enfin elle s'avance, une grande foule se pressant autour d'elle,
Enveloppée dans une chlamyde sidonienne ourlée de broderies.
Son carquois est d'or, ses cheveux retenus par une agrafe en or,
Une fibule en or maintient sa robe de pourpre.

Ni les compagnons phrygiens, ni le joyeux Julus
Ne manquent à l'appel. Surpassant les autres en beauté,
Enée (lui-même) se présente pour les accompagner et rejoint leurs rangs.
Comme lorsque (Apollon) l'hivernale Lycie et les courants du Xanthe
Délaisse pour rendre visite à la maternelle Délos[257],

Et fait reprendre les danses[258] avec, mêlés autour de l'autel,
Des Crétois, des Dryopes[259] qui hurlent, des Agathyrses[260] peinturlurés ;
Lui-même des crêtes du Cynthe[261] s'avance, d'une délicate (couronne)
De feuilles et d'un bandeau d'or il discipline sa chevelure (flottante) ;
Ses flèches sonnantes à l'épaule, non moins posément que lui marchait

Enée ; non moins grande est la dignité émanant de son noble visage.
Après être arrivés dans de hautes montagnes et des marais impraticables,
Voilà que des bouquetins rabattus du haut des rochers
Déboulèrent des crêtes ; d'un autre côté, (des champs) à découvert
Sont traversés par des cerfs, qui courent en rangs serrés et

Dans la poussière s'agglutinent en fuyant, quittant les montagnes.
Et le jeune Ascagne au milieu des vallées sur son farouche
Cheval se délecte, dépassant tantôt les uns, tantôt les autres à la course,
(Espérant) qu'à ses prières on accorde, au milieu des paresseuses hardes,
Un (écumant) sanglier, ou que de la montagne un lion fauve descende.

---

[257] Apollon, né sur l'île flottante de Délos, avait un sanctuaire oraculaire à Patare en Lycie, à l'embouchure du Xanthe (à ne pas confondre avec celui de Troade) ; il y résidait les six mois de l'hiver, passant les six autres à Délos.
[258] Apollon est le patron des musiciens.
[259] Les Dryopes, après moult pérégrinations, se fixèrent autour de Cyzique, au nord-est de la Troade, au bord de la Propontide (mer de Marmara).
[260] Peuplades habitant au nord de la Scythie.
[261] Sur l'île de Délos : cf. les vers 498-501 du Chant I.

stat sonipes, ac frena ferox spumantia mandit.   135
Tandem progreditur, magna stipante caterua,
Sidoniam picto chlamydem circumdata limbo.
Cui pharetra ex auro, crines nodantur in aurum,
aurea purpuream subnectit fibula uestem.

Nec non et Phrygii comites et laetus Iulus   140
incedunt. Ipse ante alios pulcherrimus omnis
infert se socium Aeneas atque agmina iungit.
Qualis ubi hibernam Lyciam Xanthique fluenta
deserit ac Delum maternam inuisit Apollo,

instauratque choros, mixtique altaria circum   145
Cretesque Dryopesque fremunt pictique Agathyrsi;
ipse iugis Cynthi graditur, mollique fluentem
fronde premit crinem fingens atque implicat auro;
tela sonant umeris: haud illo segnior ibat

Aeneas; tantum egregio decus enitet ore.   150
Postquam altos uentum in montis atque inuia lustra,
ecce ferae, saxi deiectae uertice, caprae
decurrere iugis; alia de parte patentis
transmittunt cursu campos atque agmina cerui

puluerulenta fuga glomerant montisque relinquunt.   155
At puer Ascanius mediis in uallibus acri
gaudet equo, iamque hos cursu, iam praeterit illos,
spumantemque dari pecora inter inertia uotis
optat aprum, aut fuluum descendere monte leonem.

Entretemps le ciel d'un grondement sourd (commence) à se troubler ;
Un nuage de pluie mélangée de grêle survient ;
Et les compagnons tyriens çà et là, et les jeunes troyens
Ainsi que le petit-fils Dardanéen de Vénus par les champs
Cherchèrent à se réfugier, apeurés ; les rivières dévalent des montagnes.

Dans la même caverne Didon et le chef troyen
Se retrouvent : d'abord à la fois Tellus[262] et la marieuse Junon
Délivrent un signe ; l'éther fulgura d'éclairs, complice
Des noces, et du haut des rochers les nymphes poussèrent des youyous.
Ce jour (fut) le premier de sa ruine, et de ses malheurs

La première cause ; en effet ni les apparences ni le renom n'agissent plus
Sur Didon, qui ne se cache plus de son amour :
Elle l'appelle un mariage ; de ce nom elle recouvrit sa faute.
Aussitôt Fama[263] court par les grandes cités de Libye —
Fama, plus véloce qu'aucun autre mal ;

Elle prend de la vitesse, et se renforce en allant,
D'abord insignifiante par crainte, bientôt elle s'élève dans les airs,
Et marche sur terre en cachant sa tête au milieu des nuages.
La Terre mère, provoquée par la colère des dieux,
Ainsi le raconte-on, comme dernière sœur de Céos[264] et d'Encelade

La fit naître, avec des pieds véloces et des ailes rapides,
Monstre horrible, énorme, qui possède autant de plumes sur le corps
Que d'yeux vigilants par dessous, ô merveille,
Autant de langues, de bouches qui parlent, d'oreilles qui se dressent.
La nuit elle vole entre ciel et terre traversant l'obscurité,

---

[262] La déesse Terre, alias Cybèle, Cérès, Déméter…
[263] Déesse fille de la Terre ; elle possédait deux trompettes, celle de la rumeur sur terre et celle de la renommée dans les airs.
[264] Titan fils de la Terre et du Ciel.

Interea magno misceri murmure caelum 160
incipit; insequitur commixta grandine nimbus;
et Tyrii comites passim et Troiana iuuentus
Dardaniusque nepos Veneris diuersa per agros
tecta metu petiere; ruunt de montibus amnes.

Speluncam Dido dux et Troianus eandem 165
deueniunt: prima et Tellus et pronuba Iuno
dant signum; fulsere ignes et conscius aether
conubiis, summoque ululdarunt uertice nymphae.
Ille dies primus leti primusque malorum

causa fuit; neque enim specie famaue mouetur, 170
nec iam furtiuum Dido meditatur amorem:
coniugium uocat; hoc praetexit nomine culpam.
Extemplo Libyae magnas it Fama per urbes --
Fama, malum qua non aliud uelocius ullum;

mobilitate uiget, uiresque adquirit eundo, 175
parua metu primo, mox sese attollit in auras,
ingrediturque solo, et caput inter nubila condit.
Illam Terra parens, ira inritata deorum,
extremam ut perhibent Coeo Enceladoque sororem

progenuit, pedibus celerem et pernicibus alis, 180
monstrum horrendum, ingens, cui, quot sunt corpore plumae
tot uigiles oculi subter, mirabile dictu,
tot linguae, totidem ora sonant, tot subrigit aures.
Nocte uolat caeli medio terraeque per umbram,

Grinçante, et dans un doux sommeil ne plonge pas ses yeux ;
Le jour elle reste de garde, perchée soit sur le faîte des toits les plus hauts,
Ou sur les tours élevées, terrifiant les grandes cités ;
Autant acharnée à calomnier que messagère de vérité.
Cette (déesse) rassasiait (à plaisir) les gens de discours équivoques,

Et pareillement chantait le vrai et le faux :
Qu'Enée, issu d'un sang troyen, était venu
Et que la belle Didon avait jugé digne de s'unir à lui ;
Qu'à présent ils passaient l'hiver, aussi long fût-il, dans la luxure
Oublieux du royaume et sous l'emprise de leur honteuse passion[265].

Partout la déesse répand ces obscénités dans la bouche des hommes.
Sur-le-champ elle fait un détour auprès du roi Iarbas,
Lui enflamme l'esprit par ses paroles et attise sa colère.
Ce rejeton d'Ammon[266] et de la Nymphe ravie du pays des Garamantes,
(Avait élevé) à Jupiter cent immenses temples dans son vaste royaume,

Cent autels, et (lui) avait consacré un feu permanent,
Perpétuel gardien des dieux, du sang du bétail (le sol de ces temples était)
Gras, et de guirlandes multicolores leur seuil (était) fleuri.
Et (l'on dit) que, ayant perdu la raison et enflammé par l'amère rumeur,
Devant les autels et au beau milieu des statues des dieux,

Suppliant, il a beaucoup imploré Jupiter, les mains tournées vers le ciel :
« Jupiter tout-puissant, (en l'honneur) de qui à présent (la race) Maure
Sur des lits de table (colorés) après les banquets fait des libations de vin,
Vois-tu ces choses ? est-ce que, toi mon père, lorsque ta foudre tu lances,
En vain nous tremblons (devant toi), et dans les nuages tes feux sans effet

---

[265] Allusion à la liaison de Cléopâtre VII avec Marc-Antoine ? Les deux venaient d'être vaincus par Octave à Actium en 31 av. JC.
[266] Ammon est fils de Jupiter et de la fille de Garamas, un roi de Lybie qui a donné son nom aux Garamantes, peuplade du Sahara qu'on rapproche des actuels Touaregs.

stridens, nec dulci declinat lumina somno;   185
luce sedet custos aut summi culmine tecti,
turribus aut altis, et magnas territat urbes;
tam ficti prauique tenax, quam nuntia ueri.
Haec tum multiplici populos sermone replebat

gaudens, et pariter facta atque infecta canebat: 190
uenisse Aenean, Troiano sanguine cretum,
cui se pulchra uiro dignetur iungere Dido;
nunc hiemem inter se luxu, quam longa, fouere
regnorum immemores turpique cupidine captos.

Haec passim dea foeda uirum diffundit in ora.   195
Protinus ad regem cursus detorquet Iarban,
incenditque animum dictis atque aggerat iras.
Hic Hammone satus, rapta Garamantide Nympha,
templa Ioui centum latis immania regnis,

centum aras posuit, uigilemque sacrauerat ignem,   200
excubias diuom aeternas, pecudumque cruore
pingue solum et uariis florentia limina sertis.
Isque amens animi et rumore accensus amaro
dicitur ante aras media inter numina diuom

multa Iouem manibus supplex orasse supinis: 205
"Iuppiter omnipotens, cui nunc Maurusia pictis
gens epulata toris Lenaeum libat honorem,
aspicis haec ? an te, genitor, cum fulmina torques,
nequiquam horremus, caecique in nubibus ignes

Terrifient-ils les esprits et soulèvent d'inoffensifs grondements ?
La femme qui, errant à nos frontières, une cité
Insignifiante moyennant finances a fondée, qui a dû labourer le rivage
Et aux terres de laquelle j'ai donné des lois, ma demande en mariage
A repoussé pour accueillir Enée en seigneur et maître dans son royaume.

Et à présent ce Pâris[267] avec sa suite efféminée,
Avec un bandeau Méonien[268] à son menton et à sa chevelure brillantinée
Attaché, s'en empare comme d'une rapine : des offrandes à tes temples,
Oui, à tes (temples) nous portons, cultivant ton impuissante réputation. »
Lui adressant ces prières et embrassant ses autels,

Le Tout-Puissant l'entendit, tourna son regard vers les remparts
Royaux et les amants oublieux de leur insigne réputation.
Alors ainsi il s'adresse à Mercure[269] et lui commande ces choses :
« Allez, va, mon fils, invoque Zéphyr et plane de tes ailes,
Et (parle) au chef Dardanéen, qui à présent dans la Carthage Tyrienne

S'attarde sans s'occuper des cités que le destin lui a données,
Et par les souffles rapides transmets-lui mes ordres.
Sa mère, la très belle, non pas qu'il serait cela nous
A promis, par deux fois des armes des Grecs l'ayant protégé ;
Mais qu'il serait celui par qui (l'Italie) grosse d'empires et belliqueuse

Serait dirigée, la race du noble sang de Teucer
Engendrée, et le monde entier administré[270].
Si de ces perspectives si glorieuses aucune ne l'enflamme,
Et si lui-même ne travaille à sa propre gloire,
A Ascagne son père va-t-il refuser les citadelles romaines ?

---

[267] Allusion au Troyen qui séduisit Hélène.
[268] La Méonie est un autre nom de la Lydie, pays d'Asie Mineure au sud de la Troade.
[269] Mercure-Hermès, messager des dieux, fils de Jupiter et de la nymphe Maïa, elle-même fille d'Atlas.
[270] Nouvel hymne à la gloire de César-Auguste.

terrificant animos et inania murmura miscent?   210
Femina, quae nostris errans in finibus urbem
exiguam pretio posuit, cui litus arandum
cuique loci leges dedimus, conubia nostra
reppulit, ac dominum Aenean in regna recepit.

Et nunc ille Paris cum semiuiro comitatu,   215
Maeonia mentum mitra crinemque madentem
subnexus, rapto potitur: nos munera templis
quippe tuis ferimus, famamque fouemus inanem."
Talibus orantem dictis arasque tenentem

audiit omnipotens, oculosque ad moenia torsit   220
regia et oblitos famae melioris amantes.
Tum sic Mercurium adloquitur ac talia mandat:
"Vade age, nate, uoca Zephyros et labere pennis,
Dardaniumque ducem, Tyria Karthagine qui nunc

exspectat, fatisque datas non respicit urbes,   225
adloquere, et celeris defer mea dicta per auras.
Non illum nobis genetrix pulcherrima talem
promisit, Graiumque ideo bis uindicat armis;
sed fore, qui grauidam imperiis belloque frementem

Italiam regeret, genus alto a sanguine Teucri   230
proderet, ac totum sub leges mitteret orbem.
Si nulla accendit tantarum gloria rerum,
nec super ipse sua molitur laude laborem,
Ascanione pater Romanas inuidet arces?

Que manigance-t-il, qu'espère-t-il en restant auprès d'une race ennemie,
Sans s'occuper de sa descendance ausonienne ni des champs laviniens ?
Qu'il prenne la mer ! voilà l'important ; que ce soit là mon message. »
Il avait parlé. (Mercure) de son auguste père s'apprêtait à exécuter
L'ordre ; et d'abord à ses pieds attache ses talonnières

Dorées qui dans les airs sur des ailes, que ce soit au-dessus des eaux
Ou au-dessus des terres, le portent de concert avec les vents rapides ;
Puis il prend son caducée, avec lequel il fait sortir de l'Orcus[271] les âmes
Blafardes, en envoie d'autres au fond du triste Tartare[272],
Donne et enlève le sommeil, et rouvre les yeux dans la mort[273].

Se fiant à lui[274], il dirige les vents, et traverse à la nage les turbulents
Nuages ; déjà dans son vol il distingue le sommet et les versants abrupts
Du solide Atlas[275] supportant le ciel sur sa cime,
L'Atlas dont, continuellement ceinturée de nuages noirs,
La tête couverte de pins est battue par le vent et les pluies ;

La neige tombée couvre ses épaules ; et des rivières du menton
Du vieillard dévalent, et sa barbe hérissée est raidie par la glace.
Ici d'abord, sur ses deux ailes pareillement prenant appui, le Cyllénien[276]
Se posa ; de là, la tête la première, de tout son long vers les flots
Il se jeta, pareil à un oiseau, qui à l'entour des côtes, autour

Des récifs poisonneux vole au ras de la mer.
Il ne volait pas autrement entre ciel et terre,
Rasant le rivage sablonneux de Libye et pourfendant les vents,
Le rejeton Cyllénien descendant de son aïeul maternel.
Dès qu'il eut touché les huttes de ses pieds ailés,

---

[271] Le royaume des morts, d'après le surnom donné à Pluton.
[272] La région la plus profonde des Enfers.
[273] Allusion à un rituel funéraire romain consistant à fermer les yeux du mort au moment de sa mort et à les rouvrir lorsque celui est sur le bûcher, pour lui permettre de voir dans l'outre-monde ?
[274] A son caducée.
[275] Chaîne de montagnes traversant d'ouest en est toute l'Afrique du Nord.
[276] Mercure est né sur le mont Cyllène en Arcadie.

Quid struit, aut qua spe inimica in gente moratur,   235
nec prolem Ausoniam et Lauinia respicit arua?
Nauiget ! haec summa est; hic nostri nuntius esto."
Dixerat. Ille patris magni parere parabat
imperio; et primum pedibus talaria nectit

aurea, quae sublimem alis siue aequora supra   240
seu terram rapido pariter cum flamine portant;
tum uirgam capit: hac animas ille euocat Orco
pallentis, alias sub Tartara tristia mittit,
dat somnos adimitque, et lumina morte resignat.

Illa fretus agit uentos, et turbida tranat   245
nubila; iamque uolans apicem et latera ardua cernit
Atlantis duri, caelum qui uertice fulcit,
Atlantis, cinctum adsidue cui nubibus atris
piniferum caput et uento pulsatur et imbri;

nix umeros infusa tegit; tum flumina mento   250
praecipitant senis, et glacie riget horrida barba.
Hic primum paribus nitens Cyllenius alis
constitit; hinc toto praeceps se corpore ad undas
misit, aui similis, quae circum litora, circum

piscosos scopulos humilis uolat aequora iuxta.   255
Haud aliter terras inter caelumque uolabat,
litus harenosum Libyae uentosque secabat
materno ueniens ab auo Cyllenia proles.
Ut primum alatis tetigit magalia plantis,

Enée en train de fonder une citadelle et de rénover des maisons
Il aperçoit ; et (il portait une épée) étincelante de jaspe orangé,
Et un manteau de laine resplendissant de murex Tyrien
Lui descendait des épaules, somptueux cadeau que Didon
Lui avait fait, intercalant dans la chaîne (du tissu) de minces fils d'or.

Immédiatement il l'aborde : « Voilà qu'à présent de l'altière Carthage
Tu poses les fondations, une belle cité en mari asservi à sa femme
Tu édifies, toi qui hélas oublies ton royaume et tes propres affaires ?
De la lumineuse Olympe m'envoie à toi des dieux
Le roi, qui sous son autorité fait tourner le ciel et la terre ;

Lui-même me commande de porter ces ordres par les airs rapides :
Que construis-tu, et qu'espères-tu en traînaillant en terre libyenne ?
Si de perspectives si glorieuses aucune ne te fait bouger,
Et si toi-même tu ne travailles à ta propre gloire,
La postérité d'Ascagne et les espoirs mis en Julus, ton héritier,

Prends en considération, lui à qui le royaume d'Italie et la terre romaine
Sont dus. » S'étant ainsi exprimé, le Cyllénien
Quitta son aspect mortel en plein discours,
Et au loin s'évanouit et disparut des yeux dans la brise légère.
Et véritablement Enée, égaré par cette vision, en resta muet.

D'effroi ses cheveux se dressent sur sa tête, et sa voix reste dans sa gorge.
Il brûle de quitter en fuyant cette douce terre,
Abasourdi par un avertissement si net et par l'ordre des dieux.
Las, que faire ? A présent, aborder la reine hors d'elle, par quel
Discours oser ? Par quoi commencer ?

Et son esprit agile tantôt par ci, tantôt par là il retourne,
L'entraînant dans différentes directions, les passant toutes en revue.
Dans son hésitation, l'opinion suivante lui paraît préférable :
Il appelle Ménesthée et Sergeste, ainsi que le brave Séreste, (pour qu'ils)
Appareillent la flotte en secret, regroupent les compagnons sur le rivage,

Aenean fundantem arces ac tecta nouantem   260
conspicit; atque illi stellatus iaspide fulua
ensis erat, Tyrioque ardebat murice laena
demissa ex umeris, diues quae munera Dido
fecerat, et tenui telas discreuerat auro.

Continuo inuadit: "Tu nunc Karthaginis altae   265
fundamenta locas, pulchramque uxorius urbem
exstruis, heu regni rerumque oblite tuarum?
Ipse deum tibi me claro demittit Olympo
regnator, caelum ac terras qui numine torquet;

ipse haec ferre iubet celeris mandata per auras: 270
quid struis, aut qua spe Libycis teris otia terris?
Si te nulla mouet tantarum gloria rerum,
nec super ipse tua moliris laude laborem,
Ascanium surgentem et spes heredis Iuli

respice, cui regnum Italiae Romanaque tellus   275
debetur." Tali Cyllenius ore locutus
mortalis uisus medio sermone reliquit,
et procul in tenuem ex oculis euanuit auram.
At uero Aeneas aspectu obmutuit amens,

arrectaeque horrore comae, et uox faucibus haesit.   280
Ardet abire fuga dulcisque relinquere terras,
attonitus tanto monitu imperioque deorum.
Heu quid agat? Quo nunc reginam ambire furentem
audeat adfatu? Quae prima exordia sumat?

Atque animum nunc huc celerem, nunc diuidit illuc,   285
in partisque rapit uarias perque omnia uersat.
Haec alternanti potior sententia uisa est:
Mnesthea Sergestumque uocat fortemque Serestum,
classem aptent taciti sociosque ad litora cogant,

Préparent les armes, et la raison de ces changements
Dissimulent ; lui entretemps, dans l'idée que l'excellente Didon
N'est pas au courant et ne s'attend pas à la rupture d'un si grand amour,
Tâcherait de l'approcher, et de trouver pour lui parler le plus doux
Moment, la façon de faire appropriée. Que tous au plus vite

A cet ordre avec joie obéissent et exécutent ses commandements.
Mais la reine ces ruses — qui pourrait tromper une amante ?
Pressentit, et dès l'abord ces changements à venir perçut,
Craignant le calme avant la tempête. Cette même Fama impie
(A l'enragée) rapporta qu'on armait la flotte, qu'à partir on se préparait.

Elle enrage dans son impuissance, et dans sa passion par toute la cité
Se déchaîne, telle une Thyade[277] excitée par des rites forcenés,
Stimulée par l'appel à Bacchus lors des trisannuelles
Orgies[278], alors que le nocturne Cithéron[279] la convoque en criant.
Pour finir elle interpelle spontanément Enée avec ces paroles :

« As-tu vraiment espéré (pouvoir) dissimuler, traître, une si grande
Scélératesse, et en secret te retirer de mes terres ?
Ni notre amour, ni la dextre qu'un jour que j'ai tendue,
Ni que Didon va mourir d'une cruelle mort, ne te retiennent ?
Et en outre tu mets ta flotte en mouvement sous une étoile hivernale,

Et tu t'empresses d'affronter la haute mer en plein milieu des aquilons,
Homme sans cœur ? Et si, non pas des plaines étrangères et des demeures
Inconnues tu cherchais à gagner, et que l'antique Troie était toujours là,
Chercherais-tu à y aller par la mer houleuse sur tes navires ?
Est-ce moi que tu fuis ? (Si) par ces larmes et ta dextre,

---

[277] Nom donné aux Bacchantes.
[278] Les Triétérides étaient des fêtes célébrées tous les trois ans en l'honneur de Bacchus en Béotie et en Thrace.
[279] Mont de Béotie consacré à Jupiter, Bacchus et aux Muses.

arma parent, et quae rebus sit causa nouandis 290
dissimulent; sese interea, quando optuma Dido
nesciat et tantos rumpi non speret amores,
temptaturum aditus, et quae mollissima fandi
tempora, quis rebus dexter modus. Ocius omnes

imperio laeti parent ac iussa facessunt. 295
At regina dolos -- quis fallere possit amantem?
praesensit, motusque excepit prima futuros,
omnia tuta timens. Eadem impia Fama furenti
detulit armari classem cursumque parari.

Saeuit inops animi, totamque incensa per urbem 300
bacchatur, qualis commotis excita sacris
Thyias, ubi audito stimulant trieterica Baccho
orgia, nocturnusque uocat clamore Cithaeron.
Tandem his Aenean compellat uocibus ultro:

"Dissimulare etiam sperasti, perfide, tantum 305
posse nefas, tacitusque mea decedere terra?
Nec te noster amor, nec te data dextera quondam,
nec moritura tenet crudeli funere Dido?
Quin etiam hiberno moliris sidere classem,

et mediis properas aquilonibus ire per altum, 310
crudelis? Quid, si non arua aliena domosque
ignotas peteres, sed Troia antiqua maneret,
Troia per undosum peteretur classibus aequor?
Mene fugis? Per ego has lacrimas dextramque tuam te

Puisqu'à la malheureuse que je suis il ne reste rien d'autre,
Par notre union, par notre mariage en cours de réalisation,
J'ai pu te rendre quelque service, et que tu as pu trouver quelque
Agrément en moi, prends pitié de ma maison chancelante, et cette —
Je te supplie, si place encore il y a pour les prières — idée rejette.

A cause de toi, les Libyens et les seigneurs Numides
Me haïssent, les Tyriens m'en veulent ; à cause de toi aussi,
Ont été anéantis mon honneur et, seule faisant que j'atteignais les étoiles,
Ma réputation antérieure. A qui me laisses-tu pour mourir, mon hôte ?
Puisque de mari c'est le seul qualificatif qui te reste.

Qu'attendre ? Que mon frère Pygmalion mes remparts
Détruise, ou que le Gétule Iarbas m'emmène captive ?
Si au moins de toi m'était venu au monde,
Avant ta fuite, quelque rejeton, si dans le palais quelque petit
Enée j'avais pour jouer, qui malgré tout me rappellerait ton visage,

Alors je n'apparaîtrais pas complètement captive et abandonnée. »
Elle avait parlé. Lui, (sous le coup) des avertissements de Jupiter, avait
Le regard (fixe) et, imperturbable, enfouissait son amour en son cœur.
Il finit par répondre sobrement : « Moi, ce que par de nombreuses paroles
Tu as pu rappeler, jamais, ô reine, je ne t'en dénierai

Le mérite ; et d'Elissa[280] je parlerai sans qu'il m'en coûte
Tant que je suis conscient, et qu'un souffle de vie dirige ces membres.
Je serai bref, vu les circonstances. Ni de cacher furtivement cette
Fuite je n'ai espéré — ne va pas le croire — ni jamais d'un époux
Je n'ai invoqué les torches nuptiales ou ne me suis engagé à cela.

Si le destin me permettait de conduire ma vie
A ma guise et à mon gré de gérer mes affaires,
Dans la cité Troyenne d'abord (j'habiterais) et des miens les chères
Cendres j'honorerais, les hautes demeures de Priam seraient toujours là,
Et de ma main j'aurais restauré aux vaincus une Pergame renaissante.

---

[280] Nom phénicien de Didon.

quando aliud mihi iam miserae nihil ipsa reliqui,   315
per conubia nostra, per inceptos hymenaeos,
si bene quid de te merui, fuit aut tibi quicquam
dulce meum, miserere domus labentis, et istam --
oro, si quis adhuc precibus locus -- exue mentem.

Te propter Libycae gentes Nomadumque tyranni   320
odere, infensi Tyrii; te propter eundem
exstinctus pudor, et, qua sola sidera adibam,
fama prior. Cui me moribundam deseris, hospes?
Hoc solum nomen quoniam de coniuge restat.

Quid moror? An mea Pygmalion dum moenia frater   325
destruat, aut captam ducat Gaetulus Iarbas?
Saltem si qua mihi de te suscepta fuisset
ante fugam suboles, si quis mihi paruulus aula
luderet Aeneas, qui te tamen ore referret,

non equidem omnino capta ac deserta uiderer."   330
Dixerat. Ille Iouis monitis immota tenebat
lumina, et obnixus curam sub corde premebat.
Tandem pauca refert: "Ego te, quae plurima fando
enumerare uales, numquam, regina, negabo

promeritam; nec me meminisse pigebit Elissae,   335
dum memor ipse mei, dum spiritus hos regit artus.
Pro re pauca loquar. Neque ego hanc abscondere furto
speraui -- ne finge -- fugam, nec coniugis umquam
praetendi taedas, aut haec in foedera ueni.

Me si fata meis paterentur ducere uitam   340
auspiciis et sponte mea componere curas,
urbem Troianam primum dulcisque meorum
reliquias colerem, Priami tecta alta manerent,
et recidiua manu posuissem Pergama uictis.

Mais à présent, de la grande Italie Apollon le Grynien[281]
Et ses oracles Lyciens[282] m'ont ordonné de m'emparer, oui de l'Italie :
Là est mon amour, là est ma patrie. Si les citadelles de Carthage,
Toi la Phénicienne, ainsi que la vision d'une cité libyenne te retiennent,
Que les Teucriens s'installent en terre d'Ausonie, en quoi finalement cela

Te gêne-t-il ? Nous aussi avons le droit d'aspirer à un royaume étranger.
Moi, de mon père Anchise, chaque fois que de son ombre humide
La nuit recouvre les terres, chaque fois que les astres de feu se lèvent,
L'image agitée vient dans mon sommeil m'admonester et me terrifier ;
(Je pense à) mon fils Ascagne et à l'injustice faite à sa chère personne,

Que je frustre du royaume d'Hespérie et des plaines à lui destinées.
Et même le messager des dieux, envoyé par Jupiter lui-même —
Je le jure sur la tête de l'un et de l'autre — des ordres par les airs rapides
A déposés ; moi-même j'ai vu le dieu en pleine lumière
Entrant dans la cité, et de sa voix j'ai rempli ces oreilles.

Cesse de nous enflammer, toi et moi, avec tes griefs :
Je ne poursuis pas l'Italie de mon plein gré. »
Depuis un bon moment elle regarde son interlocuteur avec hostilité,
Roulant des yeux dans tous les sens, le toisant tout entier
Du regard sans rien dire et, embrasée, déclare :

« Tu n'as pas pour mère une déesse, ni Dardanos pour ancêtre de ta race,
Traître ; mais, d'âpres rochers hérissé, t'a engendré
Caucase[283], et les tigresses Hyrcaniennes[284] t'ont avancé leurs mamelles.
Mais pourquoi dissimuler et me réserver pour de plus grands maux ?
A-t-il soupiré de mes pleurs ? A-t-il baissé les yeux ?

---

[281] Grynium est une cité d'Eolide en Asie Mineure, où Apollon avait un sanctuaire oraculaire.
[282] L'hiver, Apollon rend ses oracles en Lycie (cf. vers 143-144 supra).
[283] Berger qui donna son nom à la chaîne de montagnes.
[284] La mer Hyrcanienne s'appelle aujourd'hui Caspienne.

Sed nunc Italiam magnam Gryneus Apollo,   345
Italiam Lyciae iussere capessere sortes:
hic amor, haec patria est. Si te Karthaginis arces,
Phoenissam, Libycaeque aspectus detinet urbis,
quae tandem, Ausonia Teucros considere terra,

inuidia est? Et nos fas extera quaerere regna.   350
Me patris Anchisae, quotiens umentibus umbris
nox operit terras, quotiens astra ignea surgunt,
admonet in somnis et turbida terret imago;
me puer Ascanius capitisque iniuria cari,

quem regno Hesperiae fraudo et fatalibus aruis.   355
Nunc etiam interpres diuom, Ioue missus ab ipso --
testor utrumque caput -- celeris mandata per auras
detulit; ipse deum manifesto in lumine uidi
intrantem muros, uocemque his auribus hausi.

Desine meque tuis incendere teque querelis: 360
Italiam non sponte sequor."
Talia dicentem iamdudum auersa tuetur,
huc illuc uoluens oculos, totumque pererrat
luminibus tacitis, et sic accensa profatur:

"Nec tibi diua parens, generis nec Dardanus auctor,   365
perfide; sed duris genuit te cautibus horrens
Caucasus, Hyrcanaeque admorunt ubera tigres.
Nam quid dissimulo, aut quae me ad maiora reseruo?
Num fletu ingemuit nostro? Num lumina flexit?

Vaincu, a-t-il versé des larmes, s'est-il apitoyé sur celle qui l'aime ?
Par quoi commencer ? Assurément, ni la très noble Junon,
Ni le père Saturnien[285] ne regardent cela avec des yeux équitables.
Nulle part il n'est de loyauté fiable. Rejeté sur le rivage, misérable
Je l'ai recueilli, et folle l'ai installé dans une partie de mon royaume ;

Sa flotte perdue (j'ai restauré), ses compagnons à la mort j'ai soustrait.
Hélas, la folie furieuse m'emporte ! Tantôt Apollon le prophète,
Tantôt les oracles Lyciens, tantôt, par Jupiter lui-même envoyé,
Le messager des dieux apporte des ordres terribles par les airs.
Manifestement cela travaille les dieux, ce souci leur tranquillité

Perturbe. Je ne te retiens pas, ni ne réfute tes paroles.
Va, poursuis l'Italie au gré des vents, par les mers gagne ton royaume.
J'espère bien que, si les bienheureuses divinités ont quelque pouvoir,
Tu feras le plein de châtiments au milieu des récifs, et que par son nom
(Didon) souvent tu appelleras. Absente, je te poursuivrai de feux noirs[286]

Et lorsque la mort froide aura séparé mes membres de mon âme,
Je serai là, spectre omniprésent. Tu subiras ton châtiment, méchant.
J'entendrai et le bruit m'en parviendra au plus profond des Mânes. »
Sur ces paroles elle s'arrête au milieu de son discours, et (fuit) le jour,
Indisposée, se détourne et se retire de sa vue,

Le laissant indécis et très apeuré, s'apprêtant (à dire) beaucoup de choses.
Les serviteurs la soutiennent, et ses membres inertes
Ramènent dans sa chambre de marbre et les déposent sur des tapis.
Mais le pieux Enée, bien que (désireux) de soulager la souffrante
En la consolant, et d'éloigner son angoisse en lui parlant,

Avec force lamentations, l'esprit ébranlé par son grand amour,
Exécute néanmoins les ordres des dieux, et retourne auprès de sa flotte.
Alors vraiment les Teucriens se donnent à l'ouvrage, et sur le rivage
Tout entier mettent à flot leurs hautes nefs : elles flottent, bien huilées ;
Ils amènent des rames et des planches à partir d'arbres feuillus

---

[285] Jupiter, fils de Saturne.
[286] Allusion aux lampes tétragones qu'on gardait allumées dans les tombeaux ?

Num lacrimas uictus dedit, aut miseratus amantem est?   370
Quae quibus anteferam? Iam iam nec maxuma Iuno,
nec Saturnius haec oculis pater aspicit aequis.
Nusquam tuta fides. Eiectum litore, egentem
excepi, et regni demens in parte locaui;

amissam classem, socios a morte reduxi.   375
Heu furiis incensa feror! Nunc augur Apollo,
nunc Lyciae sortes, nunc et Ioue missus ab ipso
interpres diuom fert horrida iussa per auras.
Scilicet is Superis labor est, ea cura quietos

sollicitat. Neque te teneo, neque dicta refello.   380
I, sequere Italiam uentis, pete regna per undas.
Spero equidem mediis, si quid pia numina possunt,
supplicia hausurum scopulis, et nomine Dido
saepe uocaturum. Sequar atris ignibus absens,

et, cum frigida mors anima seduxerit artus,   385
omnibus umbra locis adero. Dabis, improbe, poenas.
Audiam et haec Manis ueniet mihi fama sub imos."
His medium dictis sermonem abrumpit, et auras
aegra fugit, seque ex oculis auertit et aufert,

linquens multa metu cunctantem et multa parantem   390
dicere. Suscipiunt famulae, conlapsaque membra
marmoreo referunt thalamo stratisque reponunt.
At pius Aeneas, quamquam lenire dolentem
solando cupit et dictis auertere curas,

multa gemens magnoque animum labefactus amore,   395
iussa tamen diuom exsequitur, classemque reuisit.
Tum uero Teucri incumbunt, et litore celsas
deducunt toto naues: natat uncta carina;
frondentisque ferunt remos et robora siluis

Grossièrement taillées, dans la précipitation de leur fuite.
On les voit déménager, se ruant hors de la cité tout entière.
Et pareils à des fourmis (qui ravagent) une énorme meule d'épeautre[287]
En prévision de l'hiver et le remisent à l'abri,
Leur noire colonne défile dans la plaine, leur butin dans les herbages

Convoyant sur une piste étroite ; certaines traînent de grosses
Graines sur leurs épaules, obstinées ; d'autres forment l'arrière-garde
Et réprimandent les retardataires ; tout le sentier bouillonne d'activité.
Alors, que ressentais-tu, Didon, à la vue de ce spectacle ?
Et quelles plaintes tu poussais, quand le rivage entier en ébullition

Tu apercevais au loin, du haut de la citadelle, et que tu voyais toute
La mer bouleversée devant tes yeux par de si grandes clameurs ?
Cruel Amour, à quoi ne contrains-tu pas les cœurs mortels ?
Derechef, en larmes, d'aller tenter à nouveau de le séduire par ses prières
Elle est obligée et, en suppliante, de soumettre son orgueil à son amour,

Afin que, s'il reste quelque chose à tenter, elle ne meure pas pour rien.
« Anne, tu vois que sur tout le rivage on s'active ; des alentours,
De partout on se rassemble ; déjà les voiles appellent le vent,
Et les joyeux navigateurs aux poupes ont placé des guirlandes.
Si j'ai pu vivre dans la crainte d'une si grande douleur,

La supporter aussi, ma sœur, je le pourrai. Mais, (pour moi) infortunée,
(Cela seulement) accomplis, Anne. Car tu es la seule que ce traître
(A coutume) de traiter avec égard, te livrant même ses secrètes pensées ;
Toi seule sais comment et quand aborder délicatement l'homme.
Va, ma sœur, et en suppliante dis à mon fier ennemi :

Moi avec les Danaéens (je n'ai pas juré) d'anéantir la race troyenne
A Aulis[288], ni envoyé de flotte à Pergame,
Ni profané les cendres et les mânes de son père Anchise,
Pourquoi refuse-t-il de laisser entrer mes paroles dans ses dures oreilles ?
Où court-il ? Qu'il rende cet ultime service à une malheureuse amante :

---

[287] Variété de blé constituant la base de l'alimentation des Latins.
[288] Cité sur la côte de Béotie, d'où les Grecs partirent pour la guerre de Troie.

infabricata, fugae studio.   400
Migrantis cernas, totaque ex urbe ruentis.
Ac uelut ingentem formicae farris aceruum
cum populant, hiemis memores, tectoque reponunt,
it nigrum campis agmen, praedamque per herbas

conuectant calle angusto; pars grandia trudunt   405
obnixae frumenta umeris; pars agmina cogunt
castigantque moras; opere omnis semita feruet.
Quis tibi tum, Dido, cernenti talia sensus?
quosue dabas gemitus, cum litora feruere late

prospiceres arce ex summa, totumque uideres   410
misceri ante oculos tantis clamoribus aequor?
Improbe Amor, quid non mortalia pectora cogis?
Ire iterum in lacrimas, iterum temptare precando
cogitur, et supplex animos submittere amori,

ne quid inexpertum frustra moritura relinquat.   415
"Anna, uides toto properari litore; circum
undique conuenere; uocat iam carbasus auras,
puppibus et laeti nautae imposuere coronas.
Hunc ego si potui tantum sperare dolorem,

et perferre, soror, potero. Miserae hoc tamen unum   420
exsequere, Anna, mihi. Solam nam perfidus ille
te colere, arcanos etiam tibi credere sensus;
sola uiri mollis aditus et tempora noras.
I, soror, atque hostem supplex adfare superbum:

non ego cum Danais Troianam exscindere gentem   425
Aulide iuraui, classemue ad Pergama misi,
nec patris Anchisae cineres Manisue reuelli,
cur mea dicta neget duras demittere in auris?
Quo ruit? Extremum hoc miserae det munus amanti:

Qu'il attende que sa fuite soit facilitée grâce aux vents porteurs.
Ce n'est plus notre ancienne union, qu'il a trahie, que j'implore,
Ni qu'il se prive de ce charmant Latium et renonce à son royaume :
Je demande un pauvre sursis, le temps que ma fureur s'apaise,
Que ma fortune m'enseigne à porter le deuil de ma défaite.

J'implore (de lui) cette ultime faveur — de prendre pitié de ta sœur —
Et quand il me l'aura donnée, je la lui rendrai augmentée dans la mort. »
Telles étaient ses prières, et de tels pleurs la plus malheureuse
Des sœurs (lui) apporte et rapporte encore : mais lui n'est ému par aucun
Pleur, n'entend ni ne prête l'oreille à aucune de ses paroles ;

Le destin s'y oppose, et le dieu lui bouche ses oreilles tranquilles.
Comme lorsque, (pour abattre) le chêne au bois fortifié par l'âge,
Les vents boréens des Alpes soufflant de différentes directions
Rivalisent ; on entend les grincements, et sa haute
Frondaison jonche le sol quand son tronc a été ébranlé ;

Lui-même s'agrippe aux rochers, et autant sa cime vers le ciel
Ethéré que ses racines dans le Tartare il déploie :
Pas autrement, par des voix venant de ci et de là, le héros
Est assailli, et ressent vivement sa peine d'amour en son noble cœur ;
Son esprit reste inébranlable ; les larmes coulent en vain.

Alors, vraiment désemparée par son destin, la malheureuse Didon
Implore la mort ; elle est lasse de contempler la voûte du ciel.
A parachever ce qu'elle commencé et quitter la vie elle est d'autant plus
(Encline) qu'elle a vu en plaçant des offrandes sur les autels à encens,
O horreur, noircir les liqueurs sacrées,

Et les vins répandus se changer en horrible sang de mauvais augure.
De cette vision elle ne parla à personne, pas même à sa sœur.
Par ailleurs il y avait dans le palais une chapelle de marbre
(Dédiée) à son mari précédent, qu'elle honorait avec passion,
L'entourant de bandelettes de laine blanche et de gai feuillage :

exspectet facilemque fugam uentosque ferentis.   430
Non iam coniugium antiquum, quod prodidit, oro,
nec pulchro ut Latio careat regnumque relinquat:
tempus inane peto, requiem spatiumque furori,
dum mea me uictam doceat fortuna dolere.

Extremam hanc oro ueniam -- miserere sororis --   435
quam mihi cum dederit, cumulatam morte remittam."
Talibus orabat, talisque miserrima fletus
fertque refertque soror: sed nullis ille mouetur
fletibus, aut uoces ullas tractabilis audit;

fata obstant, placidasque uiri deus obstruit auris.   440
Ac, uelut annoso ualidam cum robore quercum
Alpini Boreae nunc hinc nunc flatibus illinc
eruere inter se certant; it stridor, et altae
consternunt terram concusso stipite frondes;

ipsa haeret scopulis, et, quantum uertice ad auras   445
aetherias, tantum radice in Tartara tendit:
haud secus adsiduis hinc atque hinc uocibus heros
tunditur, et magno persentit pectore curas;
mens immota manet; lacrimae uoluuntur inanes.

Tum uero infelix fatis exterrita Dido   450
mortem orat; taedet caeli conuexa tueri.
Quo magis inceptum peragat lucemque relinquat,
uidit, turicremis cum dona imponeret aris,
horrendum dictu, latices nigrescere sacros,

fusaque in obscenum se uertere uina cruorem.   455
Hoc uisum nulli, non ipsi effata sorori.
Praeterea fuit in tectis de marmore templum
coniugis antiqui, miro quod honore colebat,
uelleribus niueis et festa fronde reuinctum:

Là (il lui sembla) entendre des voix et des appels
De son mari quand la nuit obscure enserrait les terres ;
Et seul sur les faîtages un hibou de son chant funèbre (semblait)
Souvent gémir et pousser de longues notes plaintives ;
Et en outre beaucoup de prédictions d'anciens devins

La terrifient par leurs terribles avertissements. La délirante est harcelée
Dans son sommeil par le féroce Enée (lui-même) ; toujours abandonnée
A elle-même, seule, toujours sans compagnie, il lui semble
Cheminer sur sa route, à la recherche des Tyriens dans son pays désolé.
Comme lorsque Penthée[289], égaré, voit la troupe de Euménides[290],

Et le soleil double et Thèbes se montrant elle-même dédoublée ;
Ou bien Oreste le fils d'Agamemnon par les Peines[291] harcelé,
(Fuyant) sa mère armée de torches et de noirs serpents,
Des Furies vengeresses assises sur le seuil.
C'est pourquoi, quand, écrasée de douleur, elle fut prise de folie

Et résolut de mourir, en elle-même du moment et de la manière
Elle délibère, et, ayant abordé sa sœur affligée pour lui parler,
Elle ne laisse rien paraître de son projet, et fait bonne figure :
« J'ai trouvé, ma sœur, un moyen — félicite-moi —
Qui me le rendra, ou bien me libérera de mon amour pour lui.

Aux confins de l'Océan, à côté du soleil couchant
Se trouve le dernier pays des Ethiopiens[292], où l'immense Atlas
Fait tourner sur ses épaules le ciel pourvu d'ardentes étoiles :
Là on m'a montré une prêtresse de la race des Massyles,
Gardienne de l'enclos des Hespérides[293], qui le dragon de bons plats

---

[289] Roi de Thèbes, mis en pièces par les Bacchantes.
[290] Autre nom des Furies ou Erinyes.
[291] Autre nom des Furies (cf. vers 331 du Chant III ?)
[292] L'Ethiopie occidentale confinait à l'actuelle Mauritanie.
[293] Les Hespérides sont les trois nymphes du Couchant, filles d'Atlas, qui avaient été chargées par Héra de veiller sur l'arbre aux fruits d'or. Celle-ci s'étant aperçue qu'elles volaient les pommes, plaça un dragon à cent têtes aux abords du pommier pour en interdire l'accès. La prêtresse a la charge de nourrir ce dernier.

hinc exaudiri uoces et uerba uocantis   460
uisa uiri, nox cum terras obscura teneret;
solaque culminibus ferali carmine bubo
saepe queri et longas in fletum ducere uoces;
multaque praeterea uatum praedicta priorum

terribili monitu horrificant. Agit ipse furentem   465
in somnis ferus Aeneas; semperque relinqui
sola sibi, semper longam incomitata uidetur
ire uiam, et Tyrios deserta quaerere terra.
Eumenidum ueluti demens uidet agmina Pentheus,

et solem geminum et duplicis se ostendere Thebas;   470
aut Agamemnonius Pœnis agitatus Orestes
armatam facibus matrem et serpentibus atris
cum fugit, ultricesque sedent in limine Dirae.
Ergo ubi concepit furias euicta dolore

decreuitque mori, tempus secum ipsa modumque   475
exigit, et, maestam dictis adgressa sororem,
consilium uoltu tegit, ac spem fronte serenat:
"Inueni, germana, uiam -- gratare sorori --
quae mihi reddat eum, uel eo me soluat amantem.

Oceani finem iuxta solemque cadentem   480
ultimus Aethiopum locus est, ubi maxumus Atlas
axem humero torquet stellis ardentibus aptum:
hinc mihi Massylae gentis monstrata sacerdos,
Hesperidum templi custos, epulasque draconi

Nourrissait, et qui surveillait les branches sacrées dans l'arbre
En répandant de l'eau mielleuse et du pavot somnifère[294].
Cette (femme) prétend par des enchantements libérer l'esprit des gens
De son choix, mais chez d'autres introduire de durs soucis,
Arrêter le cours des fleuves, et faire tourner les étoiles à l'envers ;

Et elle convoque les Mânes nocturnes : tu verras mugir
La terre sous tes pieds, et des ornes descendre des montagnes.
Je jure, ma chère sœur, par les dieux et toi-même, et sur
Ta tendre tête, que c'est malgré moi que je recours à la magie.
Toi, en secret à l'intérieur du palais, à l'air libre, un bûcher

Dresse, et les armes que cet homme a laissées pendues dans sa chambre,
Le traître, toutes ses dépouilles, son lit nuptial,
Qui m'a perdue, accumule par-dessus : anéantir de cet infâme
Individu tous les souvenirs me réjouit, ainsi que le prescrit la prêtresse. »
Ayant dit cela, elle se tait ; la pâleur simultanément envahit son visage.

Pourtant, que par cet étrange rituel (sa sœur) sa mort (veuille) dissimuler,
(Anne) ne le croit pas, ni un si grand égarement de son esprit
N'imagine, ni ne craint de choses plus graves qu'à la mort de Sychée :
Elle prépare donc ce qui a été commandé.
Mais la reine, une fois le bûcher au plus profond du palais à l'air libre

Dressé, énorme par sa quantité de bois de résineux et de chêne coupé,
Entoure l'emplacement de guirlandes, et le couronne de feuillage
Funéraire ; par-dessus le lit, les dépouilles et l'épée abandonnée,
Elle place aussi son portrait, consciente de ce qui allait se passer.
Des autels sont dressés tout autour, et la prêtresse, les cheveux dénoués,

---

[294] Sans doute des gâteries répandues sur les plats servis au dragon.

quae dabat, et sacros seruabat in arbore ramos   485
spargens umida mella soporiferumque papauer.
Haec se carminibus promittit soluere mentes
quas uelit, ast aliis duras immittere curas,
sistere aquam fluuiis, et uertere sidera retro;

nocturnosque mouet Manis: mugire uidebis   490
sub pedibus terram, et descendere montibus ornos.
Testor, cara, deos et te, germana, tuumque
dulce caput, magicas inuitam accingier artes.
Tu secreta pyram tecto interiore sub auras

erige, et arma uiri, thalamo quae fixa reliquit   495
impius, exuuiasque omnis, lectumque iugalem,
quo perii, superimponas: abolere nefandi
cuncta uiri monumenta iuuat, monstratque sacerdos."
Haec effata silet; pallor simul occupat ora.

Non tamen Anna nouis praetexere funera sacris   500
germanam credit, nec tantos mente furores
concipit, aut grauiora timet, quam morte Sychaei:
ergo iussa parat.
At regina, pyra penetrali in sede sub auras

erecta ingenti taedis atque ilice secta,   505
intenditque locum sertis, et fronde coronat
funerea; super exuuias ensemque relictum
effigiemque toro locat, haud ignara futuri.
Stant arae circum, et crines effusa sacerdos

D'une voix tonitruante trois fois les cent dieux invoque, Erèbe, Chaos,
La triforme Hécate[295], la vierge Diane aux trois visages[296].
Elle avait aussi répandu des eaux soi-disant de la source de l'Averne[297],
On se procure, coupées à la faucille de bronze et à la lumière de la lune,
Des herbes gorgées de suc de venin noir ;

On récupère aussi, en l'arrachant du front d'un poulain nouveau-né
Et en le soustrayant à sa mère, un philtre d'amour[298].
Elle-même, près des autels, avec de la farine sacrée dans ses mains pures,
Une seule sandale aux pieds, en vêtements lâches,
Prête à mourir, prend à témoin les dieux et (les astres) au fait du destin ;

Ensuite, si d'un amour non partagé il est (des divinités)
A la fois justes et prévenantes qui se soucient, elle les implore.
Il faisait nuit et les (corps) fatigués jouissaient d'un sommeil paisible
Sur terre, les forêts et les (eaux) impétueuses reposaient en paix :
C'était le moment où les étoiles sont à la moitié de leur course,

Où toute la plaine est silencieuse, où le bétail et les oiseaux multicolores,
(Qu'ils occupent) l'étendue des lacs limpides, ou les (champs)
(Hérissés de buissons), plongés dans le sommeil sous la nuit silencieuse,
[Apaisaient leurs soucis et leurs cœurs oublieux de leurs labeurs.][299]
Mais pas la Phénicienne, malheureuse dans sa tête, qui jamais

---

[295] Déesse à trois têtes ou trois corps, dont les autels avaient trois côtés.
[296] Diane avait trois têtes chez les poètes : cheval, femme ou laie, chien.
[297] Lac de Campanie aux émanations toxiques, considéré comme une des portes de l'enfer (cf. vers 386 du Chant III).
[298] L'hippomane est une structure placentaire pouvant se former lors de la gestation chez certains mammifères ; on le prenait pour une excroissance de chair sur le front du poulain nouveau-né, et il était réputé posséder des pouvoirs magiques, aphrodisiaques ou toxiques.
[299] Ce vers ne figure pas dans certaines versions.

ter centum tonat ore deos, Erebumque Chaosque,   510
tergeminamque Hecaten, tria uirginis ora Dianae.
Sparserat et latices simulatos fontis Auerni,
falcibus et messae ad lunam quaeruntur aenis
pubentes herbae nigri cum lacte ueneni;

quaeritur et nascentis equi de fronte reuolsus   515
et matri praereptus amor.
Ipsa mola manibusque piis altaria iuxta,
unum exuta pedem uinclis, in ueste recincta,
testatur moritura deos et conscia fati

sidera; tum, si quod non aequo foedere amantes   520
curae numen habet iustumque memorque, precatur.
Nox erat, et placidum carpebant fessa soporem
corpora per terras, siluaeque et saeua quierant
aequora: cum medio uoluuntur sidera lapsu,

cum tacet omnis ager, pecudes pictaeque uolucres,   525
quaeque lacus late liquidos, quaeque aspera dumis
rura tenent, somno positae sub nocte silenti
[lenibant curas, et corda oblita laborum.]
At non infelix animi Phoenissa, nec umquam

Ne s'abîme dans le sommeil, ni dans ses yeux ni dans sa poitrine
N'accueille (la nuit) : ses soucis redoublent, resurgissant à nouveau
Son amour fait rage, bouillonnant de grandes vagues de colère.
A ce point elle se ronge, et ainsi en son cœur réfléchit :
« Alors, que faire ? Derechef les moqueries de mes anciens prétendants

Je devrais connaître, chercher en suppliant à épouser des Numides,
Que tant de fois j'ai déjà repoussés en tant que maris ?
Ou alors les navires d'Ilion et (les pires ordres) des Teucriens
Suivre ? N'apprécient-ils pas d'avoir été secourus auparavant par moi,
Et pour qui s'en souvient n'est-il pas de gratitude pour le bienfait passé ?

Mais qui, à supposer que je le veuille, le permettra et sur les fiers navires
M'acceptera, haïe que je suis ? Hélas, ignores-tu, malheureuse, et
Ne perçois-tu (pas encore) les parjures de la race de Laomédon[300] ?
Et après ? seule dans ma fuite vais-je rejoindre des marins triomphants,
Ou bien accompagnée des Tyriens et de toute la troupe des miens

Je dois décamper, et ceux que je viens d'arracher à la cité de Sidon
Derechef les conduire sur les mers, leur ordonnant de hisser les voiles ?
Plutôt mourir, comme tu l'as mérité, et par le fer éloigner la souffrance.
Toi, par mes larmes anéantie, tu es la première (à accabler) ma folie
Sous ces maux, ma sœur, et à me donner en pâture à mon ennemi.

Pouvais-je (mener) une vie irréprochable privée de noces,
A la façon des bêtes, me tenir indemne de tels tourments d'amour !
La fidélité promise aux cendres de Sychée n'a pas été gardée ! »
Telles étaient les grandes lamentations qui déchiraient sa poitrine.
Enée sur la poupe surélevée, déjà décidé à partir,

Faisait un somme, les choses étant déjà prêtes selon les règles.
La forme du dieu, revenant avec le même visage, à lui
Se présenta dans son sommeil, semblant à nouveau l'avertir ainsi —
En tout elle était semblable à Mercure, par la voix, le teint,
Les cheveux dorés et les membres dénotant la jeunesse :

---

[300] Laomédon roi de Troie avait refusé de payer Neptune et Apollon qui lui avaient élevé ses remparts.

Soluitur in somnos, oculisue aut pectore noctem 530
accipit: ingeminant curae, rursusque resurgens
saeuit amor, magnoque irarum fluctuat aestu.
Sic adeo insistit, secumque ita corde uolutat:
"En, quid ago? Rursusne procos inrisa priores

experiar, Nomadumque petam conubia supplex, 535
quos ego sim totiens iam dedignata maritos?
Iliacas igitur classes atque ultima Teucrum
iussa sequar? Quiane auxilio iuuat ante leuatos,
et bene apud memores ueteris stat gratia facti?

Quis me autem, fac uelle, sinet, ratibusue superbis 540
inuisam accipiet? Nescis heu, perdita, necdum
Laomedonteae sentis periuria gentis?
Quid tum, sola fuga nautas comitabor ouantes,
an Tyriis omnique manu stipata meorum

inferar, et, quos Sidonia uix urbe reuelli, 545
rursus agam pelago, et uentis dare uela iubebo?
Quin morere, ut merita es, ferroque auerte dolorem.
Tu lacrimis euicta meis, tu prima furentem
his, germana, malis oneras atque obicis hosti.

Non licuit thalami expertem sine crimine uitam 550
degere, more ferae, tales nec tangere curas!
Non seruata fides cineri promissa Sychaeo!"
Tantos illa suo rumpebat pectore questus.
Aeneas celsa in puppi, iam certus eundi,

555 carpebat somnos, rebus iam rite paratis.
Huic se forma dei uoltu redeuntis eodem
obtulit in somnis, rursusque ita uisa monere est --
omnia Mercurio similis, uocemque coloremque
et crinis flauos et membra decora iuuenta:

« Fils de déesse, peux-tu continuer à dormir dans ces conditions,
Sans voir quels dangers autour de toi te guettent,
Dément, ni entendre souffler le Zéphyr favorable ?
Elle trame en son cœur des ruses et une forfaiture infâme,
Décidée à mourir, en proie à toutes sortes d'accès de colère.

Tu ne fuis pas d'ici sur-le-champ, tant qu'il est possible de le faire ?
Bientôt tu verras la mer agitée par les vaisseaux et, féroces,
Briller les torches, s'embraser le littoral,
Si Aurore te trouve (encore) en train d'attendre sur ces terres.
Allons, plus de temps à perdre ! Toujours varie et change

La femme. » Sur ces paroles, il se fondit dans la nuit noire.
Alors véritablement Enée, terrorisé par ce spectre soudain,
Se réveille en sursaut, et met ses compagnons en alerte :
« Debout les gars, et prenez place sur les bancs ;
Mettez vite les voiles. Un dieu envoyé du haut des cieux,

A fuir dare-dare et trancher nos amarres entortillées,
Une fois de plus nous incite. Nous te suivons, ô saint parmi les dieux,
Qui que tu sois, à ton injonction nous obéissons à nouveau en jubilant.
Puisses-tu être présent et nous assister, ô bénin, et les astres au ciel
Favorablement faire briller. « Il parla, tira de son fourreau son épée

Etincelante, et de sa lame nue tranche les cordes.
Le même zèle s'empare de tous à la fois, ils se hâtent et foncent ;
Ils désertèrent le rivage ; la plaine marine s'étend sous leurs nefs ;
Avec énergie ils pétrissent l'écume et balaient les eaux sombres.
Et déjà la matinale (Aurore) de sa lumière neuve éclaboussait la terre

En quittant le lit couleur safran de Tithon[301].
Quand de son observatoire la reine (vit) poindre les premières lueurs,
Et les navires avancer à la même allure de leurs voiles,
Et remarqua le rivage et les ports vides de rameurs,
Se frappant de la main trois, quatre fois sa belle poitrine,

---

[301] Prince troyen enlevé par Aurore-Eos qui en était amoureuse.

"Nate dea, potes hoc sub casu ducere somnos, 560
nec, quae te circum stent deinde pericula, cernis,
demens, nec Zephyros audis spirare secundos?
Illa dolos dirumque nefas in pectore uersat,
certa mori, uariosque irarum concitat aestus.

Non fugis hinc praeceps, dum praecipitare potestas? 565
Iam mare turbari trabibus, saeuasque uidebis
conlucere faces, iam feruere litora flammis,
si te his attigerit terris Aurora morantem.
Heia age, rumpe moras. Varium et mutabile semper

femina." Sic fatus, nocti se immiscuit atrae. 570
Tum uero Aeneas, subitis exterritus umbris,
corripit e somno corpus, sociosque fatigat:
"Praecipites uigilate, uiri, et considite transtris;
soluite uela citi. Deus aethere missus ab alto

festinare fugam tortosque incidere funes 575
ecce iterum instimulat. Sequimur te, sancte deorum,
quisquis es, imperioque iterum paremus ouantes.
Adsis o placidusque iuues, et sidera caelo
dextra feras." Dixit, uaginaque eripit ensem

fulmineum, strictoque ferit retinacula ferro. 580
Idem omnes simul ardor habet, rapiuntque ruuntque;
litora deseruere; latet sub classibus aequor;
adnixi torquent spumas et caerula uerrunt.
Et iam prima nouo spargebat lumine terras

Tithoni croceum linquens Aurora cubile. 585
Regina e speculis ut primum albescere lucem
uidit, et aequatis classem procedere uelis,
litoraque et uacuos sensit sine remige portus,
terque quaterque manu pectus percussa decorum,

S'arrachant ses cheveux d'or, « Par Jupiter, il va partir »
Dit-elle « un étranger va donc bafouer notre royaume ?
Ne va-t-on pas quérir des armes, les poursuivre en sortant de toute la cité,
Et aussi sortir des navires des bassins ? Allez,
Amenez vite des feux, des armes, ramez ! —

Que dis-je, et où suis-je ? Quelle folie me brouille la raison ?
Malheureuse Didon, c'est maintenant que tes actions impies t'affectent.
Cela aurait dû être quand tu offrais ton sceptre. — la voilà la dextre et la
(Loyauté) de celui dont on dit qu'il porte avec lui ses Pénates ancestraux,
Qu'il a porté sur ses épaules son père usé par l'âge !

Ne pouvais-je enlever et déchiqueter son corps, et dans les flots
Le disperser ? Anéantir par le fer ses compagnons, (Ascagne) lui-même,
Et le proposer en festin à la table de son père ? —
En vérité le sort de la bataille aurait été incertain : — oui, il l'aurait été.
Prête à mourir, qui aurais-je craint ? J'aurais porté le feu dans leur camp,

J'aurais enflammé les ponts de leurs nefs, le fils et le père (avec leur race)
J'aurais fait mourir, moi-même sur leurs corps je me serais offerte.
« Soleil qui de tes flammes éclaires tout ce qui se fait sur terre,
Et toi Junon, intermédiaire et complice de ces maux,
Hécate[302] qu'on prie la nuit aux carrefours en hurlant à travers les cités,

Et vous Furies vengeresses, dieux d'Elissa mourante,
Recevez ces paroles, votre majesté daignez tourner sur mes maux,
Et écoutez mes prières. (S'il faut que cet individu infâme) touche au port
Et parvienne à naviguer jusqu'à ses terres,
Et qu'ainsi de Jupiter le destin l'exige, les jeux sont faits :

Mais que, maltraité par la guerre contre un peuple résolu,
Chassé hors de ses frontières, arraché aux bras de Julus,
Il implore de l'aide, et qu'il voie des siens les ignobles
Cadavres ; et que, lorsqu'aux lois d'une paix inique
Il se sera soumis, il ne profite ni de son royaume ni d'une vie agréable,

---

[302] Hécate *Trivia* avait ses statues aux carrefours (cf. vers 511 supra).

flauentesque abscissa comas, "Pro Iuppiter, ibit   590
hic" ait "et nostris inluserit aduena regnis?
Non arma expedient, totaque ex urbe sequentur,
deripientque rates alii naualibus? Ite,
ferte citi flammas, date tela, impellite remos! –

Quid loquor, aut ubi sum? Quae mentem insania mutat?   595
Infelix Dido, nunc te facta impia tangunt.
Tum decuit, cum sceptra dabas. -- En dextra fidesque,
quem secum patrios aiunt portare Penates,
quem subiisse umeris confectum aetate parentem!

Non potui abreptum diuellere corpus, et undis   600
spargere? Non socios, non ipsum absumere ferro
Ascanium, patriisque epulandum ponere mensis? --
Verum anceps pugnae fuerat fortuna: -- fuisset.
Quem metui moritura? Faces in castra tulissem,

implessemque foros flammis, natumque patremque   605
cum genere extinxem, memet super ipsa dedissem.
"Sol, qui terrarum flammis opera omnia lustras,
tuque harum interpres curarum et conscia Iuno,
nocturnisque Hecate triuiis ululata per urbes,

et Dirae ultrices, et di morientis Elissae,   610
accipite haec, meritumque malis aduertite numen,
et nostras audite preces. Si tangere portus
infandum caput ac terris adnare necesse est,
et sic fata Iouis poscunt, hic terminus haeret:

at bello audacis populi uexatus et armis,   615
finibus extorris, complexu auulsus Iuli,
auxilium imploret, uideatque indigna suorum
funera; nec, cum se sub leges pacis iniquae
tradiderit, regno aut optata luce fruatur,

Mais qu'il tombe prématurément, sans sépulture au milieu des sables.
Je fais ces prières, je prononce ces dernières paroles avec mon sang.
Et vous, ô Tyriens, leur descendance et toute leur race à venir
Poursuivez-les de votre haine, et à mes cendres dédiez ces
Devoirs. Qu'il n'y ait aucune affection, ni alliance entre nos peuples.

Que de mes os se lève quelqu'un pour me venger,
Qui par le fer et par le feu poursuive ces colons Dardanéens,
Maintenant, un jour, peu importe, quand il nous viendra des forces[303].
Rivage contre rivage, mer contre mer,
Armée contre armée, je leur souhaite de se battre, eux et leurs rejetons. »

Ayant dit cela, elle réfléchissait dans toutes les directions,
Cherchant à interrompre dès que possible ses jours haïs.
Alors elle s'adressa brièvement à Barcé, la nourrice de Sychée,
Car la terre noire gardait la sienne dans son ancienne patrie :
« Chère nourrice, fais venir à moi ici ma sœur Anne ;

Dis-lui qu'elle se hâte de s'asperger de l'eau pure de la rivière,
Et amène avec elle des bêtes, offrandes sacrificielles approuvées :
Qu'ainsi elle vienne ; et toi, couvre-toi les tempes de bandelettes sacrées.
Une célébration au Maître du Styx[304], que j'ai préparée selon le rite,
(J'ai engagé) avec l'intention de l'achever et d'en finir avec mes maux,

En livrant à la flamme le bûcher avec la tête du Dardanéen. »
Ainsi parla-t-elle. La nourrice pressait le pas avec le zèle d'une vieillarde.
Mais Didon, agitée et affolée par son monstrueux dessein,
Roulant des yeux injectés de sang, avec des tâches
Parsemant ses joues (tremblantes), et rendue pâle par sa mort à venir,

Fait irruption à l'intérieur du palais, et sur le haut
Bûcher grimpe, en proie à la folie, dégainant l'épée
Dardanéenne, un présent non destiné à cet usage.
Alors, après (avoir regardé) les dépouilles (laissées par) le Troyen et
(Le lit bien connu), retardée un peu par ses larmes et ses pensées,

---

[303] Allusion aux trois guerres puniques et au général carthaginois Hannibal.
[304] Alias Pluton, dieu des Enfers.

sed cadat ante diem, mediaque inhumatus harena.   620
Haec precor, hanc uocem extremam cum sanguine fundo.
Tum uos, o Tyrii, stirpem et genus omne futurum
exercete odiis, cinerique haec mittite nostro
munera. Nullus amor populis, nec foedera sunto.

Exoriare aliquis nostris ex ossibus ultor,   625
qui face Dardanios ferroque sequare colonos,
nunc, olim, quocumque dabunt se tempore uires.
Litora litoribus contraria, fluctibus undas
imprecor, arma armis; pugnent ipsique nepotesque."

Haec ait, et partis animum uersabat in omnis,   630
inuisam quaerens quam primum abrumpere lucem.
Tum breuiter Barcen nutricem adfata Sychaei,
namque suam patria antiqua cinis ater habebat:
"Annam cara mihi nutrix huc siste sororem;

dic corpus properet fluuiali spargere lympha,   635
et pecudes secum et monstrata piacula ducat:
sic ueniat; tuque ipsa pia tege tempora uitta.
Sacra Ioui Stygio, quae rite incepta paraui,
perficere est animus, finemque imponere curis,

Dardaniique rogum capitis permittere flammae."   640
Sic ait. Illa gradum studio celerabat anili.
At trepida, et coeptis immanibus effera Dido,
sanguineam uoluens aciem, maculisque trementis
interfusa genas, et pallida morte futura,

interiora domus inrumpit limina, et altos   645
conscendit furibunda rogos, ensemque recludit
Dardanium, non hos quaesitum munus in usus.
Hic, postquam Iliacas uestes notumque cubile
conspexit, paulum lacrimis et mente morata,

Elle s'allongea sur la couche, et prononça ces derniers mots :
« Dépouilles, douces tant que le destin et le dieu le permettaient,
Recueillez cette âme, et libérez-moi de ces tourments.
J'ai vécu, parcourant la carrière que la fortune m'a donnée,
Et à présent la grande figure qui est la mienne sous terre va partir.

J'ai bâti une illustre cité ; j'ai vu (se dresser) mes remparts,
J'ai vengé mon mari, ai obtenu en retour le châtiment d'un frère ennemi ;
Fortunée, hélas trop fortunée (eussé-je été) si seulement nos rivages
Jamais n'avaient été touchés par les nefs Dardanéennes ! »
Cela dit, le visage enfoncé dans le lit, « Sans être vengée je vais mourir,

Mais qu'il en soit ainsi » dit-elle. « Il me plaît bien de descendre ainsi
(Aux ombres) : qu'il se repaisse la vue de ce feu depuis le large, le cruel
Dardanéen, et emporte avec lui la malédiction de ma mort. »
Elle avait parlé ; et au milieu de ce discours sur le fer
Les gens de sa suite (la) voient s'écrouler, ainsi que l'épée de sang

Ecumante, et ses mains éclaboussées. Une clameur monte vers les grands
Autels ; la Rumeur se déchaîne à travers la cité qu'elle ébranle.
De lamentations, de gémissements et de hurlements de femmes
Les maisons retentissent ; le ciel se remplit d'un vacarme
Tout comme si, l'ennemi s'y étant introduit, s'écroulaient tout

Carthage ou l'antique Tyr, et que les flammes rageuses
S'élevaient en spirales par-dessus les toits des hommes et des dieux.
Défaillant, (sa sœur) l'entendit, et terrorisée dans sa course affolée,
S'abîmant le visage avec les ongles et la poitrine avec les poings,
Se précipite au beau milieu, et appelle la mourante par son nom :

« C'était donc cela, ma sœur ? Tu trichais en me mandant ?
C'était cela que ce bûcher, les feux et les autels me réservaient ?
Que devrais-je déplorer en premier, moi l'abandonnée ? Avec ta sœur
As-tu craint de mourir ? Tu aurais dû m'appeler à partager ton sort :
Même douleur par le fer, même heure toutes deux nous auraient enlevées.

incubuitque toro, dixitque nouissima uerba: 650
"Dulces exuuiae, dum fata deusque sinebant,
accipite hanc animam, meque his exsoluite curis.
Vixi, et, quem dederat cursum fortuna, peregi,
et nunc magna mei sub terras ibit imago.

Urbem praeclaram statui; mea moenia uidi,   655
ulta uirum, poenas inimico a fratre recepi;
felix, heu nimium felix, si litora tantum
numquam Dardaniae tetigissent nostra carinae!"
Dixit, et, os impressa toro, "Moriemur inultae,

sed moriamur" ait. "Sic, sic iuuat ire sub umbras: 660
Hauriat hunc oculis ignem crudelis ab alto
Dardanus, et nostrae secum ferat omina mortis."
Dixerat; atque illam media inter talia ferro
conlapsam aspiciunt comites, ensemque cruore

spumantem, sparsasque manus. It clamor ad alta   665
atria; concussam bacchatur Fama per urbem.
Lamentis gemituque et femineo ululatu
tecta fremunt; resonat magnis plangoribus aether,
non aliter, quam si immissis ruat hostibus omnis

Karthago aut antiqua Tyros, flammaeque furentes   670
culmina perque hominum uoluantur perque deorum.
Audiit exanimis, trepidoque exterrita cursu
unguibus ora soror foedans et pectora pugnis
per medios ruit, ac morientem nomine clamat:

"Hoc illud, germana, fuit? Me fraude petebas?   675
Hoc rogus iste mihi, hoc ignes araeque parabant?
Quid primum deserta querar? Comitemne sororem
spreuisti moriens? Eadem me ad fata uocasses:
idem ambas ferro dolor, atque eadem hora tulisset.

De ces mains même ai-je dressé (ce bûcher), ai-je invoqué nos dieux
Ancestraux à haute voix, pour être loin de toi ainsi abandonnée, cruelle ?
Tu t'es détruite, ma sœur, et moi avec, et notre peuple avec ses patriciens
Sidoniens, et ta cité. Qu'il me soit donné (de purifier) tes blessures
(Avec de l'eau) et que, s'il te reste encore un dernier souffle,

Je le recueille dans ma bouche[305]. » Cela dit, elle avait monté
(Les hautes marches) et, l'enlaçant à moitié morte sur son sein, serrait
(Sa sœur) en gémissant, et asséchait le sang noir sur ses vêtements.
Elle, après avoir essayé de relever ses yeux lourds, derechef
Défaille ; sa blessure logée sous sa poitrine gargouille.

Trois fois se soulevant en s'appuyant sur ses coudes elle se leva ;
Trois fois elle retomba sur sa couche, et de son regard errant haut
Dans les cieux, elle chercha la lumière, et l'ayant trouvée, gémit.
Alors Junon la toute-puissante, ayant pris en pitié sa longue souffrance
Et sa pénible fin, fit descendre Iris[306] de l'Olympe,

Afin qu'elle libère son âme luttant pour se démêler de ses membres.
Car, comme elle ne périssait pas par son destin, ni par une mort méritée,
Mais, malheureuse, prématurément, enflammée par une subite passion,
Proserpine[307] de sa couronne une mèche dorée n'avait pas encore
Enlevé, ni transmis sa personne à Orcus[308] le Stygien.

Et donc Iris humide de rosée, sur ses ailes couleur safran dans le ciel
Déployant mille couleurs variées face au soleil,
Descend en volant, et se présenta au-dessus de sa tête : « A Dis[309] ces
(Cheveux) sacrés on m'a ordonné d'apporter, et je te libère de ce corps. »
Ainsi parla-t-elle, et de sa dextre coupe les cheveux : d'un seul coup

(Toute) sa chaleur écoulée, sa vie aussi dans le vent se dissipa.

---

[305] Allusion à un rituel funéraire romain.
[306] Messagère des dieux et notamment de Junon.
[307] Proserpine-Perséphone règne sur les Enfers en compagnie de son mari et
oncle Pluton ; on coupe quelques cheveux au mourant pour les offrir à la déesse.
[308] Surnom de Pluton ; le Styx est le principal fleuve des Enfers.
[309] Dis Pater, Dieu des Enfers assimilé à Pluton.

His etiam struxi manibus, patriosque uocaui   680
uoce deos, sic te ut posita crudelis abessem?
Exstinxti te meque, soror, populumque patresque
Sidonios urbemque tuam. Date uolnera lymphis
abluam, et, extremus si quis super halitus errat,

ore legam." Sic fata, gradus euaserat altos,   685
semianimemque sinu germanam amplexa fouebat
cum gemitu, atque atros siccabat ueste cruores.
Illa, graues oculos conata attollere, rursus
deficit; infixum stridit sub pectore uulnus.

Ter sese attollens cubitoque adnixa leuauit;   690
ter reuoluta toro est, oculisque errantibus alto
quaesiuit caelo lucem, ingemuitque reperta.
Tum Iuno omnipotens, longum miserata dolorem
difficilisque obitus, Irim demisit Olympo,

quae luctantem animam nexosque resolueret artus.   695
Nam quia nec fato, merita nec morte peribat,
sed misera ante diem, subitoque accensa furore,
nondum illi flauum Proserpina uertice crinem
abstulerat, Stygioque caput damnauerat Orco.

Ergo Iris croceis per caelum roscida pennis,   700
mille trahens uarios aduerso sole colores,
deuolat, et supra caput adstitit: "Hunc ego Diti
sacrum iussa fero, teque isto corpore soluo."
Sic ait, et dextra crinem secat: omnis et una

dilapsus calor, atque in uentos uita recessit.   705

CHANT V

CHANT V

Entretemps Enée déjà avec sa flotte en pleine mer naviguait
Résolument, et fendait les flots que noircissait l'Aquilon,
Regardant derrière lui les remparts de l'infortunée Elissa, qui déjà
S'illuminent de flammes. Ce qui un si grand feu aura allumé,

On ne le sait ; mais les rudes douleurs (provoquées) par un grand amour
Outragé, sachant ce dont une femme en furie est capable,
Sont un triste présage pour les cœurs des Teucriens.
Quand les navires eurent atteint le large, plus aucune
Terre n'apparaît, partout la mer et partout le ciel,

Un sombre nuage de pluie se présente au-dessus de sa tête,
Apportant la nuit et la tempête et hérissant les flots de ténèbres.
Le pilote Palinure lui-même du haut de son navire :
« Aïe, pourquoi donc de si grands nuages ont enveloppé le ciel ?
Que nous prépares-tu, père Neptune ? » alors, ayant ainsi parlé,

Il commande d'attacher l'accastillage et de ramer vigoureusement,
De mettre les voiles parallèles au vent, et dit ces paroles :
« O noble Enée, même si Jupiter en personne me
L'avait promis, avec ce temps je n'espèrerais pas atteindre l'Italie.
Changés de direction, (les vents) mugissent de face et du noir couchant

Se lèvent, et l'air en nuages se condense.
Ni de nous y opposer, ni de lutter à ce point
Nous ne sommes capables. Vaincus par la Fortune, il nous faut lui obéir,
Et là où elle nous appelle, là il nous faut aller. Et plus très loin,
Je pense, (ne sont les côtes) sûres du fraternel Eryx[310] et les ports sicanes,

---

[310] Cité et montagne à l'extrémité ouest de la Sicile, à proximité de l'actuelle Trapani, à quelque 200 kilomètres de Carthage. La cité fut fondée par les Elymes, peuple d'origine troyenne.

LIBER V

Interea medium Aeneas iam classe tenebat
certus iter fluctusque atros Aquilone secabat
moenia respiciens, quae iam infelicis Elissae
conlucent flammis. quae tantum accenderit ignem

causa latet; duri magno sed amore dolores   5
polluto, notumque furens quid femina possit,
triste per augurium Teucrorum pectora ducunt.
ut pelagus tenuere rates nec iam amplius ulla
occurrit tellus, maria undique et undique caelum,

olli caeruleus supra caput astitit imber   10
noctem hiememque ferens et inhorruit unda tenebris.
ipse gubernator puppi Palinurus ab alta:
'heu quianam tanti cinxerunt aethera nimbi?
quidue, pater Neptune, paras?' sic deinde locutus

colligere arma iubet ualidisque incumbere remis,   15
obliquatque sinus in uentum ac talia fatur:
'magnanime Aenea, non, si mihi Iuppiter auctor
spondeat, hoc sperem Italiam contingere caelo.
mutati transuersa fremunt et uespere ab atro

consurgunt uenti, atque in nubem cogitur aer.   20
nec nos obniti contra nec tendere tantum
sufficimus. superat quoniam Fortuna, sequamur,
quoque uocat uertamus iter. nec litora longe
fida reor fraterna Erycis portusque Sicanos,

Pour peu que je me rappelle et me remette bien les astres observés[311]. »
Alors le pieux Enée : « en vérité, qu'ainsi l'exigent les vents
Depuis un bon moment et qu'en vain tu t'y opposes, je le constate.
Dévie la route au moyen des voiles. Est-il pour moi (terre) plus agréable,
Où je choisirais plus volontiers de mouiller mes navires fatigués,

Que cette terre qui me préserve Aceste le Dardanéen
Et en son sein enserre les os de mon père Anchise ? »
Ces paroles dites, ils se dirigent vers les ports et leurs voiles au favorable
Zéphyr[312] déploient ; la flotte est portée par les vagues rapides,
Et ils sont enfin heureux d'être conduits vers la plage familière.

Mais au loin, depuis le haut sommet d'un mont, tout étonné,
Aceste accourt à la rencontre des nefs amies,
Effrayant avec ses javelots et revêtu d'une peau d'ours de Libye,
Lui que sa mère troyenne conçut du fleuve Crinisos[313]
Et mit au monde. Ayant gardé la mémoire de ces vieux parents

Il se réjouit qu'ils reviennent et, joyeux, de ses trésors frustes
Les gratifie, et de son aide amicale réconforte les hommes épuisés.
Dès que de l'Orient, le (lumineux jour) suivant eut chassé
(Les étoiles), ses compagnons rassemblés de tout le littoral
Enée fait venir, et s'adresse à eux du haut d'un terre-plein :

« Nobles Dardanides, race issue du sang glorieux des dieux,
Un cycle annuel de mois s'est exactement écoulé
Depuis que les restes et les os de mon divin père
Nous avons enterré et que nous lui avons consacré des autels funèbres ;
Et voilà déjà venu, si je ne me trompe, ce jour que toujours je pleurerai,

---

[311] Lors du précédent voyage.
[312] Vent d'ouest.
[313] Dieu-fleuve sicilien (aujourd'hui le Belice), qui s'unit à Egeste-Ségeste, une jeune fille troyenne exilée de son pays par le roi Laomédon. Crinisos avait pris pour l'occasion la forme d'un chien ou d'un ours (!).

si modo rite memor seruata remetior astra.'   25
tum pius Aeneas: 'equidem sic poscere uentos
iamdudum et frustra cerno te tendere contra.
flecte uiam uelis. an sit mihi gratior ulla,
quoue magis fessas optem demittere nauis,

quam quae Dardanium tellus mihi seruat Acesten   30
et patris Anchisae gremio complectitur ossa?'
haec ubi dicta, petunt portus et uela secundi
intendunt Zephyri; fertur cita gurgite classis,
et tandem laeti notae aduertuntur harenae.

At procul ex celso miratus uertice montis   35
aduentum sociasque rates occurrit Acestes,
horridus in iaculis et pelle Libystidis ursae,
Troia Criniso conceptum flumine mater
quem genuit. ueterum non immemor ille parentum

gratatur reduces et gaza laetus agresti   40
excipit, ac fessos opibus solatur amicis.
Postera cum primo stellas Oriente fugarat
clara dies, socios in coetum litore ab omni
aduocat Aeneas tumulique ex aggere fatur:

'Dardanidae magni, genus alto a sanguine diuum,   45
annuus exactis completur mensibus orbis,
ex quo reliquias diuinique ossa parentis
condidimus terra maestasque sacrauimus aras;
iamque dies, nisi fallor, adest, quem semper acerbum,

Toujours j'honorerai (ainsi l'avez-vous voulu, ô dieux).
J'agirais ainsi (même) étant exilé dans les Syrtes de Gétulie,
Ou surpris soit en mer Argienne soit à Mycènes,
Des vœux annuels malgré cela et des processions solennelles selon le rite
J'accomplirais et des autels avec les offrandes appropriées je dresserais.

A présent, c'est devant les cendres et les ossements mêmes de mon père,
Non sans, j'en suis sûr, l'assentiment et la volonté des dieux,
Que nous avons été rejetés, et avons pénétré dans des ports amis.
C'est pourquoi, venez et tous ensemble révérons-le dans la joie ;
Demandons des vents (favorables), et que ces sacrifices tous les ans,

Notre cité étant fondée, il daigne accepter dans des temples à lui dédiés.
Aceste, de Troie le descendant, vous (donne deux têtes) de bœuf
Par navire ; (au banquet à la fois) convoquez vos dieux Pénates
Ancestraux et ceux qu'honore notre hôte Aceste.
En outre, si un jour bienfaisant aux mortels la neuvième

Aurore veut bien apporter, et de ses rayons la terre éclairer,
J'organiserai des concours pour les Teucriens, d'abord pour les nefs
(Rapides) ; quiconque excelle à la course à pied ou, confiant en sa force,
Soit préfère lancer le javelot et les flèches véloces,
Soit compte participer à la lutte au ceste brut[314],

Que tous soient là dans l'espoir d'une palme comme prix de leur mérite.
Tous soutenez-les de vos cris et ceignez-vous les tempes de rameaux. »
Ayant parlé ainsi il couvre ses tempes de myrte maternel[315].
Ce que font Elymos[316], Aceste d'âge mûr,
Le garçon Ascagne, suivis du restant de la jeunesse.

---

[314] Pugilat avec les poings enveloppés de sangles de cuir.
[315] Le myrte était associé à Aphrodite, la mère d'Enée, car il lui avait permis de cacher sa nudité à des regards de satyres.
[316] Les Elymes étaient un peuple d'origine troyenne installé en Sicile occidentale après la chute de Troie. Leur héros éponyme Elymos serait un fils bâtard d'Anchise.

semper honoratum sic di uoluistis habebo. 50
hunc ego Gaetulis agerem si Syrtibus exsul,
Argolicoue mari deprensus et urbe Mycenae,
annua uota tamen sollemnisque ordine pompas
exsequerer strueremque suis altaria donis.

nunc ultro ad cineres ipsius et ossa parentis 55
haud equidem sine mente, reor, sine numine diuum
adsumus et portus delati intramus amicos.
ergo agite et laetum cuncti celebremus honorem:
poscamus uentos, atque haec me sacra quotannis

urbe uelit posita templis sibi ferre dicatis. 60
bina boum uobis Troia generatus Acestes
dat numero capita in nauis; adhibete penatis
et patrios epulis et quos colit hospes Acestes.
praeterea, si nona diem mortalibus almum

Aurora extulerit radiisque retexerit orbem, 65
prima citae Teucris ponam certamina classis;
quique pedum cursu ualet, et qui uiribus audax
aut iaculo incedit melior leuibusque sagittis,
seu crudo fidit pugnam committere caestu,

cuncti adsint meritaeque exspectent praemia palmae. 70
ore fauete omnes et cingite tempora ramis.'
Sic fatus uelat materna tempora myrto.
hoc Helymus facit, hoc aeui maturus Acestes,
hoc puer Ascanius, sequitur quos cetera pubes.

Lui, quittant les milliers de gens rassemblés, se rendait
Au tombeau, au milieu d'une grande multitude d'accompagnants.
Là, offrant selon le rite deux coupes de vin pur,
Il les répand sur le sol, ainsi que deux de lait frais, deux de sang consacré,
Jette des fleurs de couleur pourpre et prononce ces paroles :

« Salut à toi, vénérable père, une deuxième fois ; salut à vous, (cendres)
Vainement (sauvées), esprit et ombre paternels[317].
Il ne m'a pas été permis (de gagner avec toi) les confins Italiens
(Ni les plaines prédestinées), ni le Tibre Ausonien, quel qu'il soit. »
Il avait dit cela, quand un serpent onduleux des profondeurs du sanctuaire

Ses sept énormes anneaux, ses spires septuples extirpa,
Enserrant doucement le tombeau et se glissant entre les autels ;
Avec sa peau tachetée de marques foncées et (ses écailles) d'or,
Il avait un éclat resplendissant, pareil à un arc-en-ciel dans les nuées
Projetant mille couleurs variées face au soleil.

Enée fut abasourdi par cette vision. Ce (serpent) défilant longuement
Et lentement entre les patères et les coupes brillantes
Goûta aux mets et de nouveau, inoffensif, dans les profondeurs
Du tombeau rentra et quitta les autels après s'y être sustenté.
Après cela il reprend la célébration commencée en l'honneur de son père,

Se demandant si l'esprit des lieux ou un serviteur de son père
Cela pouvait être ; il immole selon la coutume deux (brebis) bidentées
Et autant de truies, et tout autant de taurillons à l'échine noire,
Répandant des vins des patères et invoquant l'âme
Du grand Anchise et ses mânes mises en congé de l'Achéron[318].

---

[317] Les trois composantes d'un mort : ses cendres recueillies par la terre, son esprit dilué dans les airs, et son ombre qui rejoint les Enfers souterrains.
[318] L'un des fleuves des Enfers. Les mânes d'Anchise sont « libérées » provisoirement pour leur permettre de participer à la cérémonie funèbre organisée en son honneur.

ille e concilio multis cum milibus ibat   75
ad tumulum magna medius comitante caterua.
hic duo rite mero libans carchesia Baccho
fundit humi, duo lacte nouo, duo sanguine sacro,
purpureosque iacit flores ac talia fatur:

'salue, sancte parens, iterum; saluete, recepti   80
nequiquam cineres animaeque umbraeque paternae.
non licuit finis Italos fataliaque arua
nec tecum Ausonium, quicumque est, quaerere Thybrim.'
dixerat haec, adytis cum lubricus anguis ab imis

septem ingens gyros, septena uolumina traxit   85
amplexus placide tumulum lapsusque per aras,
caeruleae cui terga notae maculosus et auro
squamam incendebat fulgor, ceu nubibus arcus
mille iacit uarios aduerso sole colores.

obstipuit uisu Aeneas. ille agmine longo   90
tandem inter pateras et leuia pocula serpens
libauitque dapes rursusque innoxius imo
successit tumulo et depasta altaria liquit.
hoc magis inceptos genitori instaurat honores,

incertus geniumne loci famulumne parentis   95
esse putet; caedit binas de more bidentis
totque sues, totidem nigrantis terga iuuencos,
uinaque fundebat pateris animamque uocabat
Anchisae magni manisque Acheronte remissos.

Et ses alliés ne sont pas en reste, heureux, chacun selon ses possibilités,
D'apporter son don, de charger les autels et d'immoler des taurillons ;
D'autres à leur tour disposent des chaudrons et, couchés dans l'herbe,
Mettent des braises sous les broches pour faire rôtir les viandes.
Le jour attendu était arrivé et la neuvième (Aurore) dans la claire

Lumière par les chevaux de Phaéton[319] était déjà conduite,
Et par la gloire et le nom de l'illustre Aceste ses voisins
Avaient été attirés ; ils avaient rempli le rivage d'une foule joyeuse,
Pour voir les compagnons d'Enée, et certains étaient prêts à concourir.
Pour commencer, les prix sont disposés devant leurs yeux (au milieu)

(De l'amphithéâtre), tripodes de cérémonie, couronnes de feuilles
Et palmes en récompense pour les vainqueurs, des armes et de pourpre
Teintes des étoffes, des talents d'argent et d'or ;
Et, du centre d'un terre-plein, une trompe sonne l'ouverture des jeux.
D'abord se mesurent, équipées de leurs lourdes rames, de pareille force

Quatre nefs sélectionnées parmi toute la flotte.
La véloce Pristis[320] aux vigoureux rameurs est conduite par Ménesthée,
Bientôt Ménesthée l'Italien, lignée d'où est tiré le nom de Memmius[321],
Gyas (conduit) l'énorme Chimère à l'énorme carcasse,
Construite comme une cité, que de jeunes Dardanéens sur un triple rang

Propulsent, leurs rames se soulevant sur trois rangées ;
Et Sergeste, dont la maison Sergia tient son nom,
Navigue sur le grand Centaure, et Cloanthe sur la Scylla
Bleu marine[322], d'où vient ta lignée, Romain Cluentius.
Il est au loin un rocher dans la mer, en face de l'écumeux

---

[319] Ici le Soleil lui-même, bien que Phaéton soit le nom de son fils.
[320] Du grec πρίστις : gros poisson de mer, du genre requin.
[321] Puissante famille romaine ; Caius Memmius fut le protecteur de Lucrèce au premier siècle avant JC.
[322] La couleur des chiens de Scylla : cf. vers 432 du Chant III.

nec non et socii, quae cuique est copia, laeti   100
dona ferunt, onerant aras mactantque iuuencos;
ordine aena locant alii fusique per herbam
subiciunt ueribus prunas et uiscera torrent.
Exspectata dies aderat nonamque serena

Auroram Phaethontis equi iam luce uehebant,   105
famaque finitimos et clari nomen Acestae
excierat; laeto complerant litora coetu
uisuri Aeneadas, pars et certare parati.
munera principio ante oculos circoque locantur

in medio, sacri tripodes uiridesque coronae   110
et palmae pretium uictoribus, armaque et ostro
perfusae uestes, argenti aurique talenta;
et tuba commissos medio canit aggere ludos.
Prima pares ineunt grauibus certamina remis

quattuor ex omni delectae classe carinae.   115
uelocem Mnestheus agit acri remige Pristim,
mox Italus Mnestheus, genus a quo nomine Memmi,
ingentemque Gyas ingenti mole Chimaeram,
urbis opus, triplici pubes quam Dardana uersu

impellunt, terno consurgunt ordine remi;   120
Sergestusque, domus tenet a quo Sergia nomen,
Centauro inuehitur magna, Scyllaque Cloanthus
caerulea, genus unde tibi, Romane Cluenti.
Est procul in pelago saxum spumantia contra

Rivage, (rocher) qui, par moments submergé, est battu par les grosses
Vagues quand le Caurus[323] hivernal cache les étoiles ;
Par temps calme il se tient silencieux et des eaux tranquilles émerge
Sa plateforme, lieu très apprécié des oiseaux plongeurs aimant le soleil.
Là (le père) Enée une borne verte faite d'une yeuse feuillue

Installe, signal pour les marins (afin qu'ils sachent) à partir d'où
Il leur faut retourner et rebrousser leur longue course.
Alors ils choisissent leur position par tirage au sort, et sur leurs nefs, d'or
Et de magnifique pourpre resplendissent de loin les commandants ;
Le reste des jeunes est couvert de guirlandes de feuilles de peuplier[324]

Et leurs épaules nues, enduites d'huile, luisent.
Ils s'assoient sur leurs bancs, les bras tendus sur leurs rames ;
Tendus ils attendent le signal, et (leurs cœurs) battants sont dévorés
D'une vibrante excitation, et âpre est leur envie de gloire.
Alors quand la trompe émit sa claire sonnerie, tous de (leur) place

Sans perdre de temps jaillirent ; retentit dans les airs la clameur
Des marins, la mer écume, labourée par les bras musclés tirant en arrière.
De concert ils creusent leurs sillons, tout entière s'ouvre
La plaine marine, lacérée par les rames et les rostres à trois pointes.
(Jamais), dans leur course, des chars biges[325] (ne prirent) aussi vite

(Du champ), ni ne foncent, une fois lâchés de leurs stalles,
Ni les auriges, les rênes flottantes (de leur attelage) libéré, de cette façon
Ne secouèrent, penchés vers l'avant, accrochés à leur fouet.
Alors des applaudissements et du vacarme des hommes et de la passion
(Des supporters) retentit tout le bois, les voix résonnent (sur le rivage)

---

[323] Vent de nord-ouest.
[324] Le peuplier noir, arbre de la mort chez les Romains, était tout indiqué pour cette célébration de jeux en mémoire du défunt Anchise.
[325] Tirés par deux chevaux.

litora, quod tumidis summersum tunditur olim 125
fluctibus, hiberni condunt ubi sidera Cauri;
tranquillo silet immotaque attollitur unda
campus et apricis statio gratissima mergis.
hic uiridem Aeneas frondenti ex ilice metam

constituit signum nautis pater, unde reuerti 130
scirent et longos ubi circumflectere cursus.
tum loca sorte legunt ipsique in puppibus auro
ductores longe effulgent ostroque decori;
cetera populea uelatur fronde iuuentus

nudatosque umeros oleo perfusa nitescit. 135
considunt transtris, intentaque bracchia remis;
intenti exspectant signum, exsultantiaque haurit
corda pauor pulsans laudumque arrecta cupido.
inde ubi clara dedit sonitum tuba, finibus omnes,

haud mora, prosiluere suis; ferit aethera clamor 140
nauticus, adductis spumant freta uersa lacertis.
infindunt pariter sulcos, totumque dehiscit
conuulsum remis rostrisque tridentibus aequor.
non tam praecipites biiugo certamine campum

corripuere ruuntque effusi carcere currus, 145
nec sic immissis aurigae undantia lora
concussere iugis pronique in uerbera pendent.
tum plausu fremituque uirum studiisque fauentum
consonat omne nemus, uocemque inclusa uolutant

(Enfermé) par des collines répercutant les clameurs qui les frappent.
(Gyas) le premier s'échappe des autres et glisse sur les flots,
Au milieu du vacarme et des protestations ; ensuite (vient) Cloanthe,
Meilleur à la rame, mais son bateau par son poids
Est ralenti. Derrière ceux-là, à égale distance la Pristis

Et le Centaure s'efforcent de prendre l'avantage l'un sur l'autre ;
Et tantôt la Pristis l'a, et tantôt elle est dépassée, vaincue, par l'énorme
Centaure, et tantôt ensemble les deux sont emportés (avec leurs proues)
(Côte à côte) et de leurs longues quilles fendent les flots salés.
Déjà ils approchaient du rocher et touchaient à la borne,

Lorsqu'au milieu des remous le commandant victorieux Gyas
Interpelle bruyamment le pilote du navire Ménécée :
« Où vas-tu comme ça à tribord ? dirige ta course par là ;
Caresse le bord et fais que la rame à bâbord effleure les récifs ;
Que les autres tiennent l'extérieur. » dit-il ; mais Ménécée, les invisibles

Rochers craignant, dévie la proue vers la mer.
« Où t'en vas-tu ? » dit-il derechef « va vers les rochers, Ménécée ! »
Lui rappelait de nouveau Gyas à grands cris, et voilà que Cloanthe
Il aperçut arrivant derrière lui, et se rapprochant.
Cloanthe, entre le navire de Gyas et les récifs sonores

Prend la corde à bâbord, et soudain (dépasse) le premier
Et, une fois la borne franchie, se retrouve en eaux sûres.
Alors vraiment les jeunes virent leurs os s'enflammer d'une rage folle
Et il ne manqua pas de larmes sur leurs joues, et (Gyas lui-même),
Oublieux de sa dignité et de la sécurité de ses compagnons,

Dans la mer du haut de son navire précipite (le mou Ménécée) ;
Lui-même comme pilote se met au gouvernail, lui-même comme chef
Encourage ses hommes et oriente la barre vers la côte.
Mais quand péniblement des profondeurs fut enfin remonté
Le vieux Ménécée, (alourdi) et ruisselant dans ses vêtements trempés,

litora, pulsati colles clamore resultant.   150
Effugit ante alios primisque elabitur undis
turbam inter fremitumque Gyas; quem deinde Cloanthus
consequitur, melior remis, sed pondere pinus
tarda tenet. post hos aequo discrimine Pristis

Centaurusque locum tendunt superare priorem;   155
et nunc Pristis habet, nunc uictam praeterit ingens
Centaurus, nunc una ambae iunctisque feruntur
frontibus et longa sulcant uada salsa carina.
iamque propinquabant scopulo metamque tenebant,

cum princeps medioque Gyas in gurgite uictor   160
rectorem nauis compellat uoce Menoeten:
'quo tantum mihi dexter abis? huc derige cursum;
litus ama et laeua stringat sine palmula cautes;
altum alii teneant.' dixit; sed caeca Menoetes

saxa timens proram pelagi detorquet ad undas.   165
'quo diuersus abis?' iterum 'pete saxa, Menoete!'
cum clamore Gyas reuocabat, et ecce Cloanthum
respicit instantem tergo et propiora tenentem.
ille inter nauemque Gyae scopulosque sonantis

radit iter laeuum interior subitoque priorem   170
praeterit et metis tenet aequora tuta relictis.
tum uero exarsit iuueni dolor ossibus ingens
nec lacrimis caruere genae, segnemque Menoeten
oblitus decorisque sui sociumque salutis

in mare praecipitem puppi deturbat ab alta;   175
ipse gubernaclo rector subit, ipse magister
hortaturque uiros clauumque ad litora torquet.
at grauis ut fundo uix tandem redditus imo est
iam senior madidaque fluens in ueste Menoetes

Il gagne le sommet du récif et s'assit sur un rocher à sec.
Les Teucriens rirent en (le voyant) tomber, (en le voyant) nager,
Et rient (en le voyant) dégorger des flots d'eau salée.
Ici, un joyeux espoir s'est allumé chez les deux derniers,
Sergeste et Ménesthée, de battre Gyas qui prend du retard.

Sergeste prend la tête et arrive à proximité du rocher,
Sans cependant mener d'une longueur entière de navire ;
En partie devant, en partie par le rostre de sa rivale Pristis il est pressé.
Mais, marchant parmi ses compagnons mêmes, du milieu du bateau
Ménesthée les stimule : « c'est le moment, le moment d'y aller, rameurs

(Jadis) compagnons d'Hector, vous que lors du destin final de Troie
J'ai choisis pour m'accompagner ; maintenant démontrez ces forces
Ce courage dont vous avez fait preuve dans les Syrtes de Gétulie,
En mer Ionienne, et dans les eaux piégeuses du Malée[326].
Je ne cherche plus, moi Ménesthée, à gagner, ni ne rivalise pour vaincre,

Encore que ! — que gagnent, ô Neptune, ceux à qui tu l'as accordé ;
Mais il serait honteux de revenir les derniers : là il faut vaincre, les amis,
Et empêcher cette chose innommable ! » Eux dans une lutte extrême
Se courbent vers l'avant : la nef d'airain vibre sous les grands coups
Et son sol se dérobe, leurs respirations haletantes leurs membres

Et leurs bouches sèches secouent, la sueur partout ruisselle.
Le hasard lui-même leur apporta la grâce souhaitée :
Car lorsque (Sergeste) déchaîné, avec sa proue le rocher serre
De près et aborde l'espace dangereux,
Le malheureux accrocha les écueils affleurants.

Les récifs ébranlés et les rames (ayant achoppé) contre la roche coupante
Craquèrent et la proue en la heurtant s'y encastra.
Les marins se lèvent et, prenant du retard, poussent de grands cris,
Des perches ferrées et des piques à la pointe acérée
Ils ressortent et recueillent les rames brisées dans les remous.

---

[326] Le cap Malée au sud du Péloponnèse sépare la mer Egée de la mer Ionienne ;
il était particulièrement redouté des marins.

summa petit scopuli siccaque in rupe resedit. 180
illum et labentem Teucri et risere natantem
et salsos rident reuomentem pectore fluctus.
Hic laeta extremis spes est accensa duobus,
Sergesto Mnestheique, Gyan superare morantem.

Sergestus capit ante locum scopuloque propinquat, 185
nec tota tamen ille prior praeeunte carina;
parte prior, partim rostro premit aemula Pristis.
at media socios incedens naue per ipsos
hortatur Mnestheus: 'nunc, nunc insurgite remis,

Hectorei socii, Troiae quos sorte suprema 190
delegi comites; nunc illas promite uiris,
nunc animos, quibus in Gaetulis Syrtibus usi
Ionioque mari Maleaeque sequacibus undis.
non iam prima peto Mnestheus neque uincere certo

quamquam o!—sed superent quibus hoc, Neptune, dedisti; 195
extremos pudeat rediisse: hoc uincite, ciues,
et prohibete nefas.' olli certamine summo
procumbunt: uastis tremit ictibus aerea puppis
subtrahiturque solum, tum creber anhelitus artus

aridaque ora quatit, sudor fluit undique riuis. 200
attulit ipse uiris optatum casus honorem:
namque furens animi dum proram ad saxa suburget
interior spatioque subit Sergestus iniquo,
infelix saxis in procurrentibus haesit.

concussae cautes et acuto in murice remi 205
obnixi crepuere inlisaque prora pependit.
consurgunt nautae et magno clamore morantur
ferratasque trudes et acuta cuspide contos
expediunt fractosque legunt in gurgite remos.

Mais Ménesthée, (rendu) heureux et encouragé par cette aubaine,
Grâce au mouvement rapide de ses rames et le secours des vents
Gagne les eaux propices et vogue sur la mer libre (d'obstacles).
Comme une colombe soudain dérangée dans sa grotte,
Ayant sa maison et son nid douillet dans la roche accueillante,

S'envole dans la plaine en battant (furieusement des ailes), terrorisée
Hors de son abri, et bientôt dans l'air calme se retrouve en train de planer,
Effleurant son parcours liquide sans (même) remuer ses ailes véloces :
Ainsi Ménesthée, ainsi la Pristis dans sa fuite même fend les dernières
Eaux, ainsi son élan lui-même l'emporte dans son vol.

Et d'abord il laisse (Sergeste) luttant devant le rocher qui dépasse
Et dans les hauts-fonds en vain appelant
De l'aide et s'essayant à virer avec ses rames brisées.
Ensuite Gyas et la massive Chimère elle-même
Il poursuit ; elle cède du terrain, car elle a été privée de capitaine.

Déjà il ne reste plus dans la dernière ligne que Cloanthe,
Qu'il cherche (à rattraper) et avec la plus grande énergie talonne.
Alors vraiment les clameurs redoublent, et tous ensemble (stimulent)
(Le poursuivant) avec enthousiasme, et le ciel retentit du vacarme.
Les uns leur amour-propre et la gloire acquise s'indignent

De pouvoir perdre, et sont prêts à échanger leur vie pour les lauriers ;
Le succès aux autres donne des ailes : ils peuvent, car ils pensent pouvoir.
Et peut-être auraient-ils gagné leur prix à égalité de rostre,
Si, tendant ses deux mains vers la mer, Cloanthe
N'avait à la fois prononcé des prières et adressé ses vœux aux dieux :

« Dieux qui régnez sur la mer, dont je parcours les eaux,
C'est avec joie que sur le rivage un taureau d'un blanc immaculé
Je vous présenterai devant vos autels, j'en fais le vœu, et ses entrailles
Je jetterai dans les flots salés, et j'y verserai des vins purs. »
Dit-il, et au plus profond des flots l'entendirent tout

at laetus Mnestheus successuque acrior ipso   210
agmine remorum celeri uentisque uocatis
prona petit maria et pelago decurrit aperto.
qualis spelunca subito commota columba,
cui domus et dulces latebroso in pumice nidi,

fertur in arua uolans plausumque exterrita pennis   215
dat tecto ingentem, mox aere lapsa quieto
radit iter liquidum celeris neque commouet alas:
sic Mnestheus, sic ipsa fuga secat ultima Pristis
aequora, sic illam fert impetus ipse uolantem.

et primum in scopulo luctantem deserit alto   220
Sergestum breuibusque uadis frustraque uocantem
auxilia et fractis discentem currere remis.
inde Gyan ipsamque ingenti mole Chimaeram
consequitur; cedit, quoniam spoliata magistro est.

solus iamque ipso superest in fine Cloanthus,   225
quem petit et summis adnixus uiribus urget.
Tum uero ingeminat clamor cunctique sequentem
instigant studiis, resonatque fragoribus aether.
hi proprium decus et partum indignantur honorem

ni teneant, uitamque uolunt pro laude pacisci;   230
hos successus alit: possunt, quia posse uidentur.
et fors aequatis cepissent praemia rostris,
ni palmas ponto tendens utrasque Cloanthus
fudissetque preces diuosque in uota uocasset:

'di, quibus imperium est pelagi, quorum aequora curro,   235
uobis laetus ego hoc candentem in litore taurum
constituam ante aras uoti reus, extaque salsos
proiciam in fluctus et uina liquentia fundam.'
dixit, eumque imis sub fluctibus audiit omnis

Le chœur des Néréides et de Phorcos[327] ainsi que la vierge Panope[328],
Et le père Portunus[329] lui-même de sa grande main sur son parcours
Le poussa : (la nef), plus rapide que le Notus et qu'une flèche ailée,
Fuit vers les terres et se rangea dans le port profond.
Alors le rejeton d'Anchise, les ayant, selon la coutume, tous rassemblés,

D'une voix de héraut retentissante, (déclare) Cloanthe vainqueur
Et lui couvre les tempes de branches de laurier vert,
(Lui donnant) en récompense à choisir trois taurillons
Des vins et un grand talent d'argent à emporter (dans les navires).
Aux capitaines eux-mêmes il ajoute ces récompenses particulières :

Au vainqueur une chlamyde dorée, qu'entoure une très large
(Bande) pourpre de Mélibée[330] formant une double bordure sinueuse,
Et avec, brodé dessus, un garçon princier sur l'Ida boisé
En train d'éreinter des cerfs rapides en courant avec son javelot ;
Il ressemble au (garçon) haletant que, descendant en volant de l'Ida,

Le porte-foudre de Jupiter[331] saisit et enleva dans les airs entre ses serres
(Crochues) ; en vain (ses gardiens) âgés tendent leurs mains vers le ciel,
Et les airs retentissent des aboiements rageurs des chiens.
Mais à celui qui derrière obtint la deuxième place grâce à son courage,
(Une cuirasse de mailles) brillantes entrelacées, triplement tissée d'or,

Dont lui-même avait dépouillé Démolée (en)
L'ayant vaincu près du rapide Simoïs sous les hauts (murs) d'Ilion,
Il donne en cadeau, parure et armure (faite) pour protéger un héros.
A peine les serviteurs Phégée et Sagaris (arrivaient-ils) à la porter,
Ployant sous la (cuirasse) multicouche ; mais jadis, l'ayant sur soi,

---

[327] Un des dieux de la mer, fils de Pontos et de Gaïa, père de nombreux monstres marins, les Phorcydes.
[328] Une des cinquante Néréides formant le cortège de Poséidon.
[329] Portunus-Palémon, dieu protecteur des marins dans les tempêtes.
[330] Ville de Thessalie célèbre pour la qualité de ses tissus.
[331] L'aigle, porteur du foudre, l'arme de Jupiter, enleva Ganymède : cf. vers 28 du Chant I.

Nereidum Phorcique chorus Panopeaque uirgo,   240
et pater ipse manu magna Portunus euntem
impulit: illa Noto citius uolucrique sagitta
ad terram fugit et portu se condidit alto.
tum satus Anchisa cunctis ex more uocatis

uictorem magna praeconis uoce Cloanthum   245
declarat uiridique aduelat tempora lauro,
muneraque in nauis ternos optare iuuencos
uinaque et argenti magnum dat ferre talentum.
ipsis praecipuos ductoribus addit honores:

uictori chlamydem auratam, quam plurima circum   250
purpura maeandro duplici Meliboea cucurrit,
intextusque puer frondosa regius Ida
uelocis iaculo ceruos cursuque fatigat
acer, anhelanti similis, quem praepes ab Ida

sublimem pedibus rapuit Iouis armiger uncis;   255
longaeui palmas nequiquam ad sidera tendunt
custodes, saeuitque canum latratus in auras.
at qui deinde locum tenuit uirtute secundum,
leuibus huic hamis consertam auroque trilicem

loricam, quam Demoleo detraxerat ipse   260
uictor apud rapidum Simoenta sub Ilio alto,
donat habere, uiro decus et tutamen in armis.
uix illam famuli Phegeus Sagarisque ferebant
multiplicem conixi umeris; indutus at olim

Démolée en courant pourchassait les Troyens en déroute.
En troisième cadeau il offre deux chaudrons en bronze
Et de magnifiques vases en argent ciselé.
Et déjà tous ceux qu'on avait si bien dotés, fiers de leurs récompenses,
S'en allaient, les tempes ceintes de bandelettes écarlates,

Quand du cruel rocher avec bien du mal venant à peine de s'extirper,
Ses rames perdues et tout un côté endommagé,
Sergeste amenait sans gloire son bateau ridiculisé.
Comme (il en va) souvent d'un serpent surpris sur la chaussée,
Qu'une roue d'airain a écrasé en travers ou que, d'un coup puissant,

Un voyageur a laissé agonisant et mutilé sur le pavé ;
En vain dans sa fuite il sinue (d'une partie) de son long corps,
Lançant des regards fiers et enflammés, et son cou sifflant
Il soulève bien haut ; la partie abîmée par la blessure (le) freine,
S'enroulant et se recroquevillant sur lui-même :

Par un tel mouvement à la rame le navire lentement se déplaçait ;
Il marche malgré cela à la voile, et voiles déployées approche du port.
Enée gratifie Sergeste de la récompense promise,
Heureux (de voir) le navire préservé et ses compagnons ramenés.
Lui est donnée une esclave, non ignorante des arts de Minerve[332],

D'origine crétoise, Pholoé, allaitant deux fils jumeaux.
Cette compétition une fois achevée, le pieux Enée se dirige
Vers une plaine herbue, que de tous côtés sur des collines arrondies
Des forêts entouraient, et où, au milieu du vallon, un amphithéâtre
Avait son circuit ; là le héros avec plusieurs milliers (de personnes)

Se rendit, s'asseyant en hauteur au milieu de l'assistance.
Là, (les courageux) qui voudraient bien se mesurer à la course rapide
Il allèche par des récompenses, et dispose les prix.
De partout se rassemblent des Teucriens et, mêlés à eux, des Sicanes,
Nisus et Euryale d'abord,

---

[332] On appelait Minerve *mille dea operum* (« la déesse aux mille arts ») en raison
de ses multiples compétences.

Demoleos cursu palantis Troas agebat. 265
tertia dona facit geminos ex aere lebetas
cymbiaque argento perfecta atque aspera signis.
iamque adeo donati omnes opibusque superbi
puniceis ibant euincti tempora taenis,

cum saeuo e scopulo multa uix arte reuulsus 270
amissis remis atque ordine debilis uno
inrisam sine honore ratem Sergestus agebat.
qualis saepe uiae deprensus in aggere serpens,
aerea quem obliquum rota transiit aut grauis ictu

seminecem liquit saxo lacerumque uiator; 275
nequiquam longos fugiens dat corpore tortus
parte ferox ardensque oculis et sibila colla
arduus attollens; pars uulnere clauda retentat
nexantem nodis seque in sua membra plicantem:

tali remigio nauis se tarda mouebat; 280
uela facit tamen et uelis subit ostia plenis.
Sergestum Aeneas promisso munere donat
seruatam ob nauem laetus sociosque reductos.
olli serua datur operum haud ignara Mineruae,

Cressa genus, Pholoe, geminique sub ubere nati. 285
Hoc pius Aeneas misso certamine tendit
gramineum in campum, quem collibus undique curuis
cingebant siluae, mediaque in ualle theatri
circus erat; quo se multis cum milibus heros

consessu medium tulit exstructoque resedit. 290
hic, qui forte uelint rapido contendere cursu,
inuitat pretiis animos, et praemia ponit.
undique conueniunt Teucri mixtique Sicani,
Nisus et Euryalus primi,

Euryale remarquable de beauté et de fraîche jeunesse,
Nisus affectueux amoureux du garçon ; les suivit ensuite
Diores, de sang royal, issu de la magnifique lignée de Priam ;
Salios et Patron tous deux (le suivent), l'un est Acarnanien[333],
L'autre de sang Arcadien, de la région de Tégée[334] ;

Puis deux jeunes de Trinacrie, Elymos et Panopes,
Hommes des bois, compagnons du vieil Aceste ;
Et beaucoup d'autres encore, d'obscure renommée.
Alors Enée parla ainsi au milieu d'eux :
« Gardez à l'esprit et veuillez prêter attention à ces (paroles).

Personne d'entre vous ne partira sans recevoir un cadeau de ma part.
Je donnerai deux (lances aux pointes) brillantes de fer lisse de Cnossos[335]
Et une hache à double tranchant ciselée en argent à emporter (à chacun) ;
Cela sera le même prix pour tous. Les trois premiers une distinction
Recevront et verront leur tête couronnée de rameaux dorés d'olivier.

Que le premier des vainqueurs reçoive un cheval à la magnifique parure ;
Le suivant un carquois d'Amazone rempli de flèches
Thraces, assujetti à un large (baudrier) d'or
Et fixé par une boucle (ornée) d'une fine pierre précieuse ;
Le troisième, qu'il parte en se contentant de ce casque Argien. »

Sur ces paroles, ils se positionnent et sitôt le signal (entendu)
Ils s'élancent dans l'espace en laissant la barrière derrière eux,
S'éparpillant comme une nuée. Aussitôt que l'arrivée est en vue,
Le premier Nisus se détache, et loin devant tous les (autres) participants
Se déplace comme l'éclair, plus rapide que les vents et la foudre ailée ;

Le plus proche de lui, mais loin derrière,
Salios le suit ; ensuite, lâché à bonne distance,
Vient Euryale en troisième ;
Elymos suit Euryale ; juste derrière lui
Voilà Diores qui vole, qui déjà le talonne

---

[333] Province à l'ouest de la Grèce continentale.
[334] Importante cité d'Arcadie, au centre du Péloponnèse.
[335] Cité crétoise.

Euryalus forma insignis uiridique iuuenta, 295
Nisus amore pio pueri; quos deinde secutus
regius egregia Priami de stirpe Diores;
hunc Salius simul et Patron, quorum alter Acarnan,
alter ab Arcadio Tegeaeae sanguine gentis;

tum duo Trinacrii iuuenes, Helymus Panopesque 300
adsueti siluis, comites senioris Acestae;
multi praeterea, quos fama obscura recondit.
Aeneas quibus in mediis sic deinde locutus:
'accipite haec animis laetasque aduertite mentes.

nemo ex hoc numero mihi non donatus abibit. 305
Cnosia bina dabo leuato lucida ferro
spicula caelatamque argento ferre bipennem;
omnibus hic erit unus honos. tres praemia primi
accipient flauaque caput nectentur oliua.

primus equum phaleris insignem uictor habeto; 310
alter Amazoniam pharetram plenamque sagittis
Threiciis, lato quam circum amplectitur auro
balteus et tereti subnectit fibula gemma;
tertius Argolica hac galea contentus abito.'

Haec ubi dicta, locum capiunt signoque repente 315
corripiunt spatia audito limenque relinquunt,
effusi nimbo similes. simul ultima signant,
primus abit longeque ante omnia corpora Nisus
emicat et uentis et fulminis ocior alis;

proximus huic, longo sed proximus interuallo, 320
insequitur Salius; spatio post deinde relicto
tertius Euryalus;
Euryalumque Helymus sequitur; quo deinde sub ipso
ecce uolat calcemque terit iam calce Diores

S'appuyant sur son épaule et, s'il lui était resté davantage de distance,
L'aurait dépassé en se glissant devant lui, enlevant toute ambiguïté.
Déjà, dans la dernière ligne, épuisés, de l'arrivée même
Ils se rapprochaient, quand Nisus sur un sang glissant
Dérape, l'infortuné, (sang) de taurillons immolés là comme par hasard,

Et qui s'était répandu sur le sol et avait imprégné l'herbe grasse.
Là, le jeune, criant déjà victoire, de ses foulées (ne put) presser
Le sol sans tituber, mais tête la première dans (ce sang) même
S'écroula, sang à la fois souillé, infect, et sacré.
Mais il n'oublie pas cependant Euryale, son amour :

Car, se relevant de sa glissade, il se mit en travers de la course de Salios ;
Et celui-ci se retrouve renversé sur le sable coagulé,
Euryale jaillit et, grâce à son ami, victorieux
Prend la tête, volant sous les applaudissements et bruyamment soutenu.
Derrière arrive Elymos et, (titulaire) de la troisième palme, Diores.

Alors toute l'assistance de l'énorme amphithéâtre, et sous les yeux
Des anciens d'abord, est abreuvée de grandes réclamations par Salios,
Qui, éliminé par ruse, exige que lui soit rendu son prix.
Les acclamations sont en faveur d'Euryale, ainsi que ses larmes seyantes,
Son corps gracieux mettant en valeur son honnêteté.

Diores vient au secours (de celui-ci) et le proclame haut et fort,
Lui qui indûment aurait gagné la palme et accédé au (dernier) prix
Si à Salios on rendait les premiers honneurs.
Alors le père Enée dit « Vos récompenses vous
Demeurent acquises, mes enfants, et personne ne change le classement ;

Qu'il me soit permis de déplorer les revers d'un ami irréprochable. »
Ayant dit cela, la peau énorme d'un lion de Gétulie
A Salios il remet, (peau) alourdie par les poils et les griffes en or.
Alors Nisus dit « Si les prix aux vaincus sont aussi importants,
Et que tu t'apitoies sur ceux qui ont glissé, à Nisus quelle récompense

incumbens umero, spatia et si plura supersint   325
transeat elapsus prior ambiguumque relinquat.
iamque fere spatio extremo fessique sub ipsam
finem aduentabant, leui cum sanguine Nisus
labitur infelix, caesis ut forte iuuencis

fusus humum uiridisque super madefecerat herbas.   330
hic iuuenis iam uictor ouans uestigia presso
haud tenuit titubata solo, sed pronus in ipso
concidit immundoque fimo sacroque cruore.
non tamen Euryali, non ille oblitus amorum:

nam sese opposuit Salio per lubrica surgens;   335
ille autem spissa iacuit reuolutus harena,
emicat Euryalus et munere uictor amici
prima tenet, plausuque uolat fremituque secundo.
post Helymus subit et nunc tertia palma Diores.

hic totum caueae consessum ingentis et ora   340
prima patrum magnis Salius clamoribus implet,
ereptumque dolo reddi sibi poscit honorem.
tutatur fauor Euryalum lacrimaeque decorae,
gratior et pulchro ueniens in corpore uirtus.

adiuuat et magna proclamat uoce Diores,   345
qui subiit palmae frustraque ad praemia uenit
ultima, si primi Salio reddentur honores.
tum pater Aeneas 'uestra' inquit 'munera uobis
certa manent, pueri et palmam mouet ordine nemo;

me liceat casus miserari insontis amici.'   350
sic fatus tergum Gaetuli immane leonis
dat Salio uillis onerosum atque unguibus aureis.
hic Nisus 'si tanta' inquit 'sunt praemia uictis,
et te lapsorum miseret, quae munera Niso

Convenable donneras-tu, à moi qui ai mérité l'honneur d'une première
(Couronne), si un sort hostile ne m'avait emporté, ainsi que Salios ? »
Et tout en parlant ainsi il exhibait son visage et (ses membres souillés)
D'une boue (visqueuse). L'excellent père lui sourit
Et fit amener un bouclier, œuvre de l'artiste Didymaon,

Enlevé par les Danaéens d'un battant de porte sacrée de Neptune.
De ce prestigieux cadeau il fait don au distingué jeune homme.
Après que la course fut achevée et qu'il eut distribué l'ensemble des prix,
« A présent, si quelqu'un se sent du courage et du sang-froid au cœur,
Qu'il se présente et lève les bras avec les mains bandées ».

Ainsi parla-t-il, et propose un double prix pour le combat,
Au vainqueur un taurillon couvert de bandelettes d'or,
Une épée et un magnifique casque en consolation au vaincu.
Et (la réponse) ne tarde pas ; aussitôt avec sa force terrible s'avance
La tête haute Darès, se dressant au milieu d'un grand murmure

(Des hommes). Le seul habitué à se mesurer à Pâris,
Le même qui, près du tombeau où est enterré le grandissime Hector,
(Abattit) le victorieux Butès au corps immense, (le Butès) qui
Venait de Bébrycie[336] et se disait de la race d'Amycos[337],
L'étendant agonisant sur le sable blond.

Tel est Darès qui, prêt pour les combats, lève haut la tête,
Exhibant ses larges épaules et projetant alternativement
Les bras en les allongeant, et frappant l'air de ses coups.
On lui cherche quelqu'un d'autre ; et personne dans tous ces rangs
N'ose affronter l'homme et se mettre les cestes aux mains.

Et donc, impatient, estimant que tous lui ont laissé la palme,
Il se campa devant les pieds d'Enée, n'attendant pas davantage,
Et de sa main gauche tient le taureau par la corne et parle ainsi :
« Fils de déesse, si personne n'ose se fier au combat,
A quoi bon rester là ? jusqu'à quand me faut-il patienter ?

---

[336] Ancien nom de la Bithynie, province d'Asie Mineure.
[337] Fils de Neptune et roi des Bébryces, il défiait au ceste les étrangers qui venaient dans son royaume et faisait périr les vaincus.

digna dabis, primam merui qui laude coronam   355
ni me, quae Salium, fortuna inimica tulisset?'
et simul his dictis faciem ostentabat et udo
turpia membra fimo. risit pater optimus olli
et clipeum efferri iussit, Didymaonis artes,

Neptuni sacro Danais de poste refixum.   360
hoc iuuenem egregium praestanti munere donat.
Post, ubi confecti cursus et dona peregit,
'nunc, si cui uirtus animusque in pectore praesens,
adsit et euinctis attollat bracchia palmis':

sic ait, et geminum pugnae proponit honorem,   365
uictori uelatum auro uittisque iuuencum,
ensem atque insignem galeam solacia uicto.
nec mora; continuo uastis cum uiribus effert
ora Dares magnoque uirum se murmure tollit,

solus qui Paridem solitus contendere contra,   370
idemque ad tumulum quo maximus occubat Hector
uictorem Buten immani corpore, qui se
Bebrycia ueniens Amyci de gente ferebat,
perculit et fulua moribundum extendit harena.

talis prima Dares caput altum in proelia tollit,   375
ostenditque umeros latos alternaque iactat
bracchia protendens et uerberat ictibus auras.
quaeritur huic alius; nec quisquam ex agmine tanto
audet adire uirum manibusque inducere caestus.

ergo alacris cunctosque putans excedere palma   380
Aeneae stetit ante pedes, nec plura moratus
tum laeua taurum cornu tenet atque ita fatur:
'nate dea, si nemo audet se credere pugnae,
quae finis standi? quo me decet usque teneri?

Ordonne que j'emporte les cadeaux. » A l'unisson murmuraient tous les
Dardanéens, et exigeaient que les choses promises lui soient remises.
Ici Aceste gravement réprimande en paroles Entelle[338],
S'étant assis à côté de lui sur un lit d'herbe verdoyant :
« Entelle, jadis des héros toi vainement le plus courageux,

Avec tant de patience (permettras-tu) que sans aucune compétition
(Soient emportés de tels) cadeaux ? Où se trouve à présent ce dieu,
Eryx[339], (notre divin maître) en vain célébré ? où sont passés ton renom
(A travers toute) la Trinacrie et ces dépouilles pendues à tes plafonds ? »
Lui à cela (répond) : « de louanges ou de gloire le désir n'a pas disparu,

Chassé par la peur ; cependant, glacé par la vieillesse rampante,
Mon sang s'alanguit, et les forces dans mon corps débilité s'étiolent.
Si (cette jeunesse) qui jadis a été mienne, et qui (enivre)
(Cet effronté) plein de confiance en soi, si je l'avais maintenant,
Non pas vraiment par le prix attiré, ni par le beau taurillon,

Je serais venu, et je n'ai que faire des cadeaux. » Après avoir ainsi parlé,
Au milieu (de l'arène) ses deux cestes d'un poids immense
Il lança, que le rude Eryx pour combattre avait coutume
De porter aux mains, s'entourant les bras des dures lanières.
Les esprits furent abasourdis : sept énormes (peaux)

D'autant de bœufs étaient raidies par du plomb et du fer cousus dedans.
Devant tous, Darès lui-même est stupéfait et proteste de loin,
Et le magnanime fils d'Anchise à la fois le poids et
Des lanières elles-mêmes les immenses enroulements examine.
Alors l'aîné du fond de son cœur fit sortir ces paroles :

---

[338] Descendant du fondateur de la cité élyme d'Entella, à proximité de Ségeste.
[339] Fils de Vénus, il provoqua Hercule au pugilat et fut vaincu ; Hercule l'enterra sur le mont homonyme.

ducere dona iube.' cuncti simul ore fremebant   385
Dardanidae reddique uiro promissa iubebant.
Hic grauis Entellum dictis castigat Acestes,
proximus ut uiridante toro consederat herbae:
'Entelle, heroum quondam fortissime frustra,

tantane tam patiens nullo certamine tolli   390
dona sines? ubi nunc nobis deus ille, magister
nequiquam memoratus, Eryx? ubi fama per omnem
Trinacriam et spolia illa tuis pendentia tectis?'
ille sub haec: 'non laudis amor nec gloria cessit

pulsa metu; sed enim gelidus tardante senecta   395
sanguis hebet, frigentque effetae in corpore uires.
si mihi quae quondam fuerat quaque improbus iste
exsultat fidens, si nunc foret illa iuuentas,
haud equidem pretio inductus pulchroque iuuenco

uenissem, nec dona moror.' sic deinde locutus   400
in medium geminos immani pondere caestus
proiecit, quibus acer Eryx in proelia suetus
ferre manum duroque intendere bracchia tergo.
obstipuere animi: tantorum ingentia septem

terga boum plumbo insuto ferroque rigebant.   405
ante omnis stupet ipse Dares longeque recusat,
magnanimusque Anchisiades et pondus et ipsa
huc illuc uinclorum immensa uolumina uersat.
tum senior talis referebat pectore uoces:

« Qu'aurait-ce été si on (avait vu) d'Hercule en personne les cestes
(Et les armes), ainsi que le funeste combat sur ce rivage même ?
Ton frère[340] Eryx jadis portait ces armes
Tu (les) vois encore souillées de sang et éclaboussées de cervelle,
Avec elles il faisait face au grand Alcide[341], à elles j'étais habitué

Tant qu'un sang meilleur me donnait des forces, et que (la vieillesse)
(Ennemie), sur mes deux tempes répandue, ne grisonnait (pas encore).
Mais si mes armes que voici Darès le Troyen conteste,
Et que cela le pieux Enée l'entérine et mon maitre Aceste l'approuve,
Combattons à armes égales. Je te fais grâce des lanières d'Eryx,

Ne crains rien, et toi enlève tes cestes Troyens. »
Cela dit, il rejeta de ses épaules son vêtement double,
Et ses membres solidement articulés, ses gros os et ses bras musclés
Dénuda et, énorme, il se tient au milieu de l'arène.
Alors le père, le rejeton d'Anchise, sortit des cestes identiques

Et pareillement aux deux entoura les mains de lanières.
Aussitôt l'un et l'autre se campèrent droit sur la pointe des pieds
Et levèrent crânement leurs bras en l'air.
Ils rejetèrent loin en arrière leurs têtes relevées pour éviter les coups
Et s'emmêlent les mains pour s'exciter au combat,

Celui-là a un meilleur jeu de jambes et compte sur sa jeunesse,
Celui-ci est puissant de constitution ; mais il tremble et lentement
Ses genoux se dérobent, un souffle court secoue ses grands membres.
En vain les hommes s'assènent de multiples coups,
Qui redoublent sur leurs flancs creux, et leurs poitrines d'énormes

Bruits résonnent, et autour de leurs oreilles et de leurs tempes s'égarent
Souvent leurs mains, leurs mâchoires grincent sous les rudes coups.
Entelle, massif, se tient debout, gardant la même position,
Se contentent d'esquiver les coups avec son corps et ses yeux vigilants.
L'autre, pareil à celui qui attaque une fière cité avec des engins

---

[340] Eryx et Enée sont tous deux fils de Vénus.
[341] Surnom d'Hercule, petit-fils d'Alcée.

'quid, si quis caestus ipsius et Herculis arma   410
uidisset tristemque hoc ipso in litore pugnam?
haec germanus Eryx quondam tuus arma gerebat
sanguine cernis adhuc sparsoque infecta cerebro,
his magnum Alciden contra stetit, his ego suetus,

dum melior uiris sanguis dabat, aemula necdum   415
temporibus geminis canebat sparsa senectus.
sed si nostra Dares haec Troius arma recusat
idque pio sedet Aeneae, probat auctor Acestes,
aequemus pugnas. Erycis tibi terga remitto

solue metus, et tu Troianos exue caestus.'   420
haec fatus duplicem ex umeris reiecit amictum
et magnos membrorum artus, magna ossa lacertosque
exuit atque ingens media consistit harena.
tum satus Anchisa caestus pater extulit aequos

et paribus palmas amborum innexuit armis.   425
constitit in digitos extemplo arrectus uterque
bracchiaque ad superas interritus extulit auras.
abduxere retro longe capita ardua ab ictu
immiscentque manus manibus pugnamque lacessunt,

ille pedum melior motu fretusque iuuenta,   430
hic membris et mole ualens; sed tarda trementi
genua labant, uastos quatit aeger anhelitus artus.
multa uiri nequiquam inter se uulnera iactant,
multa cauo lateri ingeminant et pectore uastos

dant sonitus, erratque auris et tempora circum   435
crebra manus, duro crepitant sub uulnere malae.
stat grauis Entellus nisuque immotus eodem
corpore tela modo atque oculis uigilantibus exit.
ille, uelut celsam oppugnat qui molibus urbem

Ou bien assiège en armes une forteresse haut-perchée,
De ci et de là s'approchant, tous (les endroits) teste
Avec adresse et à différents assauts sans succès se livre.
Entelle exhibe sa dextre en se dressant et bien haute
La brandit, (mais) lui le coup qui d'en haut allait tomber, prestement

Anticipa, et par un rapide (mouvement) du corps s'esquiva ;
Entelle déversa ses forces dans le vide et tout seul,
Entraîné par son énorme poids, lourdement à terre il
S'écroule, comme parfois s'écroule, soit sur l'Erymanthe[342],
Soit sur le grand Ida, un pin (creux) déraciné.

Des Teucriens et de jeunes Trinacriens se précipitent ;
Une clameur monte au ciel et Aceste accourt le premier
Et relève du sol son ami du même âge, qui fait pitié :
Mais, par sa chute ni gêné ni terrifié, le héros
De plus belle revient combattre, sa violence ravivée par sa colère ;

Alors la honte et son amour-propre enflamment ses forces,
Et déchaîné, par toute l'arène il malmène Darès tombé la tête la première,
Tantôt redoublant de coups de sa dextre, tantôt de sa main gauche.
Pas de pause ni répit : de même que d'une grêle intense les nuages
Sur les faîtages crépitent, ainsi de coups répétés le héros

Sans cesse d'un poing et de l'autre frappe et fait valdinguer Darès.
Alors le père Enée, (sans supporter) plus longtemps le flot de colère
Et le déchaînement rageur de la fureur d'Entelle,
Imposa la fin du combat et à Darès lessivé
(Permit) de s'extraire avec des paroles apaisantes, parlant ainsi :

« Malheureux, quelle folie insigne t'a pris ?
Ne sens-tu pas que les forces et la volonté (divine) ont changé de camp ?
Cède au dieu[343]. » dit-il et de sa voix interrompit le combat.
Et ses fidèles camarades (le conduisent aux navires), traînant ses genoux
(Douloureux), dodelinant de la tête, et un sang épais

---

[342] Montagne d'Arcadie dans le Péloponnèse.
[343] Sans doute Eryx.

aut montana sedet circum castella sub armis,   440
nunc hos, nunc illos aditus, omnemque pererrat
arte locum et uariis adsultibus inritus urget.
ostendit dextram insurgens Entellus et alte
extulit, ille ictum uenientem a uertice uelox

praeuidit celerique elapsus corpore cessit;   445
Entellus uiris in uentum effudit et ultro
ipse grauis grauiterque ad terram pondere uasto
concidit, ut quondam caua concidit aut Erymantho
aut Ida in magna radicibus eruta pinus.

consurgunt studiis Teucri et Trinacria pubes;   450
it clamor caelo primusque accurrit Acestes
aequaeuumque ab humo miserans attollit amicum.
at non tardatus casu neque territus heros
acrior ad pugnam redit ac uim suscitat ira;

tum pudor incendit uiris et conscia uirtus,   455
praecipitemque Daren ardens agit aequore toto
nunc dextra ingeminans ictus, nunc ille sinistra.
nec mora nec requies: quam multa grandine nimbi
culminibus crepitant, sic densis ictibus heros

creber utraque manu pulsat uersatque Dareta.   460
Tum pater Aeneas procedere longius iras
et saeuire animis Entellum haud passus acerbis,
sed finem imposuit pugnae fessumque Dareta
eripuit mulcens dictis ac talia fatur:

'infelix, quae tanta animum dementia cepit?   465
non uiris alias conuersaque numina sentis?
cede deo.' dixitque et proelia uoce diremit.
ast illum fidi aequales genua aegra trahentem
iactantemque utroque caput crassumque cruorem

Et des dents ensanglantées vomissant par la bouche ;
Le casque et l'épée ils sont invités
A récupérer, et à Entelle on laisse la palme et le taureau.
Ici le vainqueur, exultant et fier de son taureau
Dit « Fils de déesse, et vous Teucriens, sachez ces choses,

Et (apprenez) quelles forces je possédais dans mon corps juvénile
Et de quelle mort vous avez rappelé et préservé Darès. »
Il dit, et se plantant face au malheureux taurillon
Qui se trouvait là en tant que prix du combat, de (sa dextre) relevée
Il lui asséna son dur ceste en plein milieu des cornes,

D'en haut, et lui ayant fracassé le crâne, le lui planta dans les os :
Le bœuf est terrassé, et tremblant s'écroule mort par terre.
Lui, le dominant, (du fond) de son cœur lance ces paroles :
« Avec cette créature, Eryx, plutôt qu'avec la mort de Darès
Je te paye mon dû ; victorieux, ici je remise mes cestes et mon art. »

Aussitôt après, Enée à se mesurer à la flèche rapide
Invite les volontaires et présente les prix,
Et de sa main énorme (dresse) le mât venant du bateau de Séreste
Et une colombe vivante attachée à une corde
Suspend au mât élevé, sur laquelle ils pourront tirer leurs flèches.

Les concurrents se rassemblèrent et on jeta les sorts (dans un casque)
(D'airain), et en premier, avec une clameur d'encouragement,
Sort avant tous les autres celui d'Hippocoon, le fils d'Hyrtacus ;
Ménesthée, récemment victorieux dans les régates,
Le suit, Ménesthée couronné de rameaux verts d'olivier.

Le troisième est Eurytion, ton frère, ô illustrissime
Pandare[344], à qui jadis on ordonna de rompre le pacte
Et qui le premier décocha une flèche au milieu des Achéens.
En dernier au fond du casque était tombé (le sort) d'Aceste,
Qui personnellement osa s'atteler à cette tâche de jeunes.

---

[344] Célèbre archer ayant combattu dans le camp troyen lors de la guerre de Troie.
Poussé par Athéna et Héra, il rompit la trêve entre Troyens et Achéens en déco-
chant une flèche à Ménélas, ce qui sera à l'origine de la défaite de Troie.

ore eiectantem mixtosque in sanguine dentes   470
ducunt ad nauis; galeamque ensemque uocati
accipiunt, palmam Entello taurumque relinquunt.
hic uictor superans animis tauroque superbus
'nate dea, uosque haec' inquit 'cognoscite, Teucri,

et mihi quae fuerint iuuenali in corpore uires   475
et qua seruetis reuocatum a morte Dareta.'
dixit, et aduersi contra stetit ora iuuenci
qui donum astabat pugnae, durosque reducta
librauit dextra media inter cornua caestus

arduus, effractoque inlisit in ossa cerebro: 480
sternitur exanimisque tremens procumbit humi bos.
ille super talis effundit pectore uoces:
'hanc tibi, Eryx, meliorem animam pro morte Daretis
persoluo; hic uictor caestus artemque repono.'

Protinus Aeneas celeri certare sagitta   485
inuitat qui forte uelint et praemia dicit,
ingentique manu malum de naue Seresti
erigit et uolucrem traiecto in fune columbam,
quo tendant ferrum, malo suspendit ab alto.

conuenere uiri deiectamque aerea sortem   490
accepit galea, et primus clamore secundo
Hyrtacidae ante omnis exit locus Hippocoontis;
quem modo nauali Mnestheus certamine uictor
consequitur, uiridi Mnestheus euinctus oliua.

tertius Eurytion, tuus, o clarissime, frater,   495
Pandare, qui quondam iussus confundere foedus
in medios telum torsisti primus Achiuos.
extremus galeaque ima subsedit Acestes,
ausus et ipse manu iuuenum temptare laborem.

Alors de leurs vigoureuses forces ils bandent et incurvent leurs arcs
Chacun selon sa force, et sortent les flèches de leurs carquois,
La première flèche, faisant vibrer la corde, à travers le ciel
Tirée par le jeune fils d'Hyrtacus, après avoir fendu l'air léger,
Vient se planter dans le bois du mât placé en face.

Le mât trembla et (l'oiseau) terrifié battit des ailes,
Et tout retentit d'un énorme applaudissement.
Ensuite l'ardent Ménesthée prit position avec son arc bandé,
Regardant vers le ciel et alignant sa flèche sur sa visée.
Mais le pauvre, à toucher de sa flèche l'oiseau lui-même

Ne parvint pas ; il rompit les nœuds et la corde de lin
Par lesquels (l'oiseau) pendait attaché par une patte au mât élevé ;
Dans le Notus et les noirs nuages il s'envola.
Alors vivement, (tenant) depuis un moment sur son arc armé
Sa flèche ajustée, Eurytion adressa ses vœux à son frère,

Et dans le ciel vide ayant observé, (battant) joyeusement des ailes,
La colombe, il la transperça sous le nuage noir.
Elle dégringola morte et abandonna sa vie dans les astres
Ethérés, ramenant, une fois tombée, la flèche en elle plantée.
Seul restait Aceste, (bien que) la palme (fût) perdue,

Et malgré tout (le père) décocha sa flèche dans les airs
Démontrant son art et (la qualité de) son arc au son harmonieux.
Ici soudain à leurs yeux se manifeste, de l'avenir grand
Présage, un prodige ; après coup son énorme conséquence se révéla,
Et a posteriori de terrifiants devins l'ont chanté.

En effet, volant dans les clairs nuages, le trait prit feu,
Marquant son passage par des flammes et, ténu, disparut
Consumé dans le vent, comme souvent (des étoiles) déclouées
Parcourent (le ciel) en volant, traînant derrière elles leur chevelure.
Stupéfaits et priant les dieux,

tum ualidis flexos incuruant uiribus arcus 500
pro se quisque uiri et depromunt tela pharetris,
primaque per caelum neruo stridente sagitta
Hyrtacidae iuuenis uolucris diuerberat auras,
et uenit aduersique infigitur arbore mali.

intremuit malus micuitque exterrita pennis 505
ales, et ingenti sonuerunt omnia plausu.
post acer Mnestheus adducto constitit arcu
alta petens, pariterque oculos telumque tetendit.
ast ipsam miserandus auem contingere ferro

non ualuit; nodos et uincula linea rupit 510
quis innexa pedem malo pendebat ab alto;
illa Notos atque atra uolans in nubila fugit.
tum rapidus, iamdudum arcu contenta parato
tela tenens, fratrem Eurytion in uota uocauit,

iam uacuo laetam caelo speculatus et alis 515
plaudentem nigra figit sub nube columbam.
decidit exanimis uitamque reliquit in astris
aetheriis fixamque refert delapsa sagittam.
Amissa solus palma superabat Acestes,

qui tamen aerias telum contendit in auras 520
ostentans artemque pater arcumque sonantem.
hic oculis subitum obicitur magnoque futurum
augurio monstrum; docuit post exitus ingens
seraque terrifici cecinerunt omina uates.

namque uolans liquidis in nubibus arsit harundo 525
signauitque uiam flammis tenuisque recessit
consumpta in uentos, caelo ceu saepe refixa
transcurrunt crinemque uolantia sidera ducunt.
attonitis haesere animis superosque precati

Trinacriens et Teucriens (restèrent figés), et le présage par le grandissime
Enée ne fut pas nié, mais après avoir embrassé l'heureux Aceste,
Il le comble de grands présents et parle ainsi :
« Prends, père, car le grand roi de l'Olympe a voulu
Par de tels auspices que, bien qu'exempté, tu sois (tout de même) primé.

(Venant) du vénérable Anchise lui-même ce présent tu auras,
Un cratère ciselé, que le Thrace (Cissée[345]) un jour
A mon père Anchise en récompense insigne
A emporter avait donné, en souvenir de lui et en gage d'affection. »
Ayant dit cela, il couronne ses tempes de laurier vert

Et désigne Aceste premier vainqueur devant les autres.
Et le brave Eurytion ne jalousa pas cette récompense qui lui échappait,
Bien qu'il eût seul abattu l'oiseau du haut du ciel.
Entrent en possession des prix le suivant, celui qui rompit les attaches,
Et le dernier qui planta son trait ailé dans le mât.

Mais Enée, la compétition n'étant pas encore finie,
(Appelle) le précepteur et compagnon du jeune Julus,
Le fils d'Epytée[346], et parle ainsi à son oreille loyale :
« Allez, va, et (dis) à Ascagne, si (sa troupe) de garçons
Est (prête), et s'il a mis en place les circuits des chevaux,

D'amener ses escadrons à son aïeul et de se montrer lui-même en armes »
Dit-il. Lui-même (commande) que de l'arène allongée se retire tout
Le peuple qui s'y est répandu et que le champ soit libre.
Les garçons défilent fièrement, et au même pas devant leurs parents
Brillent sur leurs chevaux bridés et, les (voyant) passer, toute

La jeunesse de Trinacrie et de Troie pousse des cris d'admiration.
Tous ont, selon la coutume, les cheveux ceints d'une fine couronne ;
Ils portent une paire de javelots en bois de cornouiller et à pointe de fer,
Certains avec de petits carquois à l'épaule ; en haut de leur poitrine court
Un anneau recourbé d'or torsadé[347] passé autour de leur cou.

---

[345] Père d'Hécube, la femme de Priam.
[346] Il s'agit de Périphas, héraut pendant la guerre de Troie.
[347] Sans doute un torque.

Trinacrii Teucrique uiri, nec maximus omen 530
abnuit Aeneas, sed laetum amplexus Acesten
muneribus cumulat magnis ac talia fatur:
'sume, pater, nam te uoluit rex magnus Olympi
talibus auspiciis exsortem ducere honores.

ipsius Anchisae longaeui hoc munus habebis, 535
cratera impressum signis, quem Thracius olim
Anchisae genitori in magno munere Cisseus
ferre sui dederat monimentum et pignus amoris.'
sic fatus cingit uiridanti tempora lauro

et primum ante omnis uictorem appellat Acesten. 540
nec bonus Eurytion praelato inuidit honori,
quamuis solus auem caelo deiecit ab alto.
proximus ingreditur donis qui uincula rupit,
extremus uolucri qui fixit harundine malum.

At pater Aeneas nondum certamine misso 545
custodem ad sese comitemque impubis Iuli
Epytiden uocat, et fidam sic fatur ad aurem:
'uade age et Ascanio, si iam puerile paratum
agmen habet secum cursusque instruxit equorum,

ducat auo turmas et sese ostendat in armis 550
dic' ait. ipse omnem longo decedere circo
infusum populum et campos iubet esse patentis.
incedunt pueri pariterque ante ora parentum
frenatis lucent in equis, quos omnis euntis

Trinacriae mirata fremit Troiaeque iuuentus. 555
omnibus in morem tonsa coma pressa corona;
cornea bina ferunt praefixa hastilia ferro,
pars leuis umero pharetras; it pectore summo
flexilis obtorti per collum circulus auri.

Trois escadrons de cavaliers évoluent, avec chacun (à sa tête)
Un commandant ; les garçons (défilent) les uns derrière les autres,
Resplendissants, répartis sur (deux rangs de six), chacun avec son chef.
Le premier groupe de jeunes est commandé, triomphant, par le petit
Priam, rappelant le nom de son grand-père ; c'est, Politès[348], ton illustre

Progéniture, celle qui fera grandir les Italiens ; un (cheval) thrace blanc
Le porte, à taches bicolores, ses pattes à paturons
Blancs ainsi que la tache blanche sur son front exhibant fièrement.
Le second est Atys, d'où les Atii[349] Latins tirèrent leur lignée,
Le petit Atys, garçon bien-aimé du garçon Julus.

En dernier, de tous le plus beau d'allure, Julus
Monte un cheval Sidonien, que la généreuse Didon
Lui avait donné en souvenir d'elle et en gage de son affection.
Les autres jeunes, du vieil Aceste des (chevaux) trinacriens
Chevauchent.

Tout timides, ils sont accueillis par les applaudissements réjouis
Des Dardanéens (qui les regardent) et reconnaissent là leurs ancêtres.
Après que, heureux, devant les yeux de tous les leurs rassemblés,
Sur leurs chevaux ils eussent défilé, un cri leur signifiant de se préparer
Le fils d'Epytée de loin lança, et fit claquer son fouet.

Ils se déployèrent en deux parties égales et les trois groupes
Se divisèrent en (deux) camps séparés[350] et, rappelés,
Opérèrent un demi-tour et se mirent en position d'attaque.
Alors ils entreprirent avancées et retraites,
S'affrontant dans l'arène, par des circonvolutions à tour de rôle

---

[348] Fils de Priam, tué sous ses yeux : cf. vers 526 sqq. du Chant II.
[349] Compliment à l'adresse de César-Auguste dont la mère était une Atia.
[350] Chacun des deux rangs de chaque groupe rejoignant un camp différent.

tres equitum numero turmae ternique uagantur 560
ductores; pueri bis seni quemque secuti
agmine partito fulgent paribusque magistris.
una acies iuuenum, ducit quam paruus ouantem
nomen aui referens Priamus, tua clara, Polite,

progenies, auctura Italos; quem Thracius albis 565
portat equus bicolor maculis, uestigia primi
alba pedis frontemque ostentans arduus albam.
alter Atys, genus unde Atii duxere Latini,
paruus Atys pueroque puer dilectus Iulo.

extremus formaque ante omnis pulcher Iulus 570
Sidonio est inuectus equo, quem candida Dido
esse sui dederat monimentum et pignus amoris.
cetera Trinacriis pubes senioris Acestae
fertur equis.

excipiunt plausu pauidos gaudentque tuentes 575
Dardanidae, ueterumque agnoscunt ora parentum.
postquam omnem laeti consessum oculosque suorum
lustrauere in equis, signum clamore paratis
Epytides longe dedit insonuitque flagello.

olli discurrere pares atque agmina terni 580
diductis soluere choris, rursusque uocati
conuertere uias infestaque tela tulere.
inde alios ineunt cursus aliosque recursus
aduersi spatiis, alternosque orbibus orbis

Se gênant et des combats armés simulant ;
Et tantôt ils fuient dos à l'adversaire, tantôt leurs javelots retournent
Avec animosité, tantôt ayant fait la paix ils évoluent de concert.
Comme jadis dans la Crête montagneuse on dit que le Labyrinthe[351] avait
Un parcours enchevêtré entre des parois aveugles, avec des bifurcations

Traitresses à ses mille carrefours, où les marques à suivre (pouvaient)
Etre effacées par une errance interminable et irréversible,
De même les fils des Teucriens leurs traces
Brouillent et s'amusent à entremêler fuites et combats,
Pareils aux dauphins qui, nageant, croisent par les mers limpides

Carpatique[352] ou Libyque [et s'amusent dans les vagues].
Cette coutume de chevaucher et ces compétitions, le premier,
Ascagne, quand il aurait ceint de murs Albe la Longue,
Restaurerait, et apprendrait aux anciens Latins à pratiquer,
Comme garçon lui-même et avec lui les jeunes Troyens la pratiquèrent ;

Les Albains l'enseignèrent aux leurs ; de là à son tour la grandissime
Rome la reçut et conserva cette ancestrale solennité ;
Et à présent les garçons sont appelés Troie et la troupe Troyenne.
Voilà comment on célébra ces compétitions à la mémoire du vénéré père.
A partir de là la Fortune qui avait changé altéra leur confiance initiale.

Tandis que par des jeux variés ils s'acquittent de solennités au tombeau,
La Saturnienne Junon envoya Iris du ciel
Vers la flotte d'Ilion, soufflant sur son trajet des vents favorables,
Ruminant beaucoup, n'ayant pas encore digéré sa vieille rancune.
Se déplaçant promptement le long de son arc aux mille couleurs,

Invisible à tous, la jeune fille descend rapidement.
Elle aperçoit un rassemblement immense et, parcourant la côte du regard,
Voit les ports désertés et la flotte abandonnée.
Mais au loin, sur une plage isolée, des Troyennes retirées à l'écart
Pleuraient Anchise disparu, et toutes ensemble la vaste

---

[351] Bâti par Dédale pour y enfermer le Minotaure.
[352] La mer Carpatique s'étendait entre les îles de Crète et de Rhodes, autour de l'île de Karpathos.

impediunt pugnaeque cient simulacra sub armis;   585
et nunc terga fuga nudant, nunc spicula uertunt
infensi, facta pariter nunc pace feruntur.
ut quondam Creta fertur Labyrinthus in alta
parietibus textum caecis iter ancipitemque

mille uiis habuisse dolum, qua signa sequendi   590
frangeret indeprensus et inremeabilis error;
haud alio Teucrum nati uestigia cursu
impediunt texuntque fugas et proelia ludo,
delphinum similes qui per maria umida nando

Carpathium Libycumque secant [ludunt que per undas].   595
hunc morem cursus atque haec certamina primus
Ascanius, Longam muris cum cingeret Albam,
rettulit et priscos docuit celebrare Latinos,
quo puer ipse modo, secum quo Troia pubes;

Albani docuere suos; hinc maxima porro   600
accepit Roma et patrium seruauit honorem;
Troiaque nunc pueri, Troianum dicitur agmen.
hac celebrata tenus sancto certamina patri.
Hinc primum Fortuna fidem mutata nouauit.

dum uariis tumulo referunt sollemnia ludis,   605
Irim de caelo misit Saturnia Iuno
Iliacam ad classem uentosque aspirat eunti,
multa mouens necdum antiquum saturata dolorem.
illa uiam celerans per mille coloribus arcum

nulli uisa cito decurrit tramite uirgo.   610
conspicit ingentem concursum et litora lustrat
desertosque uidet portus classemque relictam.
at procul in sola secretae Troades acta
amissum Anchisen flebant, cunctaeque profundum

Mer contemplaient en pleurant. Hélas, à nous, harassées, tant de flots
Et un tel nombre de mers il reste (à traverser), disent-elles à l'unisson ;
Elles implorent une cité, elles sont dégoûtées des tribulations en mer.
Et donc parmi elles, s'y connaissant en art de nuire,
(Iris) s'incruste, se débarrassant de sa forme et de ses habits de déesse ;

Elle se fait Béroé, l'épouse âgée de Dorycle le Tmarien[353],
Qui jadis eut une famille, un nom et des fils[354],
Et ainsi au milieu des matrones Dardanéennes s'introduit.
« O malheureuses, » dit-elle « qu'une main Achéenne pendant la guerre
N'aura pas traînées dans la mort sous vos remparts ancestraux ! ô race

Infortunée, quelle mort la Fortune te réserve-t-elle ?
Le septième été depuis la ruine de Troie s'est déjà écoulé
Depuis que par les mers, toutes les terres, tant de rochers inhospitaliers
Et d'étoiles nous sommes trimballées, tandis que par la vaste mer
Nous poursuivons notre fuite vers l'Italie, ballottées par les vagues.

Ici (se trouve) la fraternelle contrée d'Eryx avec notre hôte Aceste :
Qui nous interdit d'(y) ériger nos murs et donner une cité à des citoyens ?
O patrie et dieux Pénates en vain arrachés à l'ennemi,
N'y aura-t-il plus aucun rempart appelé troyen ? nulle part
Les rivières d'Hector, le Xanthe et le Simoïs, je ne verrai ?

Allez venez, et avec moi mettez le feu à ces funestes vaisseaux.
Car dans mon sommeil le spectre de la prophétesse Cassandre
M'a semblé (me) donner des torches enflammées : « Cherchez Troie ici ;
Ici est votre demeure » dit-elle. « Le moment d'agir est venu,
Et n'attendons plus de si grands prodiges. Voyez ces quatre autels

A Neptune ; le dieu lui-même nous procure torches et courage. »
En disant cela la première elle se saisit avec force du feu funeste
Et de sa dextre levée, de loin avec effort elle le brandit
Et le lance. L'esprit excité et le cœur stupéfait (sont les femmes)
D'Ilion. Là, seule de toute la bande, la plus âgée,

---

[353] Le mont Tmarus se trouve en Epire.
[354] On peut supposer que Dorycle est décédé et que Béroé est sa veuve.

pontum aspectabant flentes. heu tot uada fessis   615
et tantum superesse maris, uox omnibus una;
urbem orant, taedet pelagi perferre laborem.
ergo inter medias sese haud ignara nocendi
conicit et faciemque deae uestemque reponit;

fit Beroe, Tmarii coniunx longaeua Dorycli,   620
cui genus et quondam nomen natique fuissent,
ac sic Dardanidum mediam se matribus infert.
'o miserae, quas non manus' inquit 'Achaica bello
traxerit ad letum patriae sub moenibus! o gens

infelix, cui te exitio Fortuna reseruat?   625
septima post Troiae excidium iam uertitur aestas,
cum freta, cum terras omnis, tot inhospita saxa
sideraque emensae ferimur, dum per mare magnum
Italiam sequimur fugientem et uoluimur undis.

hic Erycis fines fraterni atque hospes Acestes: 630
quis prohibet muros iacere et dare ciuibus urbem?
o patria et rapti nequiquam ex hoste penates,
nullane iam Troiae dicentur moenia? nusquam
Hectoreos amnis, Xanthum et Simoenta, uidebo?

quin agite et mecum infaustas exurite puppis.   635
nam mihi Cassandrae per somnum uatis imago
ardentis dare uisa faces: "hic quaerite Troiam;
hic domus est" inquit "uobis." iam tempus agi res,
nec tantis mora prodigiis. en quattuor arae

Neptuno; deus ipse faces animumque ministrat.'   640
haec memorans prima infensum ui corripit ignem
sublataque procul dextra conixa coruscat
et iacit. arrectae mentes stupefactaque corda
Iliadum. hic una e multis, quae maxima natu,

Pyrgo, la royale nourrice de tant de fils de Priam :
« Ce n'est pas Béroé, mères, elle n'est pas la Rhoétienne[355]
Epouse de Dorycle ; les marques de sa divine beauté
Et ses yeux ardents remarquez, quelle vitalité est la sienne,
Quel visage, quelle voix et quelle démarche (elle a).

Moi-même en partant j'ai tantôt quitté Béroé
Malade, s'indignant d'être la seule à manquer à de
Telles obligations et ne pas honorer Anchise comme il le mérite. »
Ainsi parla-t-elle.
Mais les matrones, d'abord sceptiques et avec un regard malveillant,

Regardent hésitantes les vaisseaux, partagées entre leur pitoyable désir
D'une terre immédiate et le royaume où le destin les appelle,
Lorsque la déesse se souleva dans le ciel en déployant ses ailes
Et dans sa fuite disloqua son énorme arc sous les nuages.
Alors, vraiment étonnées par le prodige et poussées par la folie,

Elles se mettent à crier, s'emparent du feu dans les foyers sacrés,
Certaines profanent les autels, des branches, des feuilles, des brandons
Lancent. Vulcain[356] qu'on a débridé fait rage
A travers les bancs, les rames et les poupes en bois peintes.
Au tombeau d'Anchise et aux gradins de l'amphithéâtre le messager

Eumèle apporte la nouvelle des navires incendiés, et eux-mêmes
Se retournent pour voir les volutes de cendre noire.
Et le premier Ascagne, alors que tout heureux les évolutions équestres
Il dirigeait, tel quel sur son cheval gagna vite fait (le camp) bouleversé,
Ses maîtres hors d'haleine ne pouvant le retenir.

« Quelle est cette nouvelle folie ? où maintenant, où voulez-vous aller »
(Dit-il) « malheureuses concitoyennes ? ce n'est pas l'ennemi ni le camp
(Haï) des Argiens, ce sont vos espérances que vous brûlez. Eh, c'est moi
(Votre) Ascagne ! » — il leur jeta aux pieds son casque factice
Qu'il portait pour jouer à la guerre.

---

[355] Le Rhoétée était un promontoire de Troade sur l'Hellespont.
[356] Le dieu du feu.

Pyrgo, tot Priami natorum regia nutrix: 645
'non Beroe uobis, non haec Rhoeteia, matres,
est Dorycli coniunx; diuini signa decoris
ardentisque notate oculos, qui spiritus illi,
qui uultus uocisque sonus uel gressus eunti.

ipsa egomet dudum Beroen digressa reliqui   650
aegram, indignantem tali quod sola careret
munere nec meritos Anchisae inferret honores.'
haec effata.
at matres primo ancipites oculisque malignis

ambiguae spectare rates miserum inter amorem   655
praesentis terrae fatisque uocantia regna,
cum dea se paribus per caelum sustulit alis
ingentemque fuga secuit sub nubibus arcum.
tum uero attonitae monstris actaeque furore

conclamant, rapiuntque focis penetralibus ignem,   660
pars spoliant aras, frondem ac uirgulta facesque
coniciunt. furit immissis Volcanus habenis
transtra per et remos et pictas abiete puppis.
Nuntius Anchisae ad tumulum cuneosque theatri

incensas perfert nauis Eumelus, et ipsi   665
respiciunt atram in nimbo uolitare fauillam.
primus et Ascanius, cursus ut laetus equestris
ducebat, sic acer equo turbata petiuit
castra, nec exanimes possunt retinere magistri.

'quis furor iste nouus? quo nunc, quo tenditis' inquit   670
'heu miserae ciues? non hostem inimicaque castra
Argiuum, uestras spes uritis. en, ego uester
Ascanius!'—galeam ante pedes proiecit inanem,
qua ludo indutus belli simulacra ciebat.

Simultanément accourent et Enée et les Teucriens en foule.
Mais elles, prises de peur, çà et là partout le long du rivage
S'enfuient en désordre, et à se cacher dans les bois et au creux de quelque
Rocher elles cherchent ; de leur entreprise et du jour elles ont honte,
Changées, elles reconnaissent les leurs, et bannissent Junon de leur cœur.

Mais ce n'est pas pour autant que les flammes et l'incendie leurs forces
Indomptables relâchèrent ; sous le bois humide se consume
L'étoupe, émettant une épaisse fumée, les lourdes carènes
Sont dévorées par le feu, et la contagion gagne tout l'ensemble,
Et les efforts des héros joints à l'eau déversée des rivières sont vains.

Alors le pieux Enée de s'arracher de ses épaules son vêtement,
Et d'appeler les dieux à l'aide en tendant les mains :
« Jupiter tout-puissant, si tu n'as pas encore pris en haine sans exception
(Tous) les Troyens, s'il (reste) quelque ancienne bienveillance pour
Compatir aux (épreuves) humaines, fais que la flotte échappe au feu

Maintenant, père, et arrache à la mort les chétifs biens des Teucriens.
Ou bien, ce qu'il en reste, de ta foudre redoutable à la mort,
Si je le mérite, précipite et de ta dextre ici-même anéantis. »
A peine avait-il énoncé ces paroles que, déversant sa pluie, une noire
Tempête fait rage, déchaînée, et que le tonnerre fait trembler

Les hauteurs des terres et les plaines ; s'abat par tout le haut des cieux
Une pluie diluvienne d'un noir d'encre à cause de l'Auster chargé d'eau,
Les navires se remplissent, (les bois) à demi consumés s'humidifient,
Jusqu'à ce que tout le feu soit éteint et que tous
Les navires soient sauvés de la catastrophe, (sauf) quatre qui sont perdus.

Mais le père Enée, ébranlé par ce cruel désastre,
D'énormes soucis en son cœur (brassait), dans tous les sens
Les retournant : ne s'installerait-il pas dans les plaines siciliennes,
Oublieux du destin, sans s'emparer des rivages italiens ?
Alors le vieux Nautès, le seul à qui Pallas la Tritonienne

accelerat simul Aeneas, simul agmina Teucrum. 675
ast illae diuersa metu per litora passim
diffugiunt, siluasque et sicubi concaua furtim
saxa petunt; piget incepti lucisque, suosque
mutatae agnoscunt excussaque pectore Iuno est.

Sed non idcirco flamma atque incendia uiris 680
indomitas posuere; udo sub robore uiuit
stuppa uomens tardum fumum, lentusque carinas
est uapor et toto descendit corpore pestis,
nec uires heroum infusaque flumina prosunt.

tum pius Aeneas umeris abscindere uestem 685
auxilioque uocare deos et tendere palmas:
'Iuppiter omnipotens, si nondum exosus ad unum
Troianos, si quid pietas antiqua labores
respicit humanos, da flammam euadere classi

nunc, pater, et tenuis Teucrum res eripe leto. 690
uel tu, quod superest, infesto fulmine morti,
si mereor, demitte tuaque hic obrue dextra.'
uix haec ediderat cum effusis imbribus atra
tempestas sine more furit tonitruque tremescunt

ardua terrarum et campi; ruit aethere toto 695
turbidus imber aqua densisque nigerrimus Austris,
implenturque super puppes, semusta madescunt
robora, restinctus donec uapor omnis et omnes
quattuor amissis seruatae a peste carinae.

At pater Aeneas casu concussus acerbo 700
nunc huc ingentis, nunc illuc pectore curas
mutabat uersans, Siculisne resideret aruis
oblitus fatorum, Italasne capesseret oras.
tum senior Nautes, unum Tritonia Pallas

Transmit son enseignement, le rendant fameux dans de nombreux arts —
Elle lui répondait, que ce soit à propos de ce qu'annonçait la colère
Insigne des dieux, ou de ce qu'exigeait l'ordonnance du destin ;
Nautès, donc, par ces paroles commence à le consoler :
« Fils de déesse, suivons le destin, où et d'où il nous pousse et repousse ;

Quoi qu'il advienne, il faut surmonter toute fortune en la supportant.
Aceste le Dardanéen, de descendance divine, est de ton côté :
De cet allié prends conseil et accorde-toi avec lui, il est de bonne volonté,
Confie-lui ceux qui restent, leurs navires étant perdus, ainsi que ceux
Que rebutent ton grand dessein et tes intérêts.

Et les vieillards ainsi que les matrones fatiguées de la mer
Et tout ce qu'il y a de faible avec toi, craignant le danger,
Ecarte-les, et, fatigués, permets qu'ils aient leurs remparts sur ces terres ;
Avec ta permission ils appelleront leur cité du nom de Acesta[357]. »
Enflammé par ces paroles de son vieil ami

Il a l'esprit vraiment écartelé entre toutes ces préoccupations ;
Et la Nuit noire circulant sur son bige occupait le firmament.
Alors il lui sembla que, descendue du ciel, la forme de son père
Anchise soudain prononçait ces paroles :
« Mon fils, toi qui jadis (plus que) ma vie, tant que j'étais en vie,

(M'étais) cher, fils éprouvé par le destin d'Ilion,
Je viens ici sur les ordres de Jupiter, qui de la flotte le feu
A détourné, et des hauteurs du ciel s'est enfin apitoyé.
Obéis aux excellents conseils qu'à présent Nautès,
L'ancien, te donne ; des jeunes choisis, cœurs intrépides,

Emmène en Italie, une race rude et au mode de vie fruste
Il te faut soumettre au Latium. Mais d'abord aux
Demeures infernales (de Dis) aborde, et par les Avernes profonds[358]
Cherche à me retrouver, mon fils. Car le funeste
Tartare, les ombres lugubres, ne me détiennent pas, mais des pieux

---

[357] Devenue Ségeste, à l'ouest de la Sicile, entre Palerme et Trapani.
[358] Cf. vers 386 du Chant III et vers 702 du Chant IV.

quem docuit multaque insignem reddidit arte —   705
haec responsa dabat, uel quae portenderet ira
magna deum uel quae fatorum posceret ordo;
isque his Aenean solatus uocibus infit:
'nate dea, quo fata trahunt retrahuntque sequamur;

quidquid erit, superanda omnis fortuna ferendo est.   710
est tibi Dardanius diuinae stirpis Acestes:
hunc cape consiliis socium et coniunge uolentem,
huic trade amissis superant qui nauibus et quos
pertaesum magni incepti rerumque tuarum est.

longaeuosque senes ac fessas aequore matres   715
et quidquid tecum inualidum metuensque pericli est
delige, et his habeant terris sine moenia fessi;
urbem appellabunt permisso nomine Acestam.'
Talibus incensus dictis senioris amici

tum uero in curas animo diducitur omnis;   720
et Nox atra polum bigis subuecta tenebat.
uisa dehinc caelo facies delapsa parentis
Anchisae subito talis effundere uoces:
'nate, mihi uita quondam, dum uita manebat,

care magis, nate Iliacis exercite fatis,   725
imperio Iouis huc uenio, qui classibus ignem
depulit, et caelo tandem miseratus ab alto est.
consiliis pare quae nunc pulcherrima Nautes
dat senior; lectos iuuenes, fortissima corda,

defer in Italiam. gens dura atque aspera cultu   730
debellanda tibi Latio est. Ditis tamen ante
infernas accede domos et Auerna per alta
congressus pete, nate, meos. non me impia namque
Tartara habent, tristes umbrae, sed amoena piorum

L'agréable compagnie et l'Elysée[359] je fréquente. Là, la chaste Sibylle
Te conduira, avec beaucoup de sang de bêtes noires.
Alors tu apprendras tout sur ta race et quels remparts il pourrait t'échoir.
Maintenant adieu ; la Nuit humide arrive à mi-course dans sa rotation
Et le cruel Levant m'a soufflé l'haleine de ses chevaux pantelants. »

Il avait parlé et tel une impalpable fumée s'enfuit dans les airs.
Enée « Où fonces-tu donc ? où te précipites-tu ? » dit-il,
« Qui fuis-tu ? et qui te repousse de mes étreintes ? »
Ayant ces choses à l'esprit, il ravive les cendres et le feu qui couve,
Et le Lare[360] de Pergame et le sanctuaire de l'antique Vesta

Avec de la farine sacrée et un plein d'encens il honore comme suppliant.
Aussitôt ses alliés et en premier Aceste il appelle
Et de l'injonction de Jupiter et des recommandations de son cher père
Il (les) instruit, ainsi que de ce qu'il compte faire à présent.
Il n'est plus temps de délibérer, et Aceste ne s'oppose pas aux ordres :

Ils affectent les matrones à la cité et (abandonnent) les volontaires,
Des cœurs totalement dépourvus d'ambition.
Eux-mêmes réparent les bancs et (aux bateaux) remplacent (les bois)
(Dévorés par les flammes), mettent en place rames et cordages,
Peu nombreux, mais (dotés) d'un ardent courage pour la guerre.

Entretemps Enée avec une charrue délimite la cité
Et lotit les maisons ; que cela (soit) Ilion, et ces lieux (soient) Troie
Ordonne-t-il. Le Troyen Aceste s'en réjouit et en roi
Impose un tribunal et légifère en session avec ses sénateurs.
Puis, toute proche des astres, sur une crête de l'Eryx, une demeure

Pour Vénus Idalienne est bâtie, et au tombeau (d'Anchise) un prêtre
Et un bois (à lui) entièrement consacré sont adjoints.
Déjà depuis neuf jours tous les gens avaient festoyé, et aux autels
Les sacrifices (étaient) accomplis ; les vents calmes aplanirent la mer,
L'Auster soufflant avec vigueur à nouveau appelle à prendre le large.

---

[359] Séjour des hommes vertueux.
[360] Dieu protecteur de la cité.

concilia Elysiumque colo. huc casta Sibylla 735
nigrarum multo pecudum te sanguine ducet.
tum genus omne tuum et quae dentur moenia disces.
iamque uale; torquet medios Nox umida cursus
et me saeuus equis Oriens adflauit anhelis.'

dixerat et tenuis fugit ceu fumus in auras. 740
Aeneas 'quo deinde ruis? quo proripis?' inquit,
'quem fugis? aut quis te nostris complexibus arcet?'
haec memorans cinerem et sopitos suscitat ignis,
Pergameumque Larem et canae penetralia Vestae

farre pio et plena supplex ueneratur acerra. 745
Extemplo socios primumque accersit Acesten
et Iouis imperium et cari praecepta parentis
edocet et quae nunc animo sententia constet.
haud mora consiliis, nec iussa recusat Acestes:

transcribunt urbi matres populumque uolentem 750
deponunt, animos nil magnae laudis egentis.
ipsi transtra nouant flammisque ambesa reponunt
robora nauigiis, aptant remosque rudentisque,
exigui numero, sed bello uiuida uirtus.

interea Aeneas urbem designat aratro 755
sortiturque domos; hoc Ilium et haec loca Troiam
esse iubet. gaudet regno Troianus Acestes
indicitque forum et patribus dat iura uocatis.
tum uicina astris Erycino in uertice sedes

fundatur Veneri Idaliae, tumuloque sacerdos 760
ac lucus late sacer additus Anchiseo.
Iamque dies epulata nouem gens omnis, et aris
factus honos: placidi strauerunt aequora uenti
creber et aspirans rursus uocat Auster in altum.

Des pleurs immenses proviennent des rivages incurvés ;
Dans les bras les uns des autres ils prolongent la nuit et le jour.
Déjà les matrones elles-mêmes, (les hommes) eux-mêmes, à qui naguère
La mer avait semblé (cruelle) et la volonté divine insupportable,
Veulent partir et endurer toutes les épreuves de l'exil.

Le bienveillant Enée les réconforte avec des paroles affectueuses
Et avec des larmes (les) confie à son frère de race Aceste.
Trois veaux à Eryx et une jeune brebis aux Tempêtes
Ensuite il commande d'immoler, et de larguer les amarres dans l'ordre.
Lui-même, la tête couronnée de rameaux d'olivier bien coupés,

Debout au loin sur la proue tient une patère, (lançant) les entrailles
Dans les flots (salés) et répandant les vins purs.
Ses compagnons rivalisent pour battre la mer et balayer les flots ;
Le vent venant de l'arrière escorte les voyageurs.
Mais Vénus entretemps, tourmentée par les soucis, à Neptune

S'adresse et du fond de son cœur émet cette plainte :
« La pesante colère de Junon et son cœur insatiable
M'obligent, Neptune, à m'abaisser à toutes les prières ;
Elle, ni le temps passant, ni aucun (acte de) piété ne l'adoucissent,
Et ni les injonctions de Jupiter ni le destin ne la calment en la brisant.

D'avoir fait disparaître du sein de la race des Phrygiens par son odieuse
Haine la cité ne lui suffit pas, ni d'avoir infligé toute sa vengeance
Aux rescapés de Troie : aux cendres et aux os des disparus
Elle s'en prend. Puisse-telle avoir des raisons pour rager ainsi !
Toi-même récemment (tu fus) témoin, dans les flots libyens

Du grabuge elle (m') aura soudain déchaîné : toute la mer au ciel
Elle a mélangé, en vain comptant sur les tempêtes d'Eole[361],
Ayant osé faire cela en ton royaume.
Voilà que, par méchanceté, entraînant les matrones Troyennes,
Elle a (même) brûlé honteusement des navires et a poussé, la flotte

---

[361] Voir Chant I, vers 50 sqq.

exoritur procurua ingens per litora fletus;   765
complexi inter se noctemque diemque morantur.
ipsae iam matres, ipsi, quibus aspera quondam
uisa maris facies et non tolerabile numen,
ire uolunt omnemque fugae perferre laborem.

quos bonus Aeneas dictis solatur amicis   770
et consanguineo lacrimans commendat Acestae.
tris Eryci uitulos et Tempestatibus agnam
caedere deinde iubet soluique ex ordine funem.
ipse caput tonsae foliis euinctus oliuae

stans procul in prora pateram tenet, extaque salsos   775
proicit in fluctus ac uina liquentia fundit.
certatim socii feriunt mare et aequora uerrunt;
prosequitur surgens a puppi uentus euntis.
At Venus interea Neptunum exercita curis

adloquitur talisque effundit pectore questus: 780
'Iunonis grauis ira neque exsaturabile pectus
cogunt me, Neptune, preces descendere in omnis;
quam nec longa dies pietas nec mitigat ulla,
nec Iouis imperio fatisque infracta quiescit.

non media de gente Phrygum exedisse nefandis   785
urbem odiis satis est nec poenam traxe per omnem
reliquias Troiae: cineres atque ossa peremptae
insequitur. causas tanti sciat illa furoris.
ipse mihi nuper Libycis tu testis in undis

quam molem subito excierit: maria omnia caelo   790
miscuit Aeoliis nequiquam freta procellis,
in regnis hoc ausa tuis.
per scelus ecce etiam Troianis matribus actis
exussit foede puppis et classe subegit

Une fois perdue, à abandonner des compagnons à une terre inconnue.
Pour ce qui reste, je te prie, permets qu'en sécurité sur les flots ils fassent
Voile, qu'ils atteignent le Tibre Laurentien[362],
Si ma demande est licite, si les Parques (leur) donnent ces remparts. »
Alors le dompteur Saturnien[363] de la haute mer prononça ces paroles :

« Tu as tout le droit, Cythéréenne, d'avoir confiance en mon royaume,
D'où tu tires ta naissance. Et je l'ai bien mérité ; souvent des fureurs
J'ai réprimé, et aussi de telles rages, que ce soit des cieux ou de la mer.
Et non moins, j'en atteste le Xanthe et le Simoïs, sur terre
J'ai le souci de ton Enée. Lorsqu'Achille (les rangs) troyens

Terrorisés étrillait en les poursuivant sous les murs,
Les envoyant par milliers à la mort, et que grondaient, remplis,
Les fleuves, et que (le Xanthe) ne pouvait se frayer son chemin et se vider
A la mer, alors (Enée), qui au brave fils de Pélée
S'était mesuré, ni avec des dieux ni avec des forces égales,

Je l'ai enlevé dans un nuage creux, bien qu'ayant envie de renverser de
(Leurs fondations) les murs de la parjure Troie, bâtis de mes mains[364].
A présent je persévère dans le même état d'esprit ; chasse tes craintes.
En sécurité il abordera les ports de l'Averne[365], comme tu le désires.
Il n'y en aura qu'un seul, perdu dans les remous, que tu rechercheras ;

Une seule vie sera donnée pour (le profit de) beaucoup. »
Quand avec ces paroles il eut adouci et réjoui le cœur de la déesse,
Le père attelle ses chevaux (à la crinière) d'or, met leurs (mors) écumeux
Aux sauvages coursiers, et leur lâche complètement la bride.
Sur son char bleu marine, il vole, léger, à la surface des eaux ;

---

[362] Laurente est une cité antique du Latium qu'on a identifiée à Lavinium.
[363] Neptune est un fils de Saturne.
[364] Du fait de l'ingratitude de Laomédon : cf. vers 542, Chant IV.
[365] Le port de Cumes, proche du lac Averne aux émanations toxiques.

amissa socios ignotae linquere terrae.   795
quod superest, oro, liceat dare tuta per undas
uela tibi, liceat Laurentem attingere Thybrim,
si concessa peto, si dant ea moenia Parcae.'
tum Saturnius haec domitor maris edidit alti:

'fas omne est, Cytherea, meis te fidere regnis,   800
unde genus ducis. merui quoque; saepe furores
compressi et rabiem tantam caelique marisque.
nec minor in terris, Xanthum Simoentaque testor,
Aeneae mihi cura tui. cum Troia Achilles

exanimata sequens impingeret agmina muris,   805
milia multa daret leto, gemerentque repleti
amnes nec reperire uiam atque euoluere posset
in mare se Xanthus, Pelidae tunc ego forti
congressum Aenean nec dis nec uiribus aequis

nube caua rapui, cuperem cum uertere ab imo   810
structa meis manibus periurae moenia Troiae.
nunc quoque mens eadem perstat mihi; pelle timores.
tutus, quos optas, portus accedet Auerni.
unus erit tantum amissum quem gurgite quaeres;

unum pro multis dabitur caput.'   815
his ubi laeta deae permulsit pectora dictis,
iungit equos auro genitor, spumantiaque addit
frena feris manibusque omnis effundit habenas.
caeruleo per summa leuis uolat aequora curru;

Les flots se couchent et sous les essieux tonnants, agitée,
La plaine marine aplanit ses eaux, des vastes cieux s'enfuient les nuées.
Suivent son escorte aux formes variées, d'immenses baleines,
Et le cortège de vieillards de Glaucos[366], Palémon[367] le fils d'Ino,
Les rapides Tritons[368] et toute l'armée de Phorcos[369] ;

A bâbord se tiennent Thétis, Mélité et la vierge Panope,
Nésée et Spéio, Thalie et Cymodocée[370].
Là, à son tour, le père Enée (voit son esprit) agité
Pénétré d'une (douce) réjouissance ; il ordonne que plus vite tous
Les mâts soient dressés, qu'on déploie les antennes des voiles.

Tous de concert orientèrent les écoutes et ensemble tantôt à gauche
Tantôt à droite dressèrent les voiles ; de concert ils font tourner les hautes
Extrémités d'antenne dans un sens et dans l'autre ; des vents propices
(Portent la flotte). En tête devant tous Palinure conduisait la compacte
Flottille ; sur lui les autres devaient aligner leur course.

Et déjà la Nuit humide la moitié de son cours céleste (avait) presque
Atteint, (les marins) dans un doux repos détendaient leurs membres,
Allongés en travers des bancs raides, à côté de leurs rames,
Quand le léger (dieu) Sommeil descendu des astres du firmament
Fendit l'air des ténèbres et dérangea les ombres,

A ta recherche, Palinure, t'apportant de funestes songes
A toi, l'innocent ; le dieu s'installa en haut de la nef
Et, prenant l'apparence de Phorbas[371], lui chuchote ces paroles :
« Palinure, fils de Iasion, les flots eux-mêmes portent les vaisseaux,
Les vents soufflent sans dévier, c'est l'heure de se reposer.

---

[366] Pêcheur transformé en dieu marin, représenté sous les traits d'un vieillard.

[367] Mélicerte et sa mère Ino se sont noyés en mer ; divinisés sous les noms respectifs de Palémon et Leucothée, ils sont devenus des divinités marines protectrices des marins et des naufragés.

[368] Descendant du dieu marin Triton, ces créatures escortent les divinités marines et personnifient les rugissements de la mer.

[369] Cf. vers 240, Chant V.

[370] Toutes ces divinités sont des Néréides ; Thétis est la mère d'Achille.

[371] Le plus vigoureux des fils de Priam, tué par Ménélas.

subsidunt undae tumidumque sub axe tonanti 820
sternitur aequor aquis, fugiunt uasto aethere nimbi.
tum uariae comitum facies, immania cete,
et senior Glauci chorus Inousque Palaemon
Tritonesque citi Phorcique exercitus omnis;

laeua tenet Thetis et Melite Panopeaque uirgo, 825
Nisaee Spioque Thaliaque Cymodoceque.
Hic patris Aeneae suspensam blanda uicissim
gaudia pertemptant mentem; iubet ocius omnis
attolli malos, intendi bracchia uelis.

una omnes fecere pedem pariterque sinistros, 830
nunc dextros soluere sinus; una ardua torquent
cornua detorquentque; ferunt sua flamina classem.
princeps ante omnis densum Palinurus agebat
agmen; ad hunc alii cursum contendere iussi.

iamque fere mediam caeli Nox umida metam 835
contigerat, placida laxabant membra quiete
sub remis fusi per dura sedilia nautae,
cum leuis aetheriis delapsus Somnus ab astris
aera dimouit tenebrosum et dispulit umbras,

te, Palinure, petens, tibi somnia tristia portans 840
insonti; puppique deus consedit in alta
Phorbanti similis funditque has ore loquelas:
'Iaside Palinure, ferunt ipsa aequora classem,
aequatae spirant aurae, datur hora quieti.

Laisse tomber ta tête et au travail soustrais tes yeux fatigués.
Moi-même à ta place provisoirement je me chargerai de tes fonctions. »
Palinure, à peine levant les yeux, lui dit :
« La surface de la mer tranquille et les flots paisibles
Tu m'ordonnes de méconnaître ? de faire confiance à ce monstre ?

Je devrais confier Enée (pourquoi donc ?) à des brises trompeuses
Alors que, souvent, j'ai été dupé par l'illusion d'un ciel serein ? »
Telles étaient ses paroles, rivé à la barre et s'y agrippant,
En aucun cas ne la lâchant, gardant les yeux (fixés) sur les astres.
Voilà que le dieu un rameau imprégné de rosée du Léthé[372]

Et doté de la force lénifiante du Styx, agite sur l'une et l'autre de ses
Tempes, et à l'homme qui résistait enlève sa vision embrumée.
Dès que ce repos inopiné eut commencé à relâcher ses membres,
Le (dieu), se penchant sur lui, avec une partie de la poupe arrachée
Et avec le gouvernail le projeta dans les vagues tranquilles

Tête la première, ne cessant d'appeler en vain ses compagnons ;
(Le dieu) lui-même sur ses ailes s'éleva dans la brise légère.
La flotte n'est pas ralentie pour autant sur son parcours marin assuré,
Et par les promesses du père Neptune sans crainte est portée.
Déjà elle était sur le point d'approcher des écueils des Sirènes[373],

Jadis redoutables et blanchis par de nombreux ossements,
La mer sans cesse faisant résonner sourdement les rochers au loin,
Lorsque le père (sentit) dériver (le navire) ayant perdu son capitaine,
Et lui-même le remit dans la bonne direction sur les vagues ténébreuses,
Avec force lamentations, l'esprit ébranlé par l'accident de son ami :

« O toi qui eus une confiance excessive dans le ciel et la mer sereine,
Palinure, tu reposeras sans sépulture sur une plage étrangère. »

---

[372] L'un des fleuves des Enfers, surnommé « fleuve de l'Oubli ».
[373] Il s'agit sans doute des Sirénuses, trois rochers situés sur la côte de la Campanie, où les Sirènes, désespérées de n'avoir pu séduire Ulysse, se seraient jetées à la mer et auraient été transformées en écueils.

pone caput fessosque oculos furare labori.   845
ipse ego paulisper pro te tua munera inibo.'
cui uix attollens Palinurus lumina fatur:
'mene salis placidi uultum fluctusque quietos
ignorare iubes? mene huic confidere monstro?

Aenean credam quid enim? fallacibus auris   850
et caeli totiens deceptus fraude sereni?'
talia dicta dabat, clauumque adfixus et haerens
nusquam amittebat oculosque sub astra tenebat.
ecce deus ramum Lethaeo rore madentem

uique soporatum Stygia super utraque quassat   855
tempora, cunctantique natantia lumina soluit.
uix primos inopina quies laxauerat artus,
et super incumbens cum puppis parte reuulsa
cumque gubernaclo liquidas proiecit in undas

praecipitem ac socios nequiquam saepe uocantem;   860
ipse uolans tenuis se sustulit ales ad auras.
currit iter tutum non setius aequore classis
promissisque patris Neptuni interrita fertur.
iamque adeo scopulos Sirenum aduecta subibat,

difficilis quondam multorumque ossibus albos   865
tum rauca adsiduo longe sale saxa sonabant,
cum pater amisso fluitantem errare magistro
sensit, et ipse ratem nocturnis rexit in undis
multa gemens casuque animum concussus amici:

'o nimium caelo et pelago confise sereno,   870
nudus in ignota, Palinure, iacebis harena.'

CHANT VI

CHANT VI

Il dit ces paroles en pleurant et à la flotte lâche les rênes,
Et enfin parvient tranquillement sur les rivages Eubéens de Cumes[374].
Ils tournent leurs proues vers la mer ; ensuite de leurs dents coriaces
Les ancres immobilisent les navires par le fond, et le littoral

S'ourle des poupes (incurvées). La troupe de jeunes jaillit, ardente,
Sur la côte d'Hespérie ; certains cherchent à produire des étincelles
Cachées dans les veines de silex, d'autres (les forêts), denses (repaires)
De bêtes, dépouillent, et signalent où sont les fleuves par eux découverts.
Mais le pieux Enée (gagne) la colline que l'éminent Apollon

Protège, ainsi que la profonde retraite, (antre immense),
(De l'effrayante Sibylle) dont la grande imagination et l'intelligence
Sont inspirées par le prophète Délien[375], qui (lui) révèle l'avenir.
Déjà ils approchent du bois sacré de Trivia et des toits dorés.
Dédale, comme on le rapporte, fuyant le royaume de Minos,

Ayant osé se fier à ses ailes rapides, dans le ciel
S'envola par une route inhabituelle vers le Nord glacial,
Pour enfin se poser doucement sur la forteresse Chalcidienne.
Ayant été recueilli par ces terres, en premier à toi, Phébus, il consacra
Ses ailes, et érigea un temple immense.

Sur la porte (il y avait) la mort d'Androgée[376] : puis, à payer leur peine
Les fils de Cécrops condamnés — malheur ! — chaque année sept
Corps de jeunes garçons ; on voit une urne pour le tirage au sort.
En face, dominant les flots, sur l'autre battant il y a la terre Crétoise :
Ici (figure) le cruel amour du taureau et, placée en dessous par tricherie

---

[374] Cité de Campanie fondée par des colons grecs venus de Chalcis, en Eubée.
[375] Apollon, né sur l'île de Délos.
[376] Fils de Minos, assassiné sur les ordres d'Egée, roi de l'Attique. Pour se venger Minos exigea des Athéniens l'envoi tous les ans en Crète de sept jeunes garçons et sept jeunes filles destinés à être dévorés par le Minotaure.

LIBER VI

Sic fatur lacrimans, classique immittit habenas,
et tandem Euboicis Cumarum adlabitur oris.
Obuertunt pelago proras; tum dente tenaci
ancora fundabat naues, et litora curuae

praetexunt puppes. Iuuenum manus emicat ardens   5
litus in Hesperium; quaerit pars semina flammae
abstrusa in uenis silicis, pars densa ferarum
tecta rapit siluas, inuentaque flumina monstrat.
At pius Aeneas arces, quibus altus Apollo

praesidet, horrendaeque procul secreta Sibyllae,   10
antrum immane, petit, magnum cui mentem animumque
Delius inspirat uates, aperitque futura.
Iam subeunt Triuiae lucos atque aurea tecta.
Daedalus, ut fama est, fugiens Minoia regna,

praepetibus pennis ausus se credere caelo   15
insuetum per iter gelidas enauit ad Arctos,
Chalcidicaque leuis tandem super adstitit arce.
Redditus his primum terris, tibi, Phoebe, sacrauit
remigium alarum, posuitque immania templa.

In foribus letum Androgeo: tum pendere poenas   20
Cecropidae iussi -- miserum! -- septena quotannis
corpora natorum; stat ductis sortibus urna.
Contra elata mari respondet Gnosia tellus:
hic crudelis amor tauri, suppostaque furto

Pasiphaé[377], et la race hybride et le rejeton biforme,
Le Minotaure, y sont, souvenir d'un amour abominable ;
Ici (il y a) sa demeure, (véritable) épreuve et inextricable errance ;
Mais ayant pitié cependant du grand amour de la princesse[378],
Dédale lui-même aux pièges et méandres de la demeure trouva solution,

En guidant par un fil les pas aveugles. Toi aussi une grande
Place, Icare[379], dans une si grande œuvre tu aurais eu, si la douleur
(L'avait permis). Deux fois il s'était efforcé de ciseler la chute dans l'or ;
Deux fois ses mains de père tombèrent. Assurément, l'ensemble (ils)
Auraient parcouru des yeux (sans s'arrêter) si Achate envoyé en éclaireur

N'était déjà arrivé, et avec lui la prêtresse de Phébus et de Trivia,
Déiphobe la fille de Glaucos, qui au roi adresse ces paroles :
« Le temps n'est pas à contempler des spectacles comme ceux-là ;
A présent immoler sept taurillons d'un troupeau n'ayant pas subi le joug
Il eût été préférable, et autant de bidentées sélectionnées selon l'usage. »

S'étant ainsi adressée à Enée, et (les hommes) s'empressant (d'exécuter)
Son ordre (sacré), la prêtresse mande les Teucriens dans le grand temple.
L'immense flanc du rocher Eubéen est évidé par une grotte,
A laquelle conduisent cent larges entrées, cent bouches ;
D'où se pressent autant de voix, les oracles de la Sibylle.

---

[377] Pasiphaé, femme de Minos, fit fabriquer par Dédale une vache dans laquelle elle se plaça pour être prise par un taureau blanc (!). Le résultat de ces amours zoophiles fut le Minotaure à tête de taureau et corps d'homme. Le même Dédale construisit le Labyrinthe pour y enfermer le monstre qui réclamait un tribut annuel de sept garçons et sept jeunes filles. Thésée finit par tuer le Minotaure.
[378] Conseillée par Dédale, la princesse Ariane, fille de Minos, tombée amoureuse de Thésée fournit à celui-ci le fameux fil qui lui permit de sortir du labyrinthe après avoir tué le Minotaure.
[379] Icare, fils de Dédale, accompagna son père dans sa fuite de Crète, mais en se rapprochant trop du soleil fit fondre les ailes que son père lui avait fabriquées et se noya dans la mer.

Pasiphae, mixtumque genus prolesque biformis 25
Minotaurus inest, Veneris monumenta nefandae;
hic labor ille domus et inextricabilis error;
magnum reginae sed enim miseratus amorem
Daedalus ipse dolos tecti ambagesque resoluit,

caeca regens filo uestigia. Tu quoque magnam 30
partem opere in tanto, sineret dolor, Icare, haberes.
Bis conatus erat casus effingere in auro;
bis patriae cecidere manus. Quin protinus omnia
perlegerent oculis, ni iam praemissus Achates

adforet, atque una Phoebi Triuiaeque sacerdos, 35
Deiphobe Glauci, fatur quae talia regi:
'Non hoc ista sibi tempus spectacula poscit;
nunc grege de intacto septem mactare iuuencos
praestiterit, totidem lectas de more bidentes.'

Talibus adfata Aenean nec sacra morantur 40
iussa uiri, Teucros uocat alta in templa sacerdos.
Excisum Euboicae latus ingens rupis in antrum,
quo lati ducunt aditus centum, ostia centum;
unde ruunt totidem uoces, responsa Sibyllae.

On était arrivé au seuil, lorsque la vierge dit : « D'interroger le destin
Il est temps ; le dieu, voilà le dieu ! » A celle qui ainsi parlait
Devant les accès, soudain ni le visage, ni sa couleur, à l'identique
Ne restèrent, ni ses cheveux bien arrangés ; mais sa poitrine haletait,
Et son cœur se gonfle d'un sauvage délire ; et elle paraît plus grande,

N'émettant pas de sons de mortels, inspirée qu'elle est (déjà)
Par la proximité de la divinité. « Tu es tiède dans tes vœux et tes prières,
Troyen Enée ? » dit-elle « Tiède ? Sache qu'avant[380] ne s'ouvriront pas
Les grandes bouches de la demeure inspirée. » Ayant dit ces paroles,
Elle se fit muette. Un (frisson) glacial parcourut des Troyens les dures

Carcasses, et du fond de son cœur le roi articule sa prière :
« O Phébus, toi qui eus toujours pitié des pénibles épreuves de Troie,
Qui dirigeas les flèches et les mains Dardanéennes de Pâris
Contre le corps de l'Eacide, (tant de mers) bordant de grandes terres
J'ai reconnu sous ton impulsion, ainsi que, complètement retirées,

Les tribus des Massyles et les plaines faisant face aux Syrtes,
Enfin de l'Italie nous touchons les rives fuyantes ;
Qu'ici s'arrête la (mauvaise) Fortune de Troie qui nous a poursuivis !
A vous aussi il appartient d'épargner à présent de Pergame la race,
Vous tous, dieux et déesses, que contrarièrent Ilion et l'immense

Renommée Dardanéenne. Et toi, ô la plus sainte des prophétesses,
Qui as la prescience de l'avenir, fais que (car je n'ai pas tort d'exiger
Un royaume qui m'est destiné) dans le Latium s'installent les Teucriens,
Ainsi que leurs dieux errants et les divinités ballottées de Troie.
Alors à Phébus et à Trivia un temple de marbre résistant

Je construirai, et (instituerai) des jours de fête dédiés à Phébus.
Toi aussi un grand sanctuaire t'attend dans mon royaume :
Là en effet je (mettrai) tes oracles et tes prophéties secrètes,
Annoncées à mon peuple, et je (te) consacrerai des (hommes) choisis[381],
O bienfaitrice. Seulement à des feuilles ne confie pas tes vers

---

[380] Avant que tu ne pries avec ferveur.
[381] Les livres sibyllins étaient consultés à Rome par des prêtres spécialisés.

Ventum erat ad limen, cum uirgo. 'Poscere fata   45
tempus' ait; 'deus, ecce, deus!' Cui talia fanti
ante fores subito non uoltus, non color unus,
non comptae mansere comae; sed pectus anhelum,
et rabie fera corda tument; maiorque uideri,

nec mortale sonans, adflata est numine quando   50
iam propiore dei. 'Cessas in uota precesque,
Tros' ait 'Aenea? Cessas? Neque enim ante dehiscent
attonitae magna ora domus.' Et talia fata
conticuit. Gelidus Teucris per dura cucurrit

ossa tremor, funditque preces rex pectore ab imo: 55
'Phoebe, graues Troiae semper miserate labores,
Dardana qui Paridis direxti tela manusque
corpus in Aeacidae, magnas obeuntia terras
tot maria intraui duce te, penitusque repostas

Massylum gentes praetentaque Syrtibus arua,   60
iam tandem Italiae fugientis prendimus oras;
hac Troiana tenus fuerit Fortuna secuta.
Vos quoque Pergameae iam fas est parcere genti,
dique deaeque omnes quibus obstitit Ilium et ingens

gloria Dardaniae. Tuque, O sanctissima uates,   65
praescia uenturi, da (non indebita posco
regna meis fatis) Latio considere Teucros
errantisque deos agitataque numina Troiae.
Tum Phoebo et Triuiae solido de marmore templum

instituam, festosque dies de nomine Phoebi.   70
Te quoque magna manent regnis penetralia nostris:
hic ego namque tuas sortes arcanaque fata,
dicta meae genti, ponam, lectosque sacrabo,
alma, uiros. Foliis tantum ne carmina manda,

Afin que, dérangés, ils ne volent pas, jouets des vents brusques ;
Toi-même, chante-les, je t'en prie. » Il s'arrêta de parler tout haut.
Mais, encore indocile à Phébus, dans la grotte sauvagement
Se déchaîne la prophétesse, comme si de son cœur il lui était possible
D'expulser le (grand) dieu ; (alors) d'autant plus celui-ci éreinte

Sa bouche rageuse, subjuguant son cœur rétif, il la pétrit en la pressant
Et voilà que les cent énormes portes de la demeure s'ouvrent en grand
D'elles-mêmes, portant à travers les airs les oracles de la prophétesse :
« O toi qui finalement as surmonté les grands dangers de la mer !
Il (t'en) reste de plus importants sur terre. Au royaume de Lavinium

Les Dardanéens viendront ; enlève-toi ce souci du cœur ;
Mais ils voudront ne pas y être venus. Des guerres, des guerres horribles
Et le Tibre écumant d'un sang abondant je vois.
Ni le Simoïs, ni le Xanthe, ni le camp dorien ne te
Feront défaut ; un autre Achille est déjà né au Latium,

Lui aussi est né d'une déesse ; et en outre Junon non plus des Teucriens
Nulle part ne se fera oublier ; et alors, dans le besoin, en suppliant,
Quels peuples et quelles cités des Italiens n'imploreras-tu pas !
La cause de si grands maux derechef (sera) une fiancée[382], une étrangère,
Derechef des noces externes (aux Teucriens).

Toi, ne cède pas aux maux, mais affronte-les (le) plus hardiment,
Dans la mesure où la Fortune te le permettra. La première voie de salut,
Tu ne le croirais pas, te sera offerte par une cité grecque[383]. »
Avec ces paroles la Sibylle de Cumes depuis son sanctuaire
Enonce ses terribles énigmes, faisant résonner la caverne,

Enveloppant des vérités dans des obscurités ; à ce point à la possédée
Apollon secoue (la bride), et en son cœur retourne ses aiguillons.
Dès que cessa son délire et que sa bouche rageuse se calma,
Enée le héros commença : « (Concernant) mes épreuves, aucune
Nouveauté pour moi ni surprise, ô vierge, n'émerge ;

---

[382] Lavinia, fille de Latinus, fut cause d'un conflit entre Troyens et Latins.
[383] Pallantium, colonie grecque établie sur le mont Palatin.

ne turbata uolent rapidis ludibria uentis;   75
ipsa canas oro.' Finem dedit ore loquendi.
At, Phoebi nondum patiens, immanis in antro
bacchatur uates, magnum si pectore possit
excussisse deum; tanto magis ille fatigat

os rabidum, fera corda domans, fingitque premendo   80.
Ostia iamque domus patuere ingentia centum
sponte sua, uatisque ferunt responsa per auras:
'O tandem magnis pelagi defuncte periclis!
Sed terrae grauiora manent. In regna Lauini

Dardanidae uenient; mitte hanc de pectore curam;   85
sed non et uenisse uolent. Bella, horrida bella,
et Thybrim multo spumantem sanguine cerno.
Non Simois tibi, nec Xanthus, nec Dorica castra
defuerint; alius Latio iam partus Achilles,

natus et ipse dea; nec Teucris addita Iuno   90
usquam aberit; cum tu supplex in rebus egenis
quas gentes Italum aut quas non oraueris urbes!
Causa mali tanti coniunx iterum hospita Teucris
externique iterum thalami.

Tu ne cede malis, sed contra audentior ito,   95
qua tua te Fortuna sinet. Via prima salutis,
quod minime reris, Graia pandetur ab urbe.'
Talibus ex adyto dictis Cumaea Sibylla
horrendas canit ambages antroque remugit,

obscuris uera inuoluens: ea frena furenti   100
concutit, et stimulos sub pectore uertit Apollo.
Ut primum cessit furor et rabida ora quierunt,
incipit Aeneas heros: 'Non ulla laborum,
O uirgo, noua mi facies inopinaue surgit;

J'ai tout prévu et dans mon esprit tout envisagé à l'avance.
Je demande une seule chose : puisqu'ici les portes du roi des Enfers
Sont censées se trouver, et le marais ténébreux, déversoir de l'Achéron,
(C'est que) d'aller à la rencontre de mon cher père et de voir son visage
Il me soit donné ; que tu (m') indiques la route et révèles les accès sacrés.

A travers les flammes et par mille flèches poursuivi, je
L'ai enlevé sur ces épaules, et sauvé du milieu des ennemis ;
M'ayant accompagné dans mon voyage, avec moi toutes les mers
Et toutes les menaces des eaux et du ciel il supportait,
Affaibli, ainsi que des forces au-delà du lot de la vieillesse.

Oui, que je cherche, en tant que suppliant, à te voir et aborde ton seuil,
Aussi il me commandait avec insistance. D'un fils et d'un père,
Bienfaitrice, prends pitié, je t'en prie ; — car tu peux tout, et ce n'est pas
En vain qu'Hécate t'a préposée aux forêts sacrées des Avernes ; —
Si Orphée a pu invoquer les mânes de son épouse,

Comptant sur sa cithare thrace et ses cordes mélodieuses,
Si Pollux a racheté[384] son frère par une mort alternée,
Faisant tant de fois le parcours aller-retour. Et que (dirais-je) de Thésée,
Du grand Alcide ? Moi aussi je descends de Jupiter le très haut. »
Avec ces paroles il implorait, se tenant à l'autel,

Quand la prophétesse se mit à parler ainsi : « O rejeton de sang divin,
Troyen fils d'Anchise, il est aisé de descendre dans l'Averne ;
Jour et nuit la porte du noir Dis est grande ouverte ;
Mais rebrousser chemin et s'échapper à l'air libre,
Voilà la difficulté, voilà l'épreuve. Il en est peu qui, aimés du propice

Jupiter, ou par leur ardent courage aux cieux remontés,
Nés de dieux, (en) furent capables. Les forêts occupent tout le centre,
Et le Cocyte[385] coule autour en un méandre noir.
Puisque ton esprit le désire si passionnément, que ton désir est si grand
De traverser deux fois les eaux calmes du Styx, de voir deux fois le noir

---

[384] Pollux demi-dieu sauva de la mort son faux-jumeau mortel Castor en acceptant de séjourner en alternance avec lui aux Enfers et sur l'Olympe.
[385] Un des fleuves des Enfers.

omnia praecepi atque animo mecum ante peregi. 105
Unum oro: quando hic inferni ianua regis
dicitur, et tenebrosa palus Acheronte refuso,
ire ad conspectum cari genitoris et ora
contingat; doceas iter et sacra ostia pandas.

Illum ego per flammas et mille sequentia tela 110
eripui his umeris, medioque ex hoste recepi;
ille meum comitatus iter, maria omnia mecum
atque omnes pelagique minas caelique ferebat,
inualidus, uires ultra sortemque senectae.

Quin, ut te supplex peterem et tua limina adirem, 115
idem orans mandata dabat. Gnatique patrisque,
alma, precor, miserere; -- potes namque omnia, nec te
nequiquam lucis Hecate praefecit Auernis; --
si potuit Manes arcessere coniugis Orpheus,

Threicia fretus cithara fidibusque canoris, 120
si fratrem Pollux alterna morte redemit,
itque reditque uiam totiens. Quid Thesea, magnum
quid memorem Alciden? Et mi genus ab Ioue summo.'
Talibus orabat dictis, arasque tenebat,

cum sic orsa loqui uates: 'Sate sanguine diuom, 125
Tros Anchisiade, facilis descensus Auerno;
noctes atque dies patet atri ianua Ditis;
sed reuocare gradum superasque euadere ad auras,
hoc opus, hic labor est. Pauci, quos aequus amauit

Iuppiter, aut ardens euexit ad aethera uirtus, 130
dis geniti potuere. Tenent media omnia siluae,
Cocytusque sinu labens circumuenit atro.
Quod si tantus amor menti, si tanta cupido est,
bis Stygios innare lacus, bis nigra uidere

Tartare, et que cela te réjouit de consentir un effort insensé,
Ecoute d'abord ce qu'il te faut accomplir. Dans un arbre sombre se cache
Une branche aux feuilles et au bois flexible, tous deux en or,
Que l'on dit consacrée à la Junon infernale[386] ; la recouvre toute
La forêt, et des ombres l'enferment dans d'obscures vallées.

Mais il n'est pas donné de descendre dans les caches souterraines (à qui)
(Auparavant) n'aura pas détaché de l'arbre les rejets au feuillage d'or.
Que cela lui soit amené comme présent personnel, la belle Proserpine
L'a institué. Une fois le premier arraché, ne manque pas (de pousser)
(Un second rejet) d'or, et le rameau se couvre de feuilles du même métal.

Et donc lève haut le regard pour le chercher, et une fois dument repéré
Cueille-le à la main ; car de lui-même facilement il se laissera couper
Si tel est ton destin ; autrement par aucune force
Tu ne pourras le vaincre, ni l'arracher avec un fer durci.
Par ailleurs, le corps d'un ami à toi gît sans vie —

Hélas, tu l'ignores — et il souille de son cadavre toute la flotte
Pendant que tu réclames un oracle et stationnes sur mon seuil.
Raccompagne d'abord cet (homme) à sa demeure et enterre-le.
Amène des brebis noires ; qu'elles soient les premières victimes
(Expiatoires) : ainsi enfin les forêts du Styx et le royaume impénétrable

(Aux vivants) tu visiteras. » Cela dit, elle ferma la bouche et se fit muette.
Enée, le regard figé dans son visage attristé,
Avance, quittant la caverne, et médite (dans son esprit) ces obscures
Révélations. A lui (vient) le fidèle Achate
Qui l'accompagne, et, pareillement préoccupé, met ses pas dans les siens.

Ils évoquaient entre eux de nombreuses conjectures,
(A propos) du compagnon, du corps à enterrer dont la prophétesse
Avait parlé. Et voilà que Misène[387] sur le rivage à sec,
En arrivant, ils voient, anéanti par une mort imméritée,
Misène le descendant d'Eole, à nul autre pareil

---

[386] Proserpine-Perséphone, reine des Enfers et épouse de Dis-Pluton.
[387] Le sonneur de cor : cf. vers 239 du Chant III.

Tartara, et insano iuuat indulgere labori,   135
accipe, quae peragenda prius. Latet arbore opaca
aureus et foliis et lento uimine ramus,
Iunoni infernae dictus sacer; hunc tegit omnis
lucus, et obscuris claudunt conuallibus umbrae.

Sed non ante datur telluris operta subire,   140
auricomos quam quis decerpserit arbore fetus.
Hoc sibi pulchra suum ferri Proserpina munus
instituit. Primo auulso non deficit alter
aureus, et simili frondescit uirga metallo.

Ergo alte uestiga oculis, et rite repertum   145
carpe manu; namque ipse uolens facilisque sequetur,
si te fata uocant; aliter non uiribus ullis
uincere, nec duro poteris conuellere ferro.
Praeterea iacet exanimum tibi corpus amici –

heu nescis -- totamque incestat funere classem,   150
dum consulta petis nostroque in limine pendes.
Sedibus hunc refer ante suis et conde sepulchro.
Duc nigras pecudes; ea prima piacula sunto:
sic demum lucos Stygis et regna inuia uiuis

aspicies.' Dixit, pressoque obmutuit ore.   155
Aeneas maesto defixus lumina uoltu
ingreditur, linquens antrum, caecosque uolutat
euentus animo secum. Cui fidus Achates
it comes, et paribus curis uestigia figit.

Multa inter sese uario sermone serebant,   160
quem socium exanimem uates, quod corpus humandum
diceret. Atque illi Misenum in litore sicco,
ut uenere, uident indigna morte peremptum,
Misenum Aeoliden, quo non praestantior alter

Pour animer et exciter les hommes au combat au son de son cor d'airain.
Il avait été un compagnon du grand Hector, l'escortant
Et affrontant d'insignes combats avec son cor et sa lance :
Après qu'Achille victorieux eut dépouillé (Hector) de sa vie,
Le très brave héros au Dardanéen Enée

S'était joint en tant que compagnon, ralliant (un chef) non moins noble.
Mais alors qu'incidemment de son cor creux il fait résonner les eaux,
Et dans son délire défie les dieux avec ses sonneries,
Par Triton jaloux il fut surpris, si l'on en croit l'histoire,
Et au milieu des rochers fut noyé dans les flots écumeux.

Et donc tous l'entourent, poussant de grandes clameurs,
Et notamment le pieux Enée. Alors les ordres de la Sibylle
Sans tarder ils s'empressent (d'exécuter) en pleurant, un bûcher funèbre
Ils s'activent à empiler avec du bois montant jusqu'au ciel.
On se rend dans la vénérable forêt, profond repaire d'animaux sauvages ;

Les épicéas s'abattent, l'yeuse résonne sous les coups des haches,
Ainsi que les troncs de frêne, et du chêne facile à fendre à l'aide de coins
Est débité, on fait rouler de la montagne d'énormes ornes.
Et dans ces travaux Enée n'est pas le dernier
A encourager ses compagnons, armé comme eux des mêmes outils.

Et lui-même en son cœur affligé il médite ces choses,
Contemplant la forêt immense, et priant ainsi à haute voix :
« Et si maintenant cette branche d'or sur l'arbre (pouvait) se
Découvrir à moi dans une si grande forêt, puisque toute la vérité
Hélas, te concernant, Misène, la prophétesse n'a que trop dit. »

A peine avait-il dit cela qu'un couple de colombes vint
A passer sous ses yeux mêmes, volant des cieux,
Et se posa sur le sol verdoyant. Alors le grandissime héros,
Reconnaissant les oiseaux de sa mère[388], tout heureux se met à prier :
« Soyez mes guides, s'il est un chemin, et votre vol à travers les airs

---

[388] La colombe est l'oiseau associé à Vénus.

aere ciere uiros, Martemque accendere cantu.   165
Hectoris hic magni fuerat comes, Hectora circum
et lituo pugnas insignis obibat et hasta:
postquam illum uita uictor spoliauit Achilles,
Dardanio Aeneae sese fortissimus heros

addiderat socium, non inferiora secutus.   170
Sed tum, forte caua dum personat aequora concha,
demens, et cantu uocat in certamina diuos,
aemulus exceptum Triton, si credere dignum est,
inter saxa uirum spumosa inmerserat unda.

Ergo omnes magno circum clamore fremebant,   175
praecipue pius Aeneas. Tum iussa Sibyllae,
haud mora, festinant flentes, aramque sepulchri
congerere arboribus caeloque educere certant.
Itur in antiquam siluam, stabula alta ferarum;

procumbunt piceae, sonat icta securibus ilex,   180
fraxineaeque trabes cuneis et fissile robur
scinditur, aduoluunt ingentis montibus ornos.
Nec non Aeneas opera inter talia primus
hortatur socios, paribusque accingitur armis.

Atque haec ipse suo tristi cum corde uolutat,   185
aspectans siluam inmensam, et sic uoce precatur:
'Si nunc se nobis ille aureus arbore ramus
ostendat nemore in tanto, quando omnia uere
heu nimium de te uates, Misene, locuta est.'

Vix ea fatus erat, geminae cum forte columbae   190
ipsa sub ora uiri caelo uenere uolantes,
et uiridi sedere solo. Tum maximus heros
maternas agnouit aues, laetusque precatur:
'Este duces, O, si qua uia est, cursumque per auras

Dirigez vers les bois où la riche (branche) jette son ombre sur (le sol)
(Fertile). Et toi, ne (m') abandonne pas en ces circonstances hasardeuses,
(O) divine mère. » Avec ces paroles il ne les quitta pas des yeux,
Scrutant quels indices elles fourniraient, quelle direction elles suivraient.
Tout en se nourrissant elles avançaient en volant juste assez loin

Pour rester en vue de ceux qui les suivaient.
De là, quand elles arrivèrent à la gueule de l'Averne puant,
Elles s'élèvent promptement, et planant dans l'air pur,
A deux se posent à l'endroit voulu sur la cime de l'arbre,
D'où par contraste l'éclat de l'or à travers les branches resplendit.

De même que dans les forêts lors des froids hivernaux le gui a coutume
De verdoyer avec un feuillage neuf ne provenant pas de son propre arbre,
Et de ses pousses jaunes envelopper les troncs lisses,
Telle était l'apparence de la frondaison d'or sur la sombre
Yeuse, ainsi bruissaient ses feuilles d'or dans la brise légère.

Enée s'en saisit immédiatement et brise avec avidité
Sa résistance, et l'apporte à la prophétesse Sibylle en sa demeure.
Entretemps les Teucriens sur la côte (n'en pleuraient) pas moins Misène,
Et à ses tristes cendres apportaient les soins funéraires.
D'abord, avec abondance de bois de pin et avec du chêne coupé

En quantité énorme, ils érigèrent un bûcher, dont de feuillage noir
Ils garnissent les côtés, et des cyprès funéraires devant
Disposent, le décorant au-dessus avec ses armes resplendissantes.
Certains de l'eau chaude dans des chaudrons bouillonnants sur le feu
Préparent, et lavent et parfument le corps du cadavre.

Des lamentations retentissent. Alors sur le lit funèbre ils reposent le corps
(Qu'on pleure), et au-dessus ses vêtements de pourpre, célèbres habits,
Ils jettent. D'autres le soulevèrent sur son immense litière,
Et, triste charge, selon la coutume de leurs pères, (une torche) enflammée
Ils dirigèrent en dessous en se détournant. Entassées brûlent

dirigite in lucos, ubi pinguem diues opacat 195
ramus humum. Tuque, O, dubiis ne defice rebus,
diua parens.' Sic effatus uestigia pressit,
obseruans quae signa ferant, quo tendere pergant.
Pascentes illae tantum prodire uolando,

quantum acie possent oculi seruare sequentum. 200
Inde ubi uenere ad fauces graue olentis Auerni,
tollunt se celeres, liquidumque per aera lapsae
sedibus optatis geminae super arbore sidunt,
discolor unde auri per ramos aura refulsit.

Quale solet siluis brumali frigore uiscum 205
fronde uirere noua, quod non sua seminat arbos,
et croceo fetu teretis circumdare truncos,
talis erat species auri frondentis opaca
ilice, sic leni crepitabat brattea uento.

Corripit Aeneas extemplo auidusque refringit 210
cunctantem, et uatis portat sub tecta Sibyllae.
Nec minus interea Misenum in litore Teucri
flebant, et cineri ingrato suprema ferebant.
Principio pinguem taedis et robore secto

ingentem struxere pyram, cui frondibus atris 215
intexunt latera, et ferales ante cupressos
constituunt, decorantque super fulgentibus armis.
Pars calidos latices et aena undantia flammis
expediunt, corpusque lauant frigentis et unguunt.

Fit gemitus. Tum membra toro defleta reponunt, 220
purpureasque super uestes, uelamina nota,
coniciunt. Pars ingenti subiere feretro,
triste ministerium, et subiectam more parentum
auersi tenuere facem. Congesta cremantur

Les offrandes d'encens, les victimes, de l'huile répandue de cratères.
Une fois les cendres délitées et les flammes assagies,
Ils lavèrent les restes et les braises assoiffées avec du vin,
Et Corynée enferma les os collectés dans une urne de bronze.
Le même purifia trois fois ses compagnons en tournant autour d'eux,

Les aspergeant légèrement (d'eau pure) avec un rameau d'olivier sacré,
Il purifia également les hommes, et prononça les ultimes paroles.
Et le pieux Enée un sépulcre d'une masse énorme
Pose dessus, avec les armes personnelles du héros, ses rames et son cor,
Au pied d'une montagne élevée, qui à présent « Misène » d'après lui

Est appelée, portant son nom éternel à travers les âges[389].
Ces choses faites, il s'empresse d'exécuter les prescriptions de la Sibylle.
La grotte était de plafond élevé et immense, avec une ouverture béante,
Rocailleuse, protégée par un lac noir et par l'obscurité de la forêt,
Au-dessus d'elle aucun oiseau n'aurait pu impunément

Diriger son vol — telles étaient les émanations qui, de sa noire
Gueule se répandant, s'élevaient vers la voûte céleste :
De là les Grecs appelèrent ce lieu du nom d'Averne[390].
Ici pour commencer quatre taurillons à l'échine noire
La prêtresse disposa, faisant couler du vin sur leur front ;

Et (leur) arrachant les poils du dessus (de la tête) au milieu des cornes,
Elle les plaça sur le feu sacré, en tant que prémices,
Invoquant tout haut Hécate, puissante à la fois au Ciel et dans l'Erèbe[391].
D'autres (les égorgent) par en dessous avec des couteaux, et le sang tiède
Dans des patères recueillent. (Enée) lui-même une agnelle de toison noire

---

[389] Il s'agit bien sûr du cap Misène fermant au nord la baie de Naples.
[390] Du grec ἄ-ορνος : dépourvu d'oiseaux.
[391] Hécate est une déesse des morts encore appelée Trivia car elle reliait l'Erèbe (région des Enfers) souterrain, la terre et le ciel (cf. vers 511 du Chant IV).

turea dona, dapes, fuso crateres oliuo.   225
Postquam conlapsi cineres et flamma quieuit
reliquias uino et bibulam lauere fauillam,
ossaque lecta cado texit Corynaeus aeno.
Idem ter socios pura circumtulit unda,

spargens rore leui et ramo felicis oliuae,   230
lustrauitque uiros, dixitque nouissima uerba.
At pius Aeneas ingenti mole sepulcrum
imponit, suaque arma uiro, remumque tubamque,
monte sub aerio, qui nunc "Misenus" ab illo

dicitur, aeternumque tenet per saecula nomen.   235
His actis, propere exsequitur praecepta Sibyllae.
Spelunca alta fuit uastoque immanis hiatu,
scrupea, tuta lacu nigro nemorumque tenebris,
quam super haud ullae poterant impune uolantes

tendere iter pennis -- talis sese halitus atris   240
faucibus effundens supera ad conuexa ferebat:
unde locum Grai dixerunt nomine Aornon.
quattuor hic primum nigrantis terga iuuencos
constituit, frontique inuergit uina sacerdos;

et summas carpens media inter cornua saetas   245
ignibus imponit sacris, libamina prima,
uoce uocans Hecaten, Caeloque Ereboque potentem.
Supponunt alii cultros, tepidumque cruorem
suscipiunt pateris. Ipse atri uelleris agnam

A la mère des Euménides et à sa noble sœur[392]
Avec son épée immole, ainsi qu'une vache stérile à toi, Proserpine ;
Ensuite au roi du Styx[393] il commence à sacrifier de nuit,
Et place sur les flammes les entrailles entières de taureaux,
Arrosant abondamment d'huile les organes brûlants.

Mais voilà que, aux premiers rayons du soleil levant,
Sous leurs pieds le sol commença à mugir et les cimes (des arbres)
A bouger, et les chiens semblèrent hurler à travers l'obscurité,
La déesse approchant. « Eloignez-vous, éloignez-vous, ô profanes, »
S'exclame la prophétesse, « retirez-vous complètement du bois ;

Et toi, mets-toi en route, sors ton épée de son fourreau :
A présent il te faut du courage, Enée, un cœur ferme. »
Avec ces fortes paroles, elle s'introduisit, délirante, dans l'antre ouvert ;
Lui sans crainte met ses pas dans ceux de sa guide.
O dieux qui régnez sur les âmes, ombres silencieuses,

Et Chaos[394], et Phlégéthon[395], régions silencieuses dans la vaste nuit,
Autorisez-moi à parler de choses que j'ai entendues ; permettez-moi
De révéler des choses du monde souterrain, enfouies dans les ténèbres !
Ils parcouraient les ombres dans la solitude de la nuit,
Les demeures vides de Dis et son royaume désert :

De même que par une lune obscure sous une lumière maléfique
On chemine dans les bois, quand dans l'ombre le ciel est enseveli
Par Jupiter, et que la nuit noire aux choses a ravi leurs couleurs.
Devant l'entrée elle-même, au bord de la gueule d'Orcus,
Le Deuil et les Remords de conscience ont installé leur couche ;

---

[392] Sans doute Tellus (la Terre) qui, dans les cérémonies incantatoires, était invoquée en même temps que Nyx (la Nuit), la mère des Euménides, ainsi qu'Hécate.
[393] Pluton.
[394] Chaos est une divinité primordiale antérieure au monde et aux dieux eux-mêmes. Il donna naissance à Erèbe et à la Nuit.
[395] Un des fleuves des Enfers, le redoutable « fleuve de feu ».

Aeneas matri Eumenidum magnaeque sorori   250
ense ferit, sterilemque tibi, Proserpina, uaccam;
Tum Stygio regi nocturnas inchoat aras,
et solida imponit taurorum uiscera flammis,
pingue superque oleum infundens ardentibus extis.

Ecce autem, primi sub lumina solis et ortus,   255
sub pedibus mugire solum, et iuga coepta moueri
siluarum, uisaeque canes ululare per umbram,
aduentante dea. 'Procul O procul este, profani,'
conclamat uates, 'totoque absistite luco;

tuque inuade uiam, uaginaque eripe ferrum: 260
nunc animis opus, Aenea, nunc pectore firmo.'
Tantum effata, furens antro se immisit aperto;
ille ducem haud timidis uadentem passibus aequat.
Di, quibus imperium est animarum, umbraeque silentes,

et Chaos, et Phlegethon, loca nocte tacentia late,   265
sit mihi fas audita loqui; sit numine uestro
pandere res alta terra et caligine mersas!
Ibant obscuri sola sub nocte per umbram,
perque domos Ditis uacuas et inania regna:

quale per incertam lunam sub luce maligna   270
est iter in siluis, ubi caelum condidit umbra
Iuppiter, et rebus nox abstulit atra colorem.
Vestibulum ante ipsum, primisque in faucibus Orci
Luctus et ultrices posuere cubilia Curae;

Là séjournent la pâle Maladie, et la triste Vieillesse,
Et la Peur, et la Faim mauvaise conseillère, et l'ignoble Indigence,
Formes terrifiantes à voir : et aussi la Mort, les Tourments ;
Puis le Sommeil, frère de la Mort, et de l'imagination les mauvaises
Jouissances, et la Guerre mortifère dans l'entrée opposée,

Ainsi que les cellules de fer des Euménides[396], et la folle Discorde,
Aux cheveux vipérins, enveloppée de bandelettes sanglantes.
Au milieu, déployant ses branches et ses bras chargés d'ans,
Un orme sombre, énorme, généralement (considéré) comme la demeure
(Des rêves) vains, (rêves) qui sont accrochés sous toutes ses feuilles.

En outre (il y a là) toutes sortes de bêtes sauvages monstrueuses :
Des Centaures ont leur étable à la porte, ainsi que les Scyllas biformes,
Et Briarée[397] le centuple, et le monstre de Lerne[398]
Aux sifflements horribles, la Chimère armée de flammes,
Les Gorgones et Harpyes et la forme d'une ombre à trois corps[399].

Là, pris d'une subite frayeur, (Enée) saisit son épée,
Et présente sa lame dénudée aux arrivants,
Et, si son avisée accompagnatrice (ne l'avait pas averti) que, sans corps,
(Ces êtres subtils) voletaient sous une forme impalpable,
Il aurait foncé, et vainement de son épée pourfendu les ombres.

De là (part) la voie qui conduit aux eaux de l'Achéron Tartare.
Là un gouffre fangeux avec d'énormes tourbillons
Mugit, et vomit toute sa boue dans le Cocyte.
Ces eaux et ces rivières sont gardées par l'horrible passeur
Charon, d'une affreuse saleté, dont le menton d'abondants

---

[396] Les Euménides ou Erinyes emprisonnées dans ces cellules sont lâchées sur terre pour persécuter les criminels durant leur vie terrestre.
[397] Un des trois Hécatonchires ou Centimanes, fils du Ciel et de la Terre ; ils possédaient cent mains et furent chargés par Zeus de garder le Tartare où il avait précipité leurs frères les Titans.
[398] L'Hydre de Lerne aux multiples têtes de serpent.
[399] Il s'agit de Géryon, Géant triple, *tergeminus*.

pallentesque habitant Morbi, tristisque Senectus, 275
et Metus, et malesuada Fames, ac turpis Egestas,
terribiles uisu formae: Letumque, Labosque;
tum consanguineus Leti Sopor, et mala mentis
Gaudia, mortiferumque aduerso in limine Bellum,

ferreique Eumenidum thalami, et Discordia demens, 280
uipereum crinem uittis innexa cruentis.
In medio ramos annosaque bracchia pandit
ulmus opaca, ingens, quam sedem Somnia uolgo
uana tenere ferunt, foliisque sub omnibus haerent.

Multaque praeterea uariarum monstra ferarum: 285
Centauri in foribus stabulant, Scyllaeque biformes,
et centumgeminus Briareus, ac belua Lernae
horrendum stridens, flammisque armata Chimaera,
Gorgones Harpyiaeque et forma tricorporis umbrae.

Corripit hic subita trepidus formidine ferrum 290
Aeneas, strictamque aciem uenientibus offert,
et, ni docta comes tenues sine corpore uitas
admoneat uolitare caua sub imagine formae,
inruat, et frustra ferro diuerberet umbras.

Hinc uia, Tartarei quae fert Acherontis ad undas. 295
Turbidus hic caeno uastaque uoragine gurges
aestuat, atque omnem Cocyto eructat harenam.
Portitor has horrendus aquas et flumina seruat
terribili squalore Charon, cui plurima mento

Poils blancs est embroussaillé ; son regard fixe est enflammé,
Sa cape crasseuse, retenue par un nœud, lui tombe des épaules.
Lui-même il pousse sa barque avec une perche, s'occupe des voiles,
Et convoie les corps sur son esquif couleur de fer,
Déjà âgé, mais pour un dieu la vieillesse est vigoureuse et verte.

Ici toute une foule en désordre se ruait vers la rive,
Des matrones et des hommes, les corps privés de vie
De fiers héros, des garçons et filles vierges,
Et des jeunes mis sur le bûcher devant leurs parents :
Autant que dans les forêts aux premiers froids de l'automne

Tombent les feuilles mortes, ou que sur la terre, venant du large,
Se rassemblent de nombreux oiseaux quand la saison froide
Les pousse à traverser la mer et les envoie dans les régions ensoleillées.
Ils se tenaient debout en priant pour passer en premier,
Tendaient les mains, convoitant la rive opposée.

Mais le lugubre nautonier tantôt prend les uns, tantôt les autres,
Mais en écarte et repousse d'autres au loin sur le sable.
Enée, étonné et impressionné par cette confusion,
Dit : « O vierge, dis-moi, que signifie cette cohue vers la rivière ?
Et que cherchent ces âmes, et selon quel critère, les rives

Celles-ci délaissent, celles-là les flots terreux de leurs rames balaient ? »
La prêtresse âgée[400] ainsi lui parla en substance :
« O rejeton d'Anchise, descendant avéré des dieux,
Tu vois (là) les eaux profondes du Cocyte et le marais du Styx,
Par lequel les dieux craignent de jurer et de se parjurer.

Toute cette foule que tu vois ce sont des malheureux sans sépulture ;
Ce passeur, c'est Charon ; ceux que les flots convoient, ont une sépulture.
Et il n'est pas permis que les rives terrifiantes et les rivières grondantes
Ils traversent avant que leurs os n'aient trouvé de repos en une demeure.
Ils errent pendant cent ans et volètent autour de ces rivages ;

---

[400] La Sybille avait obtenu d'Apollon de vivre autant d'années que de grains de sable qu'elle pourrait tenir dans la main.

canities inculta iacet; stant lumina flamma,   300
sordidus ex umeris nodo dependet amictus.
Ipse ratem conto subigit, uelisque ministrat,
et ferruginea subuectat corpora cymba,
iam senior, sed cruda deo uiridisque senectus.

Huc omnis turba ad ripas effusa ruebat,   305
matres atque uiri, defunctaque corpora uita
magnanimum heroum, pueri innuptaeque puellae,
impositique rogis iuuenes ante ora parentum:
quam multa in siluis autumni frigore primo

lapsa cadunt folia, aut ad terram gurgite ab alto   310
quam multae glomerantur aues, ubi frigidus annus
trans pontum fugat, et terris immittit apricis.
Stabant orantes primi transmittere cursum,
tendebantque manus ripae ulterioris amore.

Nauita sed tristis nunc hos nunc accipit illos,   315
ast alios longe submotos arcet harena.
Aeneas, miratus enim motusque tumultu,
'Dic' ait 'O uirgo, quid uolt concursus ad amnem?
Quidue petunt animae, uel quo discrimine ripas

hae linquunt, illae remis uada liuida uerrunt?'   320
Olli sic breuiter fata est longaeua sacerdos:
'Anchisa generate, deum certissima proles,
Cocyti stagna alta uides Stygiamque paludem,
di cuius iurare timent et fallere numen.

Haec omnis, quam cernis, inops inhumataque turba est;   325
portitor ille Charon; hi, quos uehit unda, sepulti.
Nec ripas datur horrendas et rauca fluenta
transportare prius quam sedibus ossa quierunt.
Centum errant annos uolitantque haec litora circum;

Ce n'est qu'après autorisation qu'ils revisitent les eaux convoitées. »
Le rejeton d'Anchise s'arrêta et resta sur place,
Perplexe, s'apitoyant sur leur injuste sort.
Là il distingue, tristes et privés des honneurs dus aux morts,
Leucaspis et Oronte[401], le chef de la flotte lycienne,

Eux qui, avec lui naviguant depuis Troie sur les eaux venteuses,
Furent submergés par l'Auster, qui a noyé navire et équipage.
Et voilà que s'avançait le pilote Palinure,
Qui récemment sur le trajet libyen, alors qu'il scrutait les étoiles,
Du vaisseau était tombé, éjecté au milieu des flots.

A peine l'eut-il reconnu, tout triste, dans une ombre épaisse,
Ainsi l'aborde-t-il : « Quel dieu, Palinure,
T'a ravi à nous, et noyé au milieu des eaux ?
Dis-le donc. Car de moi, ne m'ayant pas paru trompeur auparavant,
Apollon s'est joué pour la première fois en me répondant et

Prédisant qu'il ne t'arriverait rien sur la mer, et que les confins
Ausoniens tu atteindrais. Sont-ce là des promesses de bonne foi ? »
Mais il lui (répond) : « De Phébus le trépied ne t'a pas trompé,
O chef fils d'Anchise, et ce n'est pas un dieu qui m'a noyé dans la mer.
En effet il se trouve que le gouvernail, arraché avec beaucoup de force,

Auquel il m'appartenait en tant que gardien de m'agripper et de diriger,
Je l'ai entraîné avec moi en tombant. Je jure par les mers cruelles
N'avoir nullement craint pour moi davantage (que pour ton navire),
Que, dépouillé de ses équipements, privé de son capitaine,
Il ne fût en difficulté face à de telles vagues qui se levaient.

Le Notus pendant trois nuits d'hiver sur la mer immense
Me porta avec violence sur l'eau ; à peine le quatrième jour
J'aperçus l'Italie, soulevé au sommet d'une vague.
Petit à petit j'approchais de la terre en nageant ; déjà j'étais sauf,
Si une peuplade cruelle, alors qu'alourdi par mes habits trempés

---

[401] Naufragé de la première heure : cf. vers 113 sqq. du Chant I.

tum demum admissi stagna exoptata reuisunt.'   330
Constitit Anchisa satus et uestigia pressit,
multa putans, sortemque animo miseratus iniquam.
Cernit ibi maestos et mortis honore carentes
Leucaspim et Lyciae ductorem classis Oronten,

quos, simul ab Troia uentosa per aequora uectos,   335
obruit Auster, aqua inuoluens nauemque uirosque.
Ecce gubernator sese Palinurus agebat,
qui Libyco nuper cursu, dum sidera seruat,
exciderat puppi mediis effusus in undis.

Hunc ubi uix multa maestum cognouit in umbra,   340
sic prior adloquitur: 'Quis te, Palinure, deorum
eripuit nobis, medioque sub aequore mersit?
Dic age. Namque mihi, fallax haud ante repertus,
hoc uno responso animum delusit Apollo,

qui fore te ponto incolumem, finesque canebat   345
uenturum Ausonios. En haec promissa fides est?'
Ille autem: 'Neque te Phoebi cortina fefellit,
dux Anchisiade, nec me deus aequore mersit.
Namque gubernaclum multa ui forte reuolsum,

cui datus haerebam custos cursusque regebam,   350
praecipitans traxi mecum. Maria aspera iuro
non ullum pro me tantum cepisse timorem,
quam tua ne, spoliata armis, excussa magistro,
deficeret tantis nauis surgentibus undis.

Tris Notus hibernas immensa per aequora noctes   355
uexit me uiolentus aqua; uix lumine quarto
prospexi Italiam summa sublimis ab unda.
Paulatim adnabam terrae; iam tuta tenebam,
ni gens crudelis madida cum ueste grauatum

J'agrippais de mes mains crochues la pointe d'un rocher,
Ne m'eut, ignorante, attaqué à l'épée, me prenant pour une proie.
Tantôt une vague me tient, tantôt le vent me repousse sur le rivage.
C'est pourquoi, par la plaisante lumière du ciel et par l'air libre,
Par ton père, je te supplie, par l'espoir de Julus grandissant,

Sauve-moi, toi l'invaincu, de ces maux : ou bien en terre tu
Me mets, car tu le peux en retrouvant les ports de Vélia[402] ;
Ou bien, si c'est possible, si ta divine mère le moyen
T'en révèle — je ne crois pas, en effet, que sans la volonté des dieux
Tu t'apprêtes à traverser de si grandes rivières et le marais du Styx —

Tends ta dextre à un malheureux, et prends-moi avec toi sur les flots,
Afin qu'au moins mort je repose dans une demeure paisible.
Il avait prononcé ces paroles quand la prophétesse ainsi commença :
« D'où te vient, ô Palinure, ce désir si funeste ?
Sans sépulture, les eaux du Styx et l'austère rivière

Des Euménides tu vas voir, t'approcher de leur bord sans autorisation ?
Cesse d'espérer en priant infléchir les oracles des dieux,
Mais écoute et souviens-toi de mes paroles, réconfort pour ce rude revers.
En effet tes voisins, en long et en large dans leurs cités
Incités par des prodiges célestes, expieront tes ossements,

Et t'élèveront un tumulus, (t'y) dédieront des solennités,
Et l'endroit portera de Palinure[403] le nom éternel. »
Par ces paroles ses soucis sont évacués, et rapidement est repoussée
La douleur de son cœur affligé : il se réjouit que la terre porte son nom.
Et donc ils poursuivent leur route et approchent de la rivière.

Alors quand le nautonier déjà depuis les eaux du Styx les vit
Traverser le bois silencieux et diriger leurs pas vers la rive,
Il commence par les apostropher ainsi, leur criant spontanément :
« Qui que tu sois, toi qui armé vers mes rivières te presses,
Dis-donc, pourquoi de là-bas viens-tu, ralentis-donc ton pas !

---

[402] L'ancienne Elée grecque, cité de Campanie, sur le golfe de Salerne.
[403] Le Capo Palinuro est un promontoire situé à quelque 50 kilomètres au sud de Paestum.

prensantemque uncis manibus capita aspera montis 360
ferro inuasisset, praedamque ignara putasset.
Nunc me fluctus habet, uersantque in litore uenti.
Quod te per caeli iucundum lumen et auras,
per genitorem oro, per spes surgentis Iuli,

eripe me his, inuicte, malis: aut tu mihi terram 365
inice, namque potes, portusque require Velinos;
aut tu, si qua uia est, si quam tibi diua creatrix
ostendit -- neque enim, credo, sine numine diuom
flumina tanta paras Stygiamque innare paludem –

da dextram misero, et tecum me tolle per undas, 370
sedibus ut saltem placidis in morte quiescam.
Talia fatus erat, coepit cum talia uates:
'Unde haec, o Palinure, tibi tam dira cupido?
Tu Stygias inhumatus aquas amnemque seuerum

Eumenidum aspicies, ripamue iniussus adibis? 375
Desine fata deum flecti sperare precando
Sed cape dicta memor, duri solatia casus.
Nam tua finitimi, longe lateque per urbes
prodigiis acti caelestibus, ossa piabunt,

et statuent tumulum, et tumulo sollemnia mittent, 380
aeternumque locus Palinuri nomen habebit.'
His dictis curae emotae, pulsusque parumper
corde dolor tristi: gaudet cognomine terrae.
Ergo iter inceptum peragunt fluuioque propinquant.

Nauita quos iam inde ut Stygia prospexit ab unda 385
per tacitum nemus ire pedemque aduertere ripae,
sic prior adgreditur dictis, atque increpat ultro:
'Quisquis es, armatus qui nostra ad flumina tendis,
fare age, quid uenias, iam istinc, et comprime gressum.

Ici c'est l'endroit des ombres, du sommeil de la nuit somnifère ;
Transporter des corps vivants est interdit sur la barque du Styx.
Et en effet je ne me suis pas félicité d'avoir (dû recevoir) l'Alcide[404]
(Pour le faire naviguer) sur les eaux, ni Thésée et Pirithoos[405],
Bien qu'ils fussent nés de dieux et d'une force invincible.

Le premier chercha à enchaîner de ses mains le gardien[406] du Tartare,
Et du trône du roi[407] lui-même le traîna tout tremblant ;
Les seconds à enlever ma maîtresse[408] de la chambre de Dis. »
A cela la prophétesse Amphrysienne[409] brièvement répondit :
« Ici il n'y a aucun piège de la sorte ; arrête de t'exciter ;

Et son arme n'est pas violente ; l'énorme gardien en son antre peut bien,
En aboyant éternellement, terroriser les ombres exsangues,
La chaste Proserpine de son oncle peut bien garder l'entrée.
Enée le Troyen, remarquable par sa piété et ses armes,
Descend (voir) son père aux ombres les plus profondes de l'Erèbe.

Si la vue d'une si grande piété ne t'impressionne nullement,
Ce rameau », elle découvre le rameau caché dans son vêtement,
« Reconnais. » Son cœur furieux alors de sa colère s'apaise.
(Elle) n'en dit pas plus. Lui, admirant le pieux cadeau
De la branche prophétique, après l'avoir longtemps regardé,

Fait opérer un demi-tour à sa barque bleu foncé, et s'approche du bord.
De là (il éjecte) les autres âmes, assises sur de longs bancs,
Dégage les passages ; et s'empresse de recevoir à l'intérieur du bateau
L'immense Enée. Sous le poids gémit la barque
Rafistolée et, fissurée, prend l'eau en abondance.

---

[404] Charon fut emprisonné pendant un an pour avoir accepté d'introduire Hercule dans les Enfers sans qu'il soit en possession du rameau d'or.

[405] Thésée et Pirithoos, les deux amis descendus aux Enfers pour enlever Proserpine. Hercule obtint de Pluton la grâce du seul Thésée.

[406] Cerbère, le gardien des Enfers.

[407] Hadès-Pluton, le roi des Enfers.

[408] Proserpine-Perséphone, femme et nièce de Dis-Pluton et reine des Enfers.

[409] Amphryse, rivière de Thessalie, au bord de laquelle Apollon faisait paître des moutons, d'où le surnom d'Amphrysien qui lui fut donné, ainsi qu'à sa prêtresse.

Umbrarum hic locus est, somni noctisque soporae;   390
corpora uiua nefas Stygia uectare carina.
Nec uero Alciden me sum laetatus euntem
accepisse lacu, nec Thesea Pirithoumque,
dis quamquam geniti atque inuicti uiribus essent.

Tartareum ille manu custodem in uincla petiuit,   395
ipsius a solio regis, traxitque trementem;
hi dominam Ditis thalamo deducere adorti.'
Quae contra breuiter fata est Amphrysia uates:
'Nullae hic insidiae tales; absiste moueri;

nec uim tela ferunt; licet ingens ianitor antro   400
aeternum latrans exsanguis terreat umbras,
casta licet patrui seruet Proserpina limen.
Troius Aeneas, pietate insignis et armis,
ad genitorem imas Erebi descendit ad umbras.

Si te nulla mouet tantae pietatis imago,   405
at ramum hunc' aperit ramum, qui ueste latebat
'adgnoscas.' Tumida ex ira tum corda residunt.
Nec plura his. Ille admirans uenerabile donum
fatalis uirgae, longo post tempore uisum,

caeruleam aduertit puppim, ripaeque propinquat.   410
Inde alias animas, quae per iuga longa sedebant,
deturbat, laxatque foros; simul accipit alueo
ingentem Aenean. Gemuit sub pondere cymba
sutilis, et multam accepit rimosa paludem.

Finalement, de l'autre côté de la rivière, la prophétesse et l'homme sains
(Et saufs) il débarque dans la vase informe et les algues verdâtres.
L'énorme Cerbère, des aboiements de ses trois gueules, ce royaume
Fait retentir, couché, immense, dans l'antre d'en face.
La prophétesse, voyant ses cous se hérisser de serpents,

Une boulette soporifique de miel et de froment mélangé de drogue
(Lui) jette. Lui avec une faim gloutonne ouvrant ses trois gosiers
Attrape ce qui lui a été jeté, et détend ses immenses échines
En s'allongeant par terre, s'étendant, énorme, en travers de tout l'antre.
Enée s'engage vite dans l'entrée, le gardien étant terrassé (de sommeil),

Et rapidement s'échappe de la rive de la rivière sans retour.
Aussitôt on entend des voix et un vagissement énorme
De nourrissons et d'âmes en pleurs dans la première entrée ;
Exclus d'une douce vie et ravis à leur mamelle,
Par le jour noir (ils) furent enlevés et plongés dans une mort précoce ;

A côté d'eux, ceux qu'on a faussement condamnés à mort,
Et ces demeures n'ont certes pas été attribuées sans juge tiré au sort[410] :
Le juge suprême Minos secoue l'urne ; des silencieux
Il convoque l'assemblée et enquête sur les vies et les délits.
Ensuite les lieux les plus proches sont occupés par les affligés qui la mort,

Innocents, se sont donné de leur main, et détestant la lumière,
Ont dilapidé leur âme. Comme ils voudraient à l'air libre
A présent endurer à la fois la pauvreté et les dures épreuves !
La loi divine s'y oppose, et le triste marécage à l'eau rebutante
Les retient, et neuf fois le Styx les encercle en s'interposant.

Et pas loin de là se découvre dans toutes les directions
Le champ des larmes : ainsi l'appelle-t-on.
Ici, ceux qu'un dur amour a consumés d'une cruelle langueur,
Par des sentiers écartés sont cachés et, par (un bois) de myrte alentour
Sont dissimulés ; même dans la mort les tourments ne les quittent pas.

---

[410] Peut-être référence au *sortitio iudicum* de la loi romaine, qui prévoyait le tirage au sort des juges devant officier dans certains procès.

Tandem trans fluuium incolumis uatemque uirumque   415
informi limo glaucaque exponit in ulua.
Cerberus haec ingens latratu regna trifauci
personat, aduerso recubans immanis in antro.
Cui uates, horrere uidens iam colla colubris,

melle soporatam et medicatis frugibus offam   420
obicit. Ille fame rabida tria guttura pandens
corripit obiectam, atque immania terga resoluit
fusus humi, totoque ingens extenditur antro.
Occupat Aeneas aditum custode sepulto,

euaditque celer ripam inremeabilis undae.   425
Continuo auditae uoces, uagitus et ingens,
infantumque animae flentes in limine primo,
quos dulcis uitae exsortes et ab ubere raptos
abstulit atra dies et funere mersit acerbo;

hos iuxta falso damnati crimine mortis.   430
Nec uero hae sine sorte datae, sine iudice, sedes:
quaesitor Minos urnam mouet; ille silentum
conciliumque uocat uitasque et crimina discit.
Proxuma deinde tenent maesti loca, qui sibi letum

insontes peperere manu, lucemque perosi   435
proiecere animas. Quam uellent aethere in alto
nunc et pauperiem et duros perferre labores!
Fas obstat, tristisque palus inamabilis undae
alligat, et nouiens Styx interfusa coercet.

Nec procul hinc partem fusi monstrantur in omnem   440
lugentes campi: sic illos nomine dicunt.
Hic, quos durus amor crudeli tabe peredit,
secreti celant calles et myrtea circum
silua tegit; curae non ipsa in morte relinquunt.

En ces lieux, (il voit) Phèdre[411] et Procris[412], la triste Eriphyle[413],
Désignant de son cruel fils les blessures,
Ainsi qu'Evadné[414] et Pasiphaé ; Laodamie[415] les
Accompagne, et Cénée[416], jadis jeune homme, à présent femme,
De nouveau par le destin rétabli sous son ancienne apparence.

Parmi elles il y avait la Phénicienne Didon, relevant de sa blessure,
Qui errait dans la grande forêt ; le héros Troyen,
Dès qu'il se tint à côté d'elle, et l'eut reconnue à travers les ombres,
Sombre, pareil à celui qui au début du mois soit (voit) se lever
La lune, ou pense l'avoir vue à travers les nuages,

Laissa couler ses larmes, et s'adressa à elle avec une douce affection :
« Malheureuse Didon, il était donc vrai, le message jusqu'à moi
Parvenu, (que) tu avais été tuée, mortellement blessée par une épée ?
De ta mort, hélas, ai-je été la cause ? Je jure par les étoiles,
Par les dieux, et s'il est quelque croyance au tréfonds de la terre,

Que c'est malgré moi, ô reine, que tes rivages j'ai quitté.
Mais les ordres des dieux (m'amènent) à traverser à présent ces ombres,
Ces lieux sauvages en déshérence, ainsi que la nuit profonde,
Me poursuivant de leurs injonctions ; et je ne pouvais penser
Qu'une si grande douleur je t'occasionnerais par mon départ.

Arrête-toi de marcher, ne te soustrais pas à mon regard.
Qui fuis-tu ? C'est l'ultime fois que le destin fait qu'à toi je m'adresse. »
Avec de telles (paroles) Enée l'ardent (esprit) au regard farouche
Apaisait, versant des larmes.
Elle, retournée, gardait les yeux fixés sur le sol,

---

[411] Cf. la passion de Phèdre pour son beau-fils Hippolyte, le fils de Thésée.
[412] Le couple de Procris et Céphale fut victime de leur mutuelle jalousie.
[413] Elle fut tuée par son fils Alcméon pour avoir trahi son mari Amphiaraos.
[414] Epouse du héros Capanée, elle se jette sur son bûcher pour ne pas lui survivre.
[415] Elle fit faire une statue de son mari tué par Hector pour continuer à jouir de sa présence ; une fois la statue enlevée par son père, elle se jeta dans le feu.
[416] Cénis, violée par Neptune, obtint de lui de pouvoir changer de sexe et, devenue l'invincible Lapithe Cénée, participa au combat contre les Centaures.

His Phaedram Procrimque locis, maestamque Eriphylen 445
crudelis nati monstrantem uolnera, cernit,
Euadnenque et Pasiphaen; his Laodamia
it comes, et iuuenis quondam, nunc femina, Caeneus,
rursus et in ueterem fato reuoluta figuram.

Inter quas Phoenissa recens a uolnere Dido 450
errabat silua in magna; quam Troius heros
ut primum iuxta stetit adgnouitque per umbras
obscuram, qualem primo qui surgere mense
aut uidet, aut uidisse putat per nubila lunam,

demisit lacrimas, dulcique adfatus amore est: 455
'Infelix Dido, uerus mihi nuntius ergo
uenerat exstinctam, ferroque extrema secutam?
Funeris heu tibi causa fui? Per sidera iuro,
per superos, et si qua fides tellure sub ima est,

inuitus, regina, tuo de litore cessi. 460
Sed me iussa deum, quae nunc has ire per umbras,
per loca senta situ cogunt noctemque profundam,
imperiis egere suis; nec credere quiui
hunc tantum tibi me discessu ferre dolorem.

Siste gradum, teque aspectu ne subtrahe nostro. 465
Quem fugis? Extremum fato, quod te adloquor, hoc est.'
Talibus Aeneas ardentem et torua tuentem
lenibat dictis animum, lacrimasque ciebat.
Illa solo fixos oculos auersa tenebat,

Et pas davantage son visage par ce début de discours n'était impressionné
Que si elle avait la fixité d'un dur silex ou d'une roche de Marpesse[417].
Pour finir elle pressa le pas et se retira, mauvaise,
Dans le bois ombreux, où son ancien époux
Sychée est attentif à ses soucis et lui rend son amour.

Mais Enée, troublé par les revers de fortune de Didon, malgré tout
En pleurant (la) suit à distance, la plaignant tandis qu'elle s'éloigne.
De là il continue sur le parcours qui lui est imparti. Déjà ils atteignaient
Les dernières (parcelles) qu'habitent, à l'écart, les guerriers illustres.
Ici court à sa rencontre Tydée[418], voici, glorieux par ses faits d'armes,

Parthénopée[419] et du pâle Adraste l'image ;
Voici, tombés à la guerre et grandement pleurés jusqu'aux cieux,
Les Dardanéens, lesquels voyant alignés sur une longue rangée,
Il plaignit, ainsi que Glaucos, Médon et Thersiloque[420],
Les trois fils d'Anténor, Polypœte[421] voué au service de Cérès,

Et Idée[422], encore sur son char et encore en armes.
Les âmes l'entourent en foule à droite et à gauche ;
Et elles ne se lassent pas de le voir ; elles se plaisent même à le retarder,
Et à marcher à ses côtés, l'interrogeant sur les raisons de sa venue.
Mais (quand) les chefs des Danaéens et les phalanges d'Agamemnon

Virent l'homme à l'armure étincelante à travers les ombres,
Ils (se mirent) à trembler d'une peur énorme ; certains tournèrent le dos,
Comme jadis ils regagnèrent leurs navires, d'autres se mirent à crier
Faiblement, leurs bouches inutilement grandes ouvertes.
Et ici (il voit) le fils de Priam au corps entier déchiqueté,

---

[417] Montagne de l'île de Paros dont était extrait le marbre blanc.
[418] Le vaillant père de Diomède, tué lors du siège de Thèbes.
[419] Parthénopée fit partie avec Adraste de l'expédition des Sept contre Thèbes.
[420] Glaucos, Médon, Thersiloque sont des fils d'Anténor, beau-frère de Priam, tombés pendant la guerre de Troie.
[421] Peut-être le Lapithe qui s'illustra pendant la guerre de Troie ?
[422] Héraut et conducteur de char troyen.

nec magis incepto uoltum sermone mouetur,   470
quam si dura silex aut stet Marpesia cautes.
tandem corripuit sese, atque inimica refugit
in nemus umbriferum, coniunx ubi pristinus illi
respondet curis aequatque Sychaeus amorem.

Nec minus Aeneas, casu concussus iniquo,   475
prosequitur lacrimis longe, et miseratur euntem.
Inde datum molitur iter. Iamque arua tenebant
ultima, quae bello clari secreta frequentant.
Hic illi occurrit Tydeus, hic inclutus armis

Parthenopaeus et Adrasti pallentis imago;   480
hic multum fleti ad superos belloque caduci
Dardanidae, quos ille omnes longo ordine cernens
ingemuit, Glaucumque Medontaque Thersilochumque,
tris Antenoridas, Cererique sacrum Polyphoeten,

Idaeumque, etiam currus, etiam arma tenentem.   485
circumstant animae dextra laeuaque frequentes;
nec uidisse semel satis est; iuuat usque morari,
et conferre gradum, et ueniendi discere causas.
At Danaum proceres Agamemnoniaeque phalanges

ut uidere uirum fulgentiaque arma per umbras,   490
ingenti trepidare metu; pars uertere terga,
ceu quondam petiere rates; pars tollere uocem
exiguam, inceptus clamor frustratur hiantes.
Atque hic Priamiden laniatum corpore toto

Déiphobe, dont le visage est cruellement mutilé,
Son visage et ses deux mains, ses tempes ravagées par (leurs oreilles)
(Enlevées), et le nez par une honteuse blessure amputé.
A peine le reconnut-il, tout tremblant, cachant ses affreuses
Souffrances, qu'il l'interpelle spontanément de sa voix familière :

« Déiphobe, valeureux guerrier, né du noble sang de Teucer,
Qui a cherché à (t') infliger des peines si cruelles ?
Qui s'est permis de t'arranger comme cela ? La rumeur en cette dernière
Nuit m'a rapporté qu'épuisé par le grand massacre des Pélasges,
Tu t'es effondré sur un tas de cadavres mélangés.

Alors moi-même un tombeau vide sur le rivage du Rhoétée
J'ai dressé, et à haute voix trois fois tes Mânes j'ai appelé.
Ton nom et tes armes préservent ces lieux ; toi, mon ami, je n'ai pu
Te voir et, en m'en allant, te déposer en ta terre natale. »
A quoi le fils de Priam : « Tu n'as rien oublié, ô mon ami ;

Tu t'es acquitté de tout vis-à-vis de Déiphobe et de ses ombres funèbres.
Mais mon destin et le crime fatal de la Lacédémonienne[423]
Me plongèrent dans ces maux ; c'est elle qui me laissa ces souvenirs.
(Tu sais), en effet, comment l'ultime nuit dans de trompeuses jouissances
Nous aurons passé ; et on ne peut que trop bien s'en souvenir.

Quand le cheval fatal d'un saut passa au-dessus de la haute
Pergame et, lourd de fantassins armés, dans son ventre les amena,
Elle, simulant des danses, autour d'elle dans une orgie bacchique
Conduisait des Phrygiennes ; elle-même au milieu tenait une torche
Enorme, et appelait les Danaéens du sommet de la citadelle[424].

Alors, rongé de soucis et alourdi par le sommeil que j'étais,
Ma malheureuse chambre eut raison de moi et, couché, je fus saisi
Par un doux et profond repos, en tout point semblable à une mort paisible.
Entretemps mon excellente épouse toutes les armes hors du palais
Evacue, après avoir enlevé ma fidèle épée de dessous ma tête ;

---

[423] Déiphobe fut le troisième époux d'Hélène après la mort de son frère Pâris.
[424] Pas cohérent avec les vers 567 sqq. du Chant II où Hélène est retrouvée près de l'autel de Vesta ?

Deiphobum uidet et lacerum crudeliter ora,   495
ora manusque ambas, populataque tempora raptis
auribus, et truncas inhonesto uolnere nares.
Vix adeo adgnouit pauitantem et dira tegentem
supplicia, et notis compellat uocibus ultro:

'Deiphobe armipotens, genus alto a sanguine Teucri   500
quis tam crudeles optauit sumere poenas?
Cui tantum de te licuit? Mihi fama suprema
nocte tulit fessum uasta te caede Pelasgum
procubuisse super confusae stragis aceruum.

Tunc egomet tumulum Rhoeteo litore inanem   505
constitui, et magna Manes ter uoce uocaui.
Nomen et arma locum seruant; te, amice, nequiui
conspicere, et patria decedens ponere terra.'
Ad quae Priamides: 'Nihil O tibi amice relictum;

omnia Deiphobo soluisti et funeris umbris.   510
Sed me fata mea et scelus exitiale Lacaenae
his mersere malis; illa haec monumenta reliquit.
Namque ut supremam falsa inter gaudia noctem
egerimus, nosti; et nimium meminisse necesse est.

Cum fatalis equus saltu super ardua uenit   515
Pergama, et armatum peditem grauis attulit aluo,
illa, chorum simulans, euantes orgia circum
ducebat Phrygias; flammam media ipsa tenebat
ingentem, et summa Danaos ex arce uocabat.

Tum me, confectum curis somnoque grauatum,   520
infelix habuit thalamus, pressitque iacentem
dulcis et alta quies placidaeque simillima morti.
Egregia interea coniunx arma omnia tectis
emouet, et fidum capiti subduxerat ensem;

Elle appelle Ménélas à l'intérieur du palais, lui ouvrant grand l'entrée,
Espérant sans doute que cela serait un grand service rendu à son amant,
Et qu'ainsi pourrait être effacée la réputation de ses anciennes turpitudes.
Pourquoi m'attarder ? Ils font irruption dans la chambre ; avec eux il y a
L'Eolide[425], l'instigateur de crimes. O dieux, la pareille aux Grecs

Rendez, si pieuse est la bouche avec laquelle je demande ces châtiments !
Mais toi, dis-moi donc à ton tour quelles circonstances vivant
(Ici) t'auront amené. Viens-tu porté par tes errances en mer,
Ou conseillé par les dieux ? Ou quelle (autre) Fortune te tracasse,
Pour venir en ces demeures lugubres sans soleil, ces lieux troubles ? »

Pendant cet échange de discours, Aurore sur son quadrige rose
Avait déjà parcouru la moitié des cieux dans sa course aérienne ;
Et peut-être à de tels (discours) eussent-ils passé tout le temps imparti ;
Mais la Sibylle qui l'accompagnait l'avertit en disant :
« La nuit arrive à grands pas, Enée ; et nous passons des heures à pleurer.

Ici se trouve l'endroit où le chemin se divise en deux parties :
La droite qui se dirige vers les remparts du grand Dis,
Par là va le chemin de l'Elysée pour nous ; mais la gauche des méchants
Confirme les châtiments, et (les) envoie au funeste Tartare. »
A cela Déiphobe (réplique) : « Ne te fâche pas, grande prêtresse ;

Je vais m'en aller, je vais rejoindre les rangs, retourner aux ténèbres.
Va, va, toi notre honneur ; profite d'un destin plus favorable ! »
Ayant tellement parlé, il coupa court et tourna les talons.
Enée soudain se retourne, et sous un rocher à gauche
Il voit une large fortification, entourée d'une triple ligne de remparts,

Qu'une rivière rapide encercle d'un torrent de feu,
Le Phlégéthon du Tartare, roulant bruyamment des pierres.
En face une énorme porte, aux jambages faits du fer le plus dur,
Que nulle force humaine, ni (les dieux) eux-mêmes démolir par la guerre
Ne pourraient ; une tour de fer se dresse vers les cieux,

---

[425] Ulysse, qu'on a appelé, du fait de son caractère rusé, fils de Sisyphe, lui-même fils d'Eole, roi de Phtiotide en Grèce continentale.

intra tecta uocat Menelaum, et limina pandit,   525
scilicet id magnum sperans fore munus amanti,
et famam exstingui ueterum sic posse malorum.
Quid moror? Inrumpunt thalamo; comes additur una
hortator scelerum Aeolides. Di, talia Grais

instaurate, pio si poenas ore reposco!   530
Sed te qui uiuum casus, age, fare uicissim,
attulerint. Pelagine uenis erroribus actus,
an monitu diuom? An quae te Fortuna fatigat,
ut tristes sine sole domos, loca turbida, adires?'

Hac uice sermonum roseis Aurora quadrigis   535
iam medium aetherio cursu traiecerat axem;
et fors omne datum traherent per talia tempus;
sed comes admonuit, breuiterque adfata Sibylla est:
'Nox ruit, Aenea; nos flendo ducimus horas.

Hic locus est, partes ubi se uia findit in ambas: 540
dextera quae Ditis magni sub moenia tendit,
hac iter Elysium nobis; at laeua malorum
exercet poenas, et ad impia Tartara mittit.'
Deiphobus contra: 'Ne saeui, magna sacerdos;

discedam, explebo numerum, reddarque tenebris.   545
I decus, i, nostrum; melioribus utere fatis!'
Tantum effatus, et in uerbo uestigia torsit.
Respicit Aeneas subito, et sub rupe sinistra
moenia lata uidet, triplici circumdata muro,

quae rapidus flammis ambit torrentibus amnis,   550
Tartareus Phlegethon, torquetque sonantia saxa.
Porta aduersa ingens, solidoque adamante columnae,
uis ut nulla uirum, non ipsi exscindere bello
caelicolae ualeant; stat ferrea turris ad auras,

Et Tisiphone[426], assise enroulée dans une palla[427] ensanglantée,
Garde l'entrée nuit et jour, sans fermer l'œil.
De là (on peut) entendre des gémissements, retentir de sauvages
Coups de fouet, et grincer une chaîne en fer que l'on traîne.
Enée s'arrêta, s'absorbant, terrifié, dans ce vacarme.

« Quels crimes (ont-ils commis), ô vierge, dis-moi ; et de quels
Châtiments sont-ils accablés ? Quel est ce gémissement vers le ciel ? »
Alors la prophétesse commença à parler ainsi : « Renommé chef
(Des Teucriens), aucun vertueux n'a le droit de rester sur ce seuil honni ;
Mais moi, quand Hécate me chargea des bois Avernes,

Elle m'informa elle-même des châtiments divins, et partout me conduisit.
De Rhadamanthe le Crétois c'est le très sévère royaume,
Il entend et punit les fourberies, et oblige à avouer (ses crimes)
Celui qui, se réjouissant de sa vaine ruse, auprès de ceux d'en haut
A l'heure tardive de la mort différa d'en confier l'expiation.

Aussitôt, équipée d'un fouet, la vengeresse
Tisiphone cingle (les coupables), les injuriant, et dans sa main gauche
Brandissant de (sinistres) serpents elle appelle la horde de ses sœurs[428].
Alors enfin, grinçant horriblement sur leurs gonds, les battants sacrées
S'ouvrent en grand. Tu vois quel genre de sentinelle

Dans l'entrée est assise, quelle figure le seuil surveille ?
(Eh bien), l'Hydre immense aux cinquante gueules noires
Plus sauvage (encore) réside à l'intérieur. Puis le Tartare lui-même
Deux fois plus profondément plonge sous les ombres
Qu'il n'est vu depuis l'Olympe éthérée céleste.

---

[426] Une des trois Furies, chargée de punir les homicides.
[427] Manteau que les femmes portaient par-dessus leur tunique.
[428] Les Erinyes.

Tisiphoneque sedens, palla succincta cruenta,   555
uestibulum exsomnis seruat noctesque diesque.
Hinc exaudiri gemitus, et saeua sonare
uerbera, tum stridor ferri, tractaeque catenae.
Constitit Aeneas, strepitumque exterritus hausit.

'Quae scelerum facies, O uirgo, effare; quibusue   560
urguentur poenis? Quis tantus plangor ad auras?'
Tum uates sic orsa loqui: 'Dux inclute Teucrum,
nulli fas casto sceleratum insistere limen;
sed me cum lucis Hecate praefecit Auernis,

ipsa deum poenas docuit, perque omnia duxit.   565
Gnosius haec Rhadamanthus habet durissima regna,
castigatque auditque dolos, subigitque fateri,
quae quis apud superos, furto laetatus inani,
distulit in seram commissa piacula mortem.

Continuo sontes ultrix accincta flagello   570
Tisiphone quatit insultans, toruosque sinistra
intentans angues uocat agmina saeua sororum.
Tum demum horrisono stridentes cardine sacrae
panduntur portae. Cernis custodia qualis

uestibulo sedeat, facies quae limina seruet?   575
Quinquaginta atris immanis hiatibus Hydra
saeuior intus habet sedem. Tum Tartarus ipse
bis patet in praeceps tantum tenditque sub umbras,
quantus ad aetherium caeli suspectus Olympum.

Ici l'antique race de la Terre, l'engeance des Titans,
Par un coup de foudre dans les profondeurs précipitée, se débat.
Ici aussi j'ai vu les jumeaux Aloades[429], aux immenses
Corps, qui de leurs mains (entreprirent) de déchirer le vaste ciel,
Et de déloger Jupiter du royaume d'en haut.

J'ai vu aussi Salmonée[430] purgeant une cruelle peine,
Alors qu'il imite de Jupiter les flammes et les fracas de l'Olympe.
Conduit par quatre chevaux et brandissant une torche, cet (homme)
Au milieu des Grecs en pleine cité d'Elis,
Circulait triomphant, exigeant pour lui les honneurs dus aux dieux, —

Le fou, afin de simuler les nuages et l'inimitable foudre
Avec l'airain et le bruit des sabots de ses chevaux.
Mais le père tout-puissant entre les nuages accumulés son foudre
Lança, pas des brandons ni de fumeuses (torches) en pin,
Et avec un immense moulinet ajusta l'écervelé.

Et aussi Tityos[431], le nourrisson de la Terre-mère,
On pouvait voir, dont le corps sur neuf arpents entiers
S'étale, ainsi qu'un énorme vautour au bec crochu
Broutant son foie immortel, et ses entrailles, fécondes en châtiments,
Il fouille pour s'en régaler, séjournant sous (son cœur) profond,

Et aucun répit n'est donné à ses viscères (toujours) renaissants.
Que dirais-je des Lapithes Ixion et Pirithoos[432] ?
Qu'une pierre noire instable, (comme si elle allait) tomber,
Surplombe ; resplendissent de hauts (lits) de banquet
Les pieds dorés, ainsi qu'un festin tout prêt en face,

---

[429] Les deux Géants, fils de Neptune, Otos et Ephialte, considérés comme fils d'Aloée, leur père adoptif.

[430] Fils d'Eole et frère de Sisyphe, il fut foudroyé par Jupiter pour avoir voulu imiter sa foudre, lançant des torches enflammées sur ses sujets en circulant avec un chariot sur un pont d'airain pour contrefaire le bruit du tonnerre.

[431] Géant fils de Jupiter et de la nymphe Elara, qu'il fit mourir à sa naissance, du fait de sa taille. Il fut tué par Apollon pour avoir voulu violer sa mère Léto.

[432] Les Lapithes Ixion et son fils Pirithoos se sont attiré la colère des dieux pour diverses raisons et furent attachés à une roue enflammée dans le Tartare.

Hic genus antiquum Terrae, Titania pubes,   580
fulmine deiecti fundo uoluuntur in imo.
Hic et Aloidas geminos immania uidi
corpora, qui manibus magnum rescindere caelum
adgressi, superisque Iouem detrudere regnis.

Vidi et crudeles dantem Salmonea poenas,   585
dum flammas Iouis et sonitus imitatur Olympi.
Quattuor hic inuectus equis et lampada quassans
per Graium populos mediaeque per Elidis urbem
ibat ouans, diuomque sibi poscebat honorem, --

demens, qui nimbos et non imitabile fulmen   590
aere et cornipedum pulsu simularet equorum.
At pater omnipotens densa inter nubila telum
contorsit, non ille faces nec fumea taedis
lumina, praecipitemque immani turbine adegit.

Nec non et Tityon, Terrae omniparentis alumnum,   595
cernere erat, per tota nouem cui iugera corpus
porrigitur, rostroque immanis uoltur obunco
immortale iecur tondens fecundaque poenis
uiscera rimaturque epulis, habitatque sub alto

pectore, nec fibris requies datur ulla renatis.   600
Quid memorem Lapithas, Ixiona Pirithoumque?
quos super atra silex iam iam lapsura cadentique
imminet adsimilis; lucent genialibus altis
aurea fulcra toris, epulaeque ante ora paratae

D'un luxe royal ; l'aînée des Furies à côté
S'allonge, et avec les mains interdisant de toucher les tables,
Elle se lève en brandissant une torche, et menace d'une voix tonnante[433].
Ici ceux qui jalousaient leurs frères du temps où ils étaient vivants,
Ou battaient un père, ou tramaient des tromperies contre un protégé,

Ou qui gardèrent pour eux seuls des richesses acquises,
Sans en laisser une partie aux leurs (il y en a des tas),
Et ceux qui ont été tués pour adultère, ceux qui ont mené des luttes
Impies et n'ont pas craint de tromper la confiance de leurs maîtres,
(Ceux-là), emprisonnés, attendent leur punition. Ne cherche pas à savoir

La nature de ces punitions, ni quelle loi ou hasard ont coulé ces hommes.
Les uns roulent une pierre énorme, ou sur des rayons de roues
Etirés sont accrochés ; est assis, et sera interminablement assis
L'infortuné Thésée ; le très malheureux Phlégyas[434] à tous (donne)
Cet avertissement, et de sa forte voix témoigne à travers les ombres :

« Respectez la loi, vous qui êtes avertis, et ne méprisez pas les dieux. »
Celui-là vendit sa patrie pour de l'or, et un maître puissant
(Lui) imposa ; il édicta des lois pour son intérêt et les abrogea ;
Celui-là coucha avec sa fille et se livra à des unions interdites ;
Tous osèrent d'immenses impiétés, et jouirent de ce qu'ils osèrent.

Non, même si j'avais cent langues et cent bouches,
Une voix de fer, rendre compte de toutes les formes de crimes,
Nommer tous les noms de châtiments je ne pourrais. »
Là, la prophétesse âgée délivra ces paroles de Phébus :
« Continuons, avance et achève les devoirs entrepris ;

Pressons » dit-elle ; « Par les forges cyclopéennes construites,
J'aperçois les murailles et la porte dans l'arche d'en face,
Où il nous faut déposer ces dons qu'on nous a prescrits. »
Acheva-t-elle, et après avoir cheminé dans l'obscurité, ensemble
Ils accélèrent et se rapprochent de la porte.

---

[433] Allusion, bien évidemment, au supplice de Tantale.
[434] Père d'Ixion, puni par Apollon pour avoir détruit son temple de Delphes.

regifico luxu; Furiarum maxima iuxta 605
accubat, et manibus prohibet contingere mensas,
exsurgitque facem attollens, atque intonat ore.
Hic, quibus inuisi fratres, dum uita manebat,
pulsatusue parens, et fraus innexa clienti,

aut qui diuitiis soli incubuere repertis, 610
nec partem posuere suis (quae maxima turba est),
quique ob adulterium caesi, quique arma secuti
impia nec ueriti dominorum fallere dextras,
inclusi poenam exspectant. Ne quaere doceri

quam poenam, aut quae forma uiros fortunaue mersit. 615
Saxum ingens uoluunt alii, radiisque rotarum
districti pendent; sedet, aeternumque sedebit,
infelix Theseus; Phlegyasque miserrimus omnis
admonet, et magna testatur uoce per umbras:

"Discite iustitiam moniti, et non temnere diuos." 620
Vendidit hic auro patriam, dominumque potentem
imposuit; fixit leges pretio atque refixit;
hic thalamum inuasit natae uetitosque hymenaeos;
ausi omnes immane nefas, ausoque potiti.

Non, mihi si linguae centum sint oraque centum, 625
ferrea uox, omnis scelerum comprendere formas,
omnia poenarum percurrere nomina possim.'
Haec ubi dicta dedit Phoebi longaeua sacerdos:
'Sed iam age, carpe uiam et susceptum perfice munus;

adceleremus' ait; 'Cyclopum educta caminis 630
moenia conspicio atque aduerso fornice portas,
haec ubi nos praecepta iubent deponere dona.'
Dixerat, et pariter, gressi per opaca uiarum,
corripiunt spatium medium, foribusque propinquant.

Enée gagne l'entrée, son corps (d'eau) fraîche
Asperge, et son rameau accroche dans l'entrée face à lui.
Ces choses étant enfin réglées, ses devoirs envers la déesse[435] accomplis,
Ils parvinrent en des lieux heureux, avec de plaisantes clairières
Au milieu de bois enchanteurs, et des demeures somptueuses.

Ici l'éther plus abondamment habille la plaine de sa lumière
Resplendissante, et elle a ses propres soleil et étoiles.
Certains dans des palestres herbeuses entraînent leurs membres,
Font des compétitions pour s'amuser, et luttent sur le sable jaune ;
D'autres frappent du pied en dansant et chantent des chansons.

Et aussi le Thrace[436] avec sa longue robe de prêtre
Accompagne[437] les pauses de leurs chants des sept notes,
Qu'il produit tantôt avec ses doigts, tantôt avec un plectre d'ivoire.
Ici (se tient) l'antique race de Teucer, magnifique progéniture,
Héros magnanimes, nés en des temps meilleurs,

A la fois Ilos[438], Assaracos et Dardanos, le fondateur de Troie.
Il admire au loin les armes et les chars vides de ces hommes.
Leurs lances sont plantées en terre, et partout dispersés
Par la plaine paissent leurs chevaux. Le (même) plaisir des chars
Et des armes (qu'ils eurent) vivants, le (même) soin (pour faire paître)

Leurs chevaux (luisants), les accompagnent outre-tombe.
Et voici qu'il en voit d'autres à droite et à gauche, dans l'herbe
Banquetant, chantant un joyeux péan[439] en chœur
Au milieu d'un bois odorant de laurier, d'où vers le monde supérieur
La rivière Eridan[440] déroule (son cours) abondant parmi les arbres.

---

[435] La déesse Hécate.
[436] Orphée, fils d'un roi de Thrace, musicien et pontife.
[437] Sur sa lyre.
[438] Quatrième roi de Troie.
[439] Hymne en l'honneur d'Apollon.
[440] Rivière identifiée ici avec le Pô dont le cours initial est partiellement souterrain.

Occupat Aeneas aditum, corpusque recenti 635
spargit aqua, ramumque aduerso in limine figit.
His demum exactis, perfecto munere diuae,
deuenere locos laetos et amoena uirecta
fortunatorum nemorum sedesque beatas.

Largior hic campos aether et lumine uestit 640
purpureo, solemque suum, sua sidera norunt.
Pars in gramineis exercent membra palaestris,
contendunt ludo et fulua luctantur harena;
pars pedibus plaudunt choreas et carmina dicunt.

Nec non Threicius longa cum ueste sacerdos 645
obloquitur numeris septem discrimina uocum,
iamque eadem digitis, iam pectine pulsat eburno.
Hic genus antiquum Teucri, pulcherrima proles,
magnanimi heroes, nati melioribus annis,

Ilusque Assaracusque et Troiae Dardanus auctor. 650
Arma procul currusque uirum miratur inanes.
Stant terra defixae hastae, passimque soluti
per campum pascuntur equi. Quae gratia currum
armorumque fuit uiuis, quae cura nitentis

pascere equos, eadem sequitur tellure repostos. 655
Conspicit, ecce, alios dextra laeuaque per herbam
uescentis, laetumque choro paeana canentis
inter odoratum lauri nemus, unde superne
plurimus Eridani per siluam uoluitur amnis.

Ici un groupe ayant souffert de blessures en combattant pour la patrie,
Et des prêtres (restés) chastes du temps de leur vivant,
Et de zélés prophètes dignes intermédiaires de Phébus,
Ou des inventeurs qui améliorèrent la vie grâce à leur art,
Ou encore ceux qui méritèrent que les autres se souviennent d'eux,

A tous ceux-là un bandeau d'un blanc de neige ceint les tempes.
A ceux dispersés autour d'elle, la Sybille adressa ces paroles,
Et à Musée[441] en premier, car au milieu d'une foule nombreuse
Celui-ci se trouve, et elle le remarque, dominant (les autres) des épaules :
« Dites-moi, âmes bienheureuses, et toi, le plus grand des prophètes,

En quel endroit, en quels lieux se trouve Anchise ? Pour lui
Nous sommes venus et avons traversé les grandes rivières de l'Erèbe. »
Et le héros en peu de mots ainsi lui répondit :
« Personne n'a de demeure fixe ; nous habitons dans des bois obscurs,
Les berges moelleuses des rivières et les prés rafraichis par des ruisseaux

Fréquentons. Mais vous, si le cœur vous en dit,
Passez cette crête ; et alors je vous mettrai facilement sur le chemin. »
Dit-il et, (nous) précédant, la plaine resplendissante
D'en haut (nous) présente ; de là ils descendent du sommet.
Le père Anchise, lui, tout au fond de la verdoyante vallée,

Des âmes prisonnières, destinées à se rendre à la lumière du jour,
Observait, les examinant soigneusement, et des siens toute
La troupe ainsi que ses chers descendants passait sans doute en revue,
Le destin et les fortunes de ces hommes, leurs mœurs et leurs actions.
Quand, à travers l'herbe, il voit arriver dans sa direction

Enée, il tendit ses deux mains avec allégresse,
Des larmes se répandirent sur ses joues et de sa bouche jaillit sa voix :
« Tu es enfin venu, et vers ton père (ton sens du devoir), à mon attente
(Répondant), a-t-il vaincu le dur chemin ? Ta face m'est-il donné de voir,
Mon fis, d'entendre et de répondre à ta voix familière ?

---

[441] Poète grec mythique, peut-être disciple d'Orphée.

Hic manus ob patriam pugnando uolnera passi, 660
quique sacerdotes casti, dum uita manebat,
quique pii uates et Phoebo digna locuti,
inuentas aut qui uitam excoluere per artes,
quique sui memores alios fecere merendo,

omnibus his niuea cinguntur tempora uitta. 665
Quos circumfusos sic est adfata Sybilla,
Musaeum ante omnes, medium nam plurima turba
hunc habet, atque umeris exstantem suspicit altis:
'Dicite, felices animae, tuque, optime uates,

quae regio Anchisen, quis habet locus? Illius ergo 670
uenimus, et magnos Erebi transnauimus amnes.'
Atque huic responsum paucis ita reddidit heros:
'Nulli certa domus; lucis habitamus opacis,
riparumque toros et prata recentia riuis

incolimus. Sed uos, si fert ita corde uoluntas, 675
hoc superate iugum; et facili iam tramite sistam.'
Dixit, et ante tulit gressum, camposque nitentis
desuper ostentat; dehinc summa cacumina linquunt.
At pater Anchises penitus conualle uirenti

inclusas animas superumque ad lumen ituras 680
lustrabat studio recolens, omnemque suorum
forte recensebat numerum carosque nepotes,
fataque fortunasque uirum moresque manusque.
Isque ubi tendentem aduersum per gramina uidet

Aenean, alacris palmas utrasque tetendit, 685
effusaeque genis lacrimae, et uox excidit ore:
'Venisti tandem, tuaque exspectata parenti
uicit iter durum pietas? Datur ora tueri,
nate, tua, et notas audire et reddere uoces?

Tu vois, quant à moi, je méditais et pensais à l'avenir,
En comptant les jours, et mon attente n'a pas été déçue.
Par quelles terres et par combien de mers porté
M'arrives-tu ! Par combien de dangers ballotté, ô mon fils !
Combien ai-je craint que le royaume libyen quelque part ne te nuise ! »

Mais lui cependant : « Ton image, oui ton image triste, ô mon père,
Souvent m'apparaissant, m'a poussé vers ces confins :
La flotte mouille en mer Tyrrhénienne. Permets que je prenne ta dextre,
Permets, mon père, à mes bras ne te dérobe pas. »
Parlant ainsi, il inondait en même temps son visage de pleurs.

Trois fois il essaya alors d'enlacer son cou de ses bras,
Trois fois l'image vainement saisie s'échappa de ses mains,
Semblable à une brise légère, tout comme un rêve ailé.
Entretemps Enée voit dans la vallée retirée
Un bois à l'écart, avec des arbres aux branches emplies de murmures,

Ainsi que le cours d'eau du Léthé, coulant devant de tranquilles maisons.
Tout autour, d'innombrables nations et peuples grouillaient ;
Et — comme lorsque dans les prairies les abeilles par temps d'été serein
S'insinuent dans différentes fleurs, et autour des blancs
Lis se précipitent — toute la plaine vibre de bourdonnements.

(Enée) est saisi d'horreur à ce soudain spectacle, et en demande la raison,
Ignorant ce que sont ces rivières au loin,
Et ces hommes s'agglutinant sur leurs rives.
Alors le père Anchise : « Des âmes, à qui sont destinés d'autres
Corps, aux eaux de la rivière du Léthé

Boivent la boisson de l'indifférence et de l'oubli profond.
Oui, t'en parler et te les montrer de près,
Te recenser cette mienne descendance, depuis un bon moment je désire,
Afin que d'autant plus avec moi tu te réjouisses d'avoir gagné l'Italie. »
« O mon père, peut-on imaginer que d'ici (puissent) là-haut[442]

---

[442] Dans le monde terrestre.

Sic equidem ducebam animo rebarque futurum,   690
tempora dinumerans nec me mea cura fefellit.
Quas ego te terras et quanta per aequora uectum
accipio! quantis iactatum, nate, periclis!
Quam metui, ne quid Libyae tibi regna nocerent!'

Ille autem: 'Tua me, genitor, tua tristis imago,   695
saepius occurrens, haec limina tendere adegit:
stant sale Tyrrheno classes. Da iungere dextram,
da, genitor, teque amplexu ne subtrahe nostro.'
Sic memorans, largo fletu simul ora rigabat.

Ter conatus ibi collo dare brachia circum,   700
ter frustra comprensa manus effugit imago,
par leuibus uentis uolucrique simillima somno.
Interea uidet Aeneas in ualle reducta
seclusum nemus et uirgulta sonantia siluis,

Lethaeumque, domos placidas qui praenatat, amnem.   705
Hunc circum innumerae gentes populique uolabant;
ac -- uelut in pratis ubi apes aestate serena
floribus insidunt uariis, et candida circum
lilia funduntur -- strepit omnis murmure campus.

Horrescit uisu subito, causasque requirit   710
inscius Aeneas, quae sint ea flumina porro,
quiue uiri tanto complerint agmine ripas.
Tum pater Anchises: 'Animae, quibus altera fato
corpora debentur, Lethaei ad fluminis undam

securos latices et longa obliuia potant.   715
Has equidem memorare tibi atque ostendere coram,
iampridem hanc prolem cupio enumerare meorum,
quo magis Italia mecum laetere reperta.'
'O pater, anne aliquas ad caelum hinc ire putandum est

(S'envoler) des âmes, pour retourner derechef dans de grossiers
Corps ? Pourquoi chez ces infortunées un si funeste désir de lumière ? »
« Je vais te le dire, mon fils, et ne te tiendrai pas en haleine »
Réplique Anchise, et il (lui) expose chaque chose dans l'ordre.
« D'abord le ciel et la terre et la plaine marine

Et le globe brillant de la Lune, et l'astre solaire[443]
Par un esprit intérieur sont nourris et, insufflé à travers les membres,
Le mental anime toute la matière et se mélange au grand corps.
De là (viennent) les races des hommes et des bêtes, et les êtres volants,
Et les créatures que la mer porte en ses eaux marmoréennes.

L'énergie de ces (semences)[444] est de feu et leur origine est céleste,
Dans la mesure où des corps pernicieux ne les ralentissent pas, (et que)
Des attaches terrestres et des membres périssables ne les brident pas.
C'est pourquoi elles craignent et désirent, souffrent et jouissent, et ne
Voient pas (la lumière), cloîtrées dans les ténèbres et leur aveugle prison.

Et quand bien même la vie, son dernier jour arrivé, s'en est allée,
Pour ces malheureuses, malgré tout, entièrement tous les maux et toutes
Les maladies corporelles ne meurent pas, et il est forcément inévitable
Que très longtemps unies[445] (au corps) elles évoluent d'étrange façon.
Et donc elles sont tourmentées par les châtiments, de vieux méfaits

Les punitions elles paient : certaines sont exposées (livrées) aux vents
(Inconsistants) ; d'autres, (corrompues par leur crime),
(Sous de grands remous) se voient lavées, ou purifiées par le feu[446] ;
Chacun de nous subit ses propres peines[447] ; de là dans le vaste (Elysée)
Nous sommes envoyés, et peu d'entre nous intègrent ces champs heureux

---

[443] Titan est une des appellations du Soleil : cf. vers 119 du Chant IV.
[444] On retrouve sans doute dans tout ce passage un vague écho des conceptions lucrétiennes (cf. vers 31 sqq. du Chant III du De Rerum Natura).
[445] Il s'agit des semences (*semina*) ou des âmes qui restent unies à leurs corps.
[446] Les trois agents purificateurs de la matière : l'air, l'eau et le feu.
[447] Nous dirions aujourd'hui « son purgatoire ».

sublimis animas, iterumque ad tarda reuerti   720
corpora? Quae lucis miseris tam dira cupido?'
'Dicam equidem, nec te suspensum, nate, tenebo'
suscipit Anchises, atque ordine singula pandit.
'Principio caelum ac terras camposque liquentis

lucentemque globum Lunae Titaniaque astra   725
spiritus intus alit, totamque infusa per artus
mens agitat molem et magno se corpore miscet.
Inde hominum pecudumque genus, uitaeque uolantum,
et quae marmoreo fert monstra sub aequore pontus.

Igneus est ollis uigor et caelestis origo   730
seminibus, quantum non noxia corpora tardant,
terrenique hebetant artus moribundaque membra.
Hinc metuunt cupiuntque, dolent gaudentque, neque auras
dispiciunt clausae tenebris et carcere caeco.

Quin et supremo cum lumine uita reliquit,   735
non tamen omne malum miseris nec funditus omnes
corporeae excedunt pestes, penitusque necesse est
multa diu concreta modis inolescere miris.
Ergo exercentur poenis, ueterumque malorum

supplicia expendunt: aliae panduntur inanes   740
suspensae ad uentos; aliis sub gurgite uasto
infectum eluitur scelus, aut exuritur igni;
quisque suos patimur Manes; exinde per amplum
mittimur Elysium, et pauci laeta arua tenemus;

Avant que la longue période, une fois accompli le circuit du temps,
Ait chassé la souillure accumulée, et laisse pure
Leur[448] sensibilité céleste et le feu de leur éclat élémentaire.
Quand toutes elles ont accompli leur cycle de mille ans,
Le dieu les fait venir à la rivière du Léthé en une grande troupe,

Pour qu'elles puissent, certainement, retrouver sans mémoire le monde
(De là-haut), et recommencent à désirer revenir dans des corps. »
Anchise ayant fini de parler, (entraîne) son fils avec la Sibylle
Au milieu des multitudes et de la foule bruyante,
Et gagne une hauteur d'où il puisse, en longues rangées, tous

Les observer face à lui, et reconnaître les visages des arrivants.
« Bien, à présent quelle (gloire) dorénavant attend la race Dardanéenne,
Quels descendants sont réservés à la branche d'Italie,
Les âmes illustres destinées à marcher en notre nom,
Je vais t'exposer par mes paroles, et t'enseigner ton destin.

Ce jeune homme, tu vois, qui s'appuie sur une pique vierge (de sang),
Par le sort placé le plus près du monde d'en haut, le premier à la lumière
Céleste s'élèvera, mélangé de sang Italien,
(C'est) Silvius[449], un nom Albain, ton dernier rejeton,
Que ton épouse Lavinia, lorsque tu seras âgé, tardivement

Dans les bois mettra au monde, un roi et un père de rois,
De qui notre race dominera dans Albe la Longue.
Procas, est le plus proche de lui, gloire de la race troyenne,
Et Capys, et Numitor, et celui qui par son nom te fera revivre,
Silvius-Enée, en piété comme au combat

---

[448] Il s'agit toujours des âmes-semences (*semina,* « les atomes » dirait Lucrèce) du vers 730 supra, qui sont éternellement recyclées.
[449] Plusieurs rois d'Albe portèrent ce nom.

donec longa dies, perfecto temporis orbe,   745
concretam exemit labem, purumque relinquit
aetherium sensum atque aurai simplicis ignem.
Has omnes, ubi mille rotam uoluere per annos,
Lethaeum ad fluuium deus euocat agmine magno,

scilicet immemores supera ut conuexa reuisant,   750
rursus et incipiant in corpora uelle reuerti.'
Dixerat Anchises, natumque unaque Sibyllam
conuentus trahit in medios turbamque sonantem,
et tumulum capit, unde omnes longo ordine possit

aduersos legere, et uenientum discere uultus.   755
'Nunc age, Dardaniam prolem quae deinde sequatur
gloria, qui maneant Itala de gente nepotes,
inlustris animas nostrumque in nomen ituras,
expediam dictis, et te tua fata docebo.

Ille, uides, pura iuuenis qui nititur hasta,   760
proxuma sorte tenet lucis loca, primus ad auras
aetherias Italo commixtus sanguine surget,
siluius, Albanum nomen, tua postuma proles,
quem tibi longaeuo serum Lauinia coniunx

educet siluis regem regumque parentem,   765
unde genus Longa nostrum dominabitur Alba.
Proxumus ille Procas, Troianae gloria gentis,
et Capys, et Numitor, et qui te nomine reddet
Siluius Aeneas, pariter pietate uel armis

Remarquable, le jour où il viendra à régner sur Albe.
Quels jeunes gens ! Vois quelles forces ils dégagent,
Et les couronnes de feuilles de chêne[450] dont leurs tempes sont ceintes !
Ceux-là fonderont pour toi Nomentum, Gabies et la cité de Fidènes[451],
Ceux-là la citadelle de Collatie[452] dans les montagnes,

Pométia et Castrum Inui, Bola et Cora[453].
Ainsi se nommeront ces terres, à présent sans nom.
En outre à son grand-père se joindra comme compagnon le fils de Mars,
Romulus[454], que sa mère Ilia du sang d'Assaracos
Mettra au monde. Vois-tu le cimier double[455] posé sur sa tête

Et son père lui-même déjà le marquer là-haut de sa propre dignité ?
Vois, mon fils, sous ses auspices[456] cette fameuse Rome
Son empire sur les terres, sa magnanimité jusqu'à l'Olympe étendra,
Ses sept citadelles ensemble elle entourera d'un rempart,
Se félicitant d'une descendance de héros : telle la mère Bérécyntienne[457],

A la couronne crénelée, qui sur son char parcourt les cités phrygiennes,
Heureuse de sa progéniture divine, comblée par ses cent rejetons,
Tous habitants des cieux, tous occupants des hauteurs célestes.
Tourne à présent tes deux yeux de ce côté, observe cette lignée,
Des Romains (de ta race). Voici César et toute (la famille) de Julus

---

[450] Les couronnes « civiques » de feuilles de chêne récompensaient ceux qui sauvaient la vie à un citoyen romain lors d'un combat.

[451] Nomentum et Gabies sont des cités du Latium, Fidènes une colonie étrusque sur le Tibre. Elles sont situées au nord-est de Rome.

[452] Autre cité du Latium.

[453] Pométia est une cité Volsque du Latium, Castrum Inui, situé sur la côte, Bola et Cora sont également des cités du Latium.

[454] Romulus est né de l'union du dieu Mars avec Rhéa Silva, encore appelée Ilia, petite-fille de Procas et fille de Numitor, descendants d'Enée.

[455] Mars comme Romulus sont souvent représentés avec un casque à haut cimier.

[456] Les douze vautours aperçus par Romulus depuis le mont Palatin.

[457] La déesse Cybèle associée au Bérécynthe, mont de Phrygie qui lui était consacré, était encore appelée Grande Déesse ou Mère des dieux.

egregius, si umquam regnandam acceperit Albam.   770
Qui iuuenes! Quantas ostentant, aspice, uires,
atque umbrata gerunt ciuili tempora quercu!
Hi tibi Nomentum et Gabios urbemque Fidenam,
hi Collatinas imponent montibus arces,

Pometios Castrumque Inui Bolamque Coramque.   775
Haec tum nomina erunt, nunc sunt sine nomine terrae.
Quin et auo comitem sese Mauortius addet
Romulus, Assaraci quem sanguinis Ilia mater
educet. Viden, ut geminae stant uertice cristae,

et pater ipse suo superum iam signat honore?   780
En, huius, nate, auspiciis illa incluta Roma
imperium terris, animos aequabit Olympo,
septemque una sibi muro circumdabit arces,
felix prole uirum: qualis Berecyntia mater

inuehitur curru Phrygias turrita per urbes,   785
laeta deum partu, centum complexa nepotes,
omnes caelicolas, omnes supera alta tenentes.
Huc geminas nunc flecte acies, hanc aspice gentem
Romanosque tuos. Hic Caesar et omnis Iuli

Qui doit venir sous la grande voûte céleste.
C'est lui l'homme dont souvent tu entendis parler comme t'étant promis,
Auguste César, descendant divin, il établira (un âge) d'or
A nouveau sur le Latium, sur la plaine gouvernée
(Autrefois) par Saturne[458], au-delà à la fois des Garamantes et des Indiens

Il déploiera son empire : une terre s'étend par-delà les astres,
Par-delà le cours de l'année et du soleil, où Atlas, le porteur du ciel,
Sur ses épaules fait tourner le firmament pourvu d'ardentes étoiles.
Dès à présent, dans la perspective de sa venue, et le royaume Caspien[459]
Et la terre Méotide[460] tremblent des oracles divins,

Et du Nil aux sept bras les bouches inquiètes s'agitent.
Et il est vrai que l'Alcide[461] autant de terres ne parcourut,
Bien qu'ayant immobilisé la biche au pied d'airain[462], ou (apaisé la forêt)
D'Erymanthe[463], ou terrifié Lerne[464] avec son arc ;
Ni (Liber[465]), qui victorieux dirige son attelage avec des rênes de pampre,

Conduisant ses tigres du haut sommet de Nysa[466].
Hésiterions-nous encore à prolonger notre vertu par des actes,
Ou la peur nous empêcherait-t-elle de prendre pied en terre d'Ausonie ?
Mais qui est au loin celui qui, distingué par des rameaux d'olivier,
Porte des objets sacrés ? Je reconnais les cheveux et la barbe blancs

---

[458] Saturne-Cronos aurait séjourné dans le Latium après avoir été renversé par son fils Jupiter et y aurait gouverné en roi civilisateur, à l'origine d'un âge d'or.

[459] Les Caspiens étaient des Scythes vivant au voisinage de la mer Caspienne.

[460] Les Méotes habitaient sur les bords orientaux de la mer d'Azov, dans la région du Kouban actuel.

[461] Surnom donné à Hercule, petit-fils par adoption d'Alcée.

[462] Hercule poursuivit la biche de Cérynie à travers maintes contrées et finit par la capturer sans lui faire verser une seule goutte de sang.

[463] Après l'avoir pourchassé par monts et par vaux, Hercule maîtrisa à mains nues l'énorme sanglier qui terrorisait la forêt d'Erymanthe en Arcadie.

[464] Afin de rendre mortelle leur blessure, Hercule trempa ses flèches dans le sang de l'hydre de Lerne qu'il avait tuée. Il légua ces flèches à Philoctète (cf. vers 402 du Chant III).

[465] Divinité latine identifiée à Bacchus-Lyée (le Libérateur).

[466] Allusion à l'expédition de Bacchus à la conquête des Indes, à partir de la mystérieuse montagne de Nysa où il fut élevé par les nymphes.

progenies magnum caeli uentura sub axem.   790
Hic uir, hic est, tibi quem promitti saepius audis,
Augustus Caesar, Diui genus, aurea condet
saecula qui rursus Latio regnata per arua
Saturno quondam, super et Garamantas et Indos

proferet imperium: iacet extra sidera tellus,   795
extra anni solisque uias, ubi caelifer Atlas
axem umero torquet stellis ardentibus aptum.
Huius in aduentum iam nunc et Caspia regna
responsis horrent diuom et Maeotia tellus,

et septemgemini turbant trepida ostia Nili.   800
Nec uero Alcides tantum telluris obiuit,
fixerit aeripedem ceruam licet, aut Erymanthi
pacarit nemora, et Lernam tremefecerit arcu;
nec, qui pampineis uictor iuga flectit habenis,

Liber, agens celso Nysae de uertice tigres.   805
aut dubitamus adhuc uirtutem extendere factis,
aut metus Ausonia prohibet consistere terra?
Quis procul ille autem ramis insignis oliuae
sacra ferens? Nosco crines incanaque menta

Du roi romain[467] qui la première cité par des lois
Fondera, de la petite cité de Cures et d'une pauvre terre
Passé à un grand pouvoir. A qui ensuite succèdera
(Tullus) qui mettra fin à l'oisiveté de la patrie et enverra
Sous les armes des hommes inactifs et (des troupes) déjà déshabituées

(Des victoires). A qui juste après succèdera Ancus, plus arrogant,
Déjà à présent se réjouissant à l'excès de la faveur populaire.
Veux-tu (voir) à la fois les rois Tarquins, l'âme orgueilleuse
Du vengeur Brutus[468], et les faisceaux[469] revenus ?
Le pouvoir d'un consul, ainsi que les impitoyables haches, lui le premier

Recevra et, (bien que) père, pour ses fils tramant des guerres subversives
Des châtiments au nom de la noble liberté il réclamera,
L'infortuné, quoi que pense la postérité à propos de ces actes :
(Finiront) par vaincre l'amour de la patrie et l'immense désir de gloire.
Et puis (vois) les Decii[470] et les Drusi[471] et au loin avec sa hache le cruel

Torquatus[472], et Camille[473] ramenant les enseignes.
En revanche, ces âmes-ci que, pareillement armées, tu vois resplendir,
Vivent à présent en paix, tant que la nuit pèsera sur eux,
Mais, hélas, combien de guerres entre elles, si à la lumière vitale
Elles accèdent, combien de combats et de massacres elles provoqueront,

---

[467] Numa Pompilius, deuxième roi de Rome, grand législateur et fondateur de culte, venu de la cité sabine de Cures et connu pour son caractère pacifique.

[468] Instaurateur de la République après la chute des Tarquins en 509 av. JC.

[469] Faisceaux que les licteurs portaient avec le fer de hache devant les premiers magistrats de Rome.

[470] Les membres de la *gens Decia*, et en particulier *Publius Decius Mus*, sont connus pour leur dévouement héroïque (*devotio*) à la cause romaine.

[471] Autre grande famille romaine, issue d'une branche de la *gens Livia*, qui comptait dans ses rangs Livie, la troisième épouse de César-Auguste.

[472] Le consul Titus Manlius, surnommé Torquatus après avoir vaincu en 361 av. JC en combat singulier un Gaulois et s'être emparé de son torque, condamna son fils à la décapitation pour avoir enfreint la discipline militaire.

[473] Grand général romain de la première moitié du 4ème siècle av. JC ; les enseignes sont sans doute celles perdues lors de l'humiliante défaite sur les rives de l'Allia contre les Gaulois et ramenées quelque temps après lors du retour triomphal de Camille à Rome.

regis Romani primam qui legibus urbem 810
fundabit, Curibus paruis et paupere terra
missus in imperium magnum. Cui deinde subibit,
otia qui rumpet patriae residesque mouebit
Tullus in arma uiros et iam desueta triumphis

agmina. Quem iuxta sequitur iactantior Ancus, 815
nunc quoque iam nimium gaudens popularibus auris.
Vis et Tarquinios reges, animamque superbam
ultoris Bruti, fascesque uidere receptos?
Consulis imperium hic primus saeuasque secures

accipiet, natosque pater noua bella mouentes 820
ad poenam pulchra pro libertate uocabit,
Infelix, utcumque ferent ea facta minores:
uincet amor patriae laudumque immensa cupido.
Quin Decios Drusosque procul saeuumque securi

aspice Torquatum et referentem signa Camillum. 825
Illae autem, paribus quas fulgere cernis in armis,
concordes animae nunc et dum nocte prementur,
heu quantum inter se bellum, si lumina uitae
attigerint, quantas acies stragemque ciebunt,

Le beau-père des montagnes alpines et de la citadelle de Monéchus[474]
Descendant, le gendre ayant aligné des adversaires venus de l'est[475] !
Non, mes enfants, n'habituez pas vos esprits à de si grandes guerres,
Et vers ses entrailles ne retournez pas les forces vives de la patrie ;
Toi le premier abstiens-t'en, qui tires ta naissance de l'Olympe,

Mets-bas les armes, ô mon sang ! —
Celui-là[476], ayant triomphé de Corinthe, sur les hauteurs du Capitole
Victorieux conduira son char, distingué pour avoir écrasé les Achéens.
Celui-là[477] anéantira Argos et la Mycènes d'Agamemnon,
Et l'Eacide lui-même, de la race du vaillant Achille,

Vengeant ses aïeux Troyens, et le temple profané de Minerve[478].
Qui vous passerait sous silence, ô grand Caton[479], et toi, Cossus[480] ?
Qui (oublierait) la race des Gracques[481], ou les deux foudres de guerre,
Fils de Scipion[482], fléaux de la Libye et, puissant par sa pauvreté,
Fabricius[483], ou toi, Serranus[484], semant dans ton sillon ?

---

[474] Le rocher d'Héraclès-Monoïcos, à l'emplacement de l'actuel Monaco, où César s'est arrêté.

[475] Allusion à la guerre civile entre Jules César et son gendre Pompée.

[476] Lucius Mummius achève la conquête de la Grèce en 146 av. JC en prenant Corinthe et soumettant l'Achaïe, province du Péloponnèse.

[477] S'agit-il de Metellus Macedonicus qui vainquit Andriscos, dit le Pseudo Philippe en 148 av. JC et disputa à Mummius la conquête de la Grèce ?

[478] Temple profané par « le petit » Ajax (cf. vers 41 du Chant I).

[479] Caton l'Ancien, dit le Censeur, auteur du fameux *Delenda est Carthago* (« il faut détruire Carthage ! »).

[480] Aulus Cornelius Cossus, tribun militaire, tua de ses mains le roi des Véiens et rapporta à Rome sa dépouille opime, une cuirasse en lin.

[481] Les Gracques sont une famille de l'aristocratie plébéienne, dont les représentants les plus connus sont les frères Tiberius et Caius Gracchus, célèbres pour leur tentative avortée de réforme sociale.

[482] Les deux Africains, Scipion l'Ancien, héros de la deuxième guerre punique, et Scipion Emilien, petit-fils adoptif du précédent, qui détruit Carthage en 146 av. JC et met fin à la troisième guerre punique.

[483] Homme politique du 3ème siècle av. JC, célèbre pour son incorruptibilité et son souci de l'intérêt public.

[484] Caius Atilius Regulus Serranus apprend sa nomination comme consul alors qu'il était en train de semer dans son champ.

Aggeribus socer Alpinis atque arce Monoeci   830
descendens, gener aduersis instructus Eois!
Ne, pueri, ne tanta animis adsuescite bella,
neu patriae ualidas in uiscera uertite uires;
tuque prior, tu parce, genus qui ducis Olympo,

proice tela manu, sanguis meus! --   835
Ille triumphata Capitolia ad alta Corintho
uictor aget currum, caesis insignis Achiuis.
Eruet ille Argos Agamemnoniasque Mycenas,
ipsumque Aeaciden, genus armipotentis Achilli,

ultus auos Troiae, templa et temerata Mineruae.   840
Quis te, magne Cato, tacitum, aut te, Cosse, relinquat?
Quis Gracchi genus, aut geminos, duo fulmina belli,
Scipiadas, cladem Libyae, paruoque potentem
Fabricium uel te sulco Serrane, serentem?

Vous les Fabii, où m'emportez-vous, épuisé ? Toi Maximus[485] tu es
Celui qui nous rétablit l'Etat rien qu'en temporisant[486].
D'autres plus délicatement forgeront des bronzes palpitants de vie,
J'en conviens, du marbre tireront des visages vivants,
Argumenteront mieux, les orbites célestes

Avec une baguette dessineront, et prévoiront le lever des étoiles :
Toi, Romain, souviens-toi de gouverner les peuples par l'imperium[487] ;
Telles seront tes compétences ; et d'imposer des mœurs pacifiques,
Epargner tes sujets, et dompter les arrogants. »
Ainsi parla le père Anchise, ajoutant cela à eux qui s'émerveillaient :

« Regarde comme le glorieux Marcellus[488] avec ses dépouilles opimes[489]
S'avance, dominant victorieux tous les hommes !
Ce (chevalier), l'état Romain affecté par de grands désordres
Renforcera, abattra les Carthaginois et le Gaulois belliqueux,
Et les troisièmes dépouilles prises, au père Quirinus suspendra. »

Alors Enée de dire (car avec lui il voyait avancer
Un jeune homme à l'allure distinguée et aux armes resplendissantes,
Mais le visage un peu triste et les yeux baissés) :
« Qui est-il, père, celui qui accompagne l'homme en train de marcher ?
Son fils, ou serait-ce quelqu'autre descendant de sa grande lignée ?

---

[485] Le plus grand des *Fabii Maximi*, illustre famille de patriciens romains.

[486] Allusion à Fabius Maximus dit *Cunctator* (« le Temporisateur »), qui s'est rendu célèbre lors de la 2ème guerre punique en refusant systématiquement toute bataille rangée contre Hannibal.

[487] Pouvoir suprême confié aux magistrats supérieurs (consuls, préteurs, dictateurs).

[488] Marcus Claudius Marcellus, général romain qui participa à la conquête de la Gaule cisalpine et à la 2ème guerre punique, et notamment à la prise de Syracuse au cours de laquelle Archimède fut tué (213 av. JC).

[489] Armes et armure récupérées par un chef romain sur un chef ennemi tué en combat singulier et consacrées aux dieux. Les premières furent offertes par Romulus à Jupiter Férétrien, les deuxièmes à Mars par Cossus (cf. vers 841 supra) et les troisièmes, prises par Marcellus sur le chef Gaulois Viridomaros, à Quirinus, le troisième dieu de la triade précapitoline.

quo fessum rapitis, Fabii? Tu Maxumus ille es, 845
unus qui nobis cunctando restituis rem.
Excudent alii spirantia mollius aera,
credo equidem, uiuos ducent de marmore uoltus,
orabunt causas melius, caelique meatus

describent radio, et surgentia sidera dicent: 850
tu regere imperio populos, Romane, memento;
hae tibi erunt artes; pacisque imponere morem,
parcere subiectis, et debellare superbos.'
Sic pater Anchises, atque haec mirantibus addit:

'Aspice, ut insignis spoliis Marcellus opimis 855
ingreditur, uictorque uiros supereminet omnes!
Hic rem Romanam, magno turbante tumultu,
sistet, eques sternet Poenos Gallumque rebellem,
tertiaque arma patri suspendet capta Quirino.'

Atque hic Aeneas (una namque ire uidebat 860
egregium forma iuuenem et fulgentibus armis,
sed frons laeta parum, et deiecto lumina uoltu):
'Quis, pater, ille, uirum qui sic comitatur euntem?
Filius, anne aliquis magna de stirpe nepotum?

Quel vacarme font ses compagnons alentour ! Comme il lui ressemble !
Mais la nuit noire enveloppe sa tête d'une ombre sinistre. »
Alors le père Anchise, les larmes aux yeux, ainsi commença :
« Oh, mon fils, ne cherche pas à connaître le deuil immense des tiens ;
Le destin présentera ce si grand (homme)[490] à la terre, et rien de plus

Il n'accordera. La race romaine trop (puissante) vous
Eût semblé, ô dieux, si ces dons eussent été pérennes.
Combien, de ce (Champ) de Mars vers la grande cité, les hommes
De lamentations pousseront, et quelles (funérailles), ô Tibre, tu verras,
Quand tu couleras le long du tombeau tout frais !

Et aucun garçon de la race d'Ilion auprès de ses Latins
Aïeux[491] un si grand espoir ne soulèvera, ni de Romulus jamais
La terre ne se prévaudra d'un si grand rejeton.
Plaignons sa piété, sa loyauté à l'ancienne, et (sa dextre) à la guerre
Invaincue ! Personne impunément (contre) lui ne se serait porté

En armes, que ce soit en tant que fantassin hostile,
Ou en éperonnant les flancs de son cheval écumant.
Las, garçon digne de pitié, si seulement le cruel destin tu peux rompre,
Tu seras Marcellus. Donnez-moi des lys plein les mains,
Afin que je répande ces fleurs pourpres, et que l'âme de mon descendant

De ces dons au moins je comble, et que je m'acquitte de ce vain
Devoir » — Ils déambulent ainsi partout en ces lieux,
Dans ces vastes plaines diaphanes, passant tous les évènements en revue.
Après les avoir ainsi détaillés à son fils, Anchise
Embrase son cœur de l'amour de la gloire à venir,

---

[490] Il s'agit de Marcus Claudius Marcellus, descendant du général homonyme, neveu et successeur potentiel de César Auguste, mort prématurément de maladie en 23 av. JC à l'âge de 19 ans. Il fut incinéré et ses cendres déposées au Mausolée d'Auguste sur le Champ de Mars. Virgile lut son éloge en présence d'Auguste et de sa mère Octavie qui perdit connaissance à cette occasion.
[491] Ceux qui sont parmi les ombres élyséennes, tels que son aïeul Marcellus.

Qui strepitus circa comitum! Quantum instar in ipso!   865
Sed nox atra caput tristi circumuolat umbra.'
Tum pater Anchises, lacrimis ingressus obortis:
'O gnate, ingentem luctum ne quaere tuorum;
ostendent terris hunc tantum fata, neque ultra

esse sinent. Nimium uobis Romana propago   870
uisa potens, Superi, propria haec si dona fuissent.
Quantos ille uirum magnam Mauortis ad urbem
campus aget gemitus, uel quae, Tiberine, uidebis
funera, cum tumulum praeterlabere recentem!

Nec puer Iliaca quisquam de gente Latinos   875
in tantum spe tollet auos, nec Romula quondam
ullo se tantum tellus iactabit alumno.
Heu pietas, heu prisca fides, inuictaque bello
dextera! Non illi se quisquam impune tulisset

obuius armato, seu cum pedes iret in hostem,   880
seu spumantis equi foderet calcaribus armos.
Heu, miserande puer, si qua fata aspera rumpas,
tu Marcellus eris. Manibus date lilia plenis,
purpureos spargam flores, animamque nepotis

his saltem adcumulem donis, et fungar inani   885
munere' -- Sic tota passim regione uagantur
aeris in campis latis, atque omnia lustrant.
Quae postquam Anchises natum per singula duxit,
incenditque animum famae uenientis amore,

Et ensuite lui rappelle les guerres qui dorénavant sont à mener,
Et l'informe sur les peuples de Laurente[492] et la cité de Latinus[493],
Et de quelle façon à la fois il fuirait et supporterait toutes ses épreuves.
Il existe deux portes du Sommeil, dont l'une est dite
En corne, par laquelle il est licite aux véritables ombres de sortir ;

L'autre est étincelante du fait de sa constitution en ivoire éblouissant,
Mais (par elle) les Mânes au ciel envoient de trompeuses visions.
Alors ici Anchise de son fils ainsi que de la Sibylle avec ces
Paroles prend congé, et par la porte d'ivoire les fait sortir,
Celui-ci se fraie un chemin vers ses navires et retrouve ses compagnons :

Ensuite il cingle droit le long du rivage vers le port de Caiète[494].
Des proues on jette l'ancre, les navires sont au mouillage sur la côte.

---

[492] Cité sur la côte du Latium, à proximité d'Ostie.
[493] Roi du peuple indigène qui occupait le Latium. Il s'allia à Enée et lui offrit sa fille Lavinia en mariage (cf. vers 93 supra).
[494] Port entre la Campanie et le Latium, aujourd'hui Gaète.

exin bella uiro memorat quae deinde gerenda,   890
Laurentisque docet populos urbemque Latini,
et quo quemque modo fugiatque feratque laborem.
Sunt geminae Somni portae, quarum altera fertur
cornea, qua ueris facilis datur exitus umbris;

altera candenti perfecta nitens elephanto,   895
sed falsa ad caelum mittunt insomnia Manes.
His ibi tum natum Anchises unaque Sibyllam
prosequitur dictis, portaque emittit eburna,
ille uiam secat ad naues sociosque reuisit:

tum se ad Caietae recto fert litore portum.   900
Ancora de prora iacitur, stant litore puppes.

Table des matières

Edition : BoD – Books on Demand
12/14 rond-point des Champs-Elysées, 75008 Paris
Impression : BoD – Books on Demand, Norderstedt, Allemagne
ISBN : 978-2-322-39859-1
Dépôt légal : avril 2022